coleção | Política Externa Brasileira

A GRANDE ESTRATÉGIA DO BRASIL

MINISTÉRIO DAS RELAÇÕES EXTERIORES

    Ministro de Estado   Embaixador Mauro Luiz Iecker Vieira
    Secretário-Geral   Embaixador Sérgio França Danese

FUNDAÇÃO ALEXANDRE DE GUSMÃO

    Presidente   Embaixador Sérgio Eduardo Moreira Lima

Conselho Editorial da
Fundação Alexandre de Gusmão

    Presidente   Embaixador Sérgio Eduardo Moreira Lima

    Membros   Embaixador Ronaldo Mota Sardenberg
                            Embaixador Jorio Dauster Magalhães e Silva
                            Embaixador Gonçalo de Barros Carvalho e Mello Mourão
                            Embaixador José Humberto de Brito Cruz
                            Embaixador Julio Glinternick Bitelli
                            Ministro Luís Felipe Silvério Fortuna
                            Professor Francisco Fernando Monteoliva Doratioto
                            Professor José Flávio Sombra Saraiva
                            Professor Eiiti Sato

A *Fundação Alexandre de Gusmão*, instituída em 1971, é uma fundação pública vinculada ao Ministério das Relações Exteriores e tem a finalidade de levar à sociedade civil informações sobre a realidade internacional e sobre aspectos da pauta diplomática brasileira. Sua missão é promover a sensibilização da opinião pública nacional para os temas de relações internacionais e para a política externa brasileira.

FUNDAÇÃO EDITORA DA UNESP   Editora afiliada:

Presidente do Conselho Curador   *Conselho Editorial Acadêmico*
Mário Sérgio Vasconcelos   Áureo Busetto
                                         Carlos Magno Castelo Branco Fortaleza
Diretor-Presidente   Elisabete Maniglia
Jézio Hernani Bomfim Gutierre   Henrique Nunes de Oliveira
                                         João Francisco Galera Monico
Editor-Executivo   José Leonardo do Nascimento
Tulio Y. Kawata   Lourenço Chacon Jurado Filho
                                         Maria de Lourdes Ortiz Gandini Baldan
Superintendente Administrativo   Paula da Cruz Landim
e Financeiro   Rogério Rosenfeld
William de Souza Agostinho
                                         Editores-Assistentes
                                         Anderson Nobara
                                         Jorge Pereira Filho
                                         Leandro Rodrigues

Celso Amorim

A GRANDE ESTRATÉGIA DO BRASIL

DISCURSOS, ARTIGOS E ENTREVISTAS
DA GESTÃO NO MINISTÉRIO DA DEFESA
(2011-2014)

Brasília – 2016

Direitos de publicação reservados à
Fundação Alexandre de Gusmão
Ministério das Relações Exteriores
Esplanada dos Ministérios, Bloco H
Anexo II, Térreo
70170-900 Brasília – DF
Telefones: (61) 2030-6033/6034
Fax: (61) 2030-9125
Site: www.funag.gov.br
E-mail: funag@funag.gov.br

Equipe Técnica:
Eliane Miranda Paiva
André Luiz Ventura Ferreira
Fernanda Antunes Siqueira
Gabriela Del Rio de Rezende
Luiz Antônio Gusmão

Edição:
Antonio Jorge Ramalho da Rocha
Ibrahim Abdul-Hak Neto
Luiz Feldman
Pérola Abreu Pereira

Projeto Gráfico:
Daniela Barbosa

Programação Visual e Diagramação:
Gráfica e Editora Ideal

Impresso no Brasil 2016

A524
    Amorim, Celso.
       A grande estratégia do Brasil: discursos, artigos e entrevistas da gestão no Ministério da Defesa (2011-2014) / Celso Amorim ; Antonio Jorge Ramalho da Rocha ... [et al] (editores). - Brasília : FUNAG; [São Paulo] : Unesp, 2016.

       Obra em coedição com a Editora Unesp.
       398 p. – (Coleção política externa brasileira)

       A obra reúne textos da gestão do Embaixador Celso Amorim no Ministério da Defesa, entre agosto de 2011 e dezembro de 2014.

       ISBN 978-85-7631-585-8 (FUNAG)
       ISBN 978-85-3930-627-5 (Editora Unesp)

       1. Brasil. Ministério da Defesa (MD). 2. Amorim, Celso, 1942- discursos etc. 3. Política de defesa - coletânea - Brasil. 4. Defesa nacional - Brasil. 5. Estratégia de defesa - Brasil. I. Título. II. Série.

CDD 355.81

Depósito Legal na Fundação Biblioteca Nacional conforme Lei nº 10.994, de 14/12/2004.

Agradecimento

A publicação deste livro deve-se à iniciativa da Fundação Alexandre de Gusmão e da Editora Unesp, com o apoio do Instituto Pandiá Calógeras. Deixo aqui meu reconhecimento aos editores da obra. Seria desnecessário repetir os agradecimentos feitos em meu discurso de despedida, reproduzido nesta coletânea. Não poderia, entretanto, deixar de registrar minha gratidão aos que me ajudaram mais de perto durante o período na Defesa: meus chefes de gabinete, Antonio Lessa e Lívia Cardoso, meus assessores João Paulo Alsina, Luiz Rabelo e Mariana Plum e meus ajudantes de ordens, Ana Paula Souza, Cesar Prudêncio, Guilherme Ferreira, Alberto Moraes, Bruno Macedo, Sofia Meirose, Marcio Teixeira e Tatiana Willig.

Celso Amorim

Nota

Este livro reúne textos da gestão do Embaixador Celso Amorim no Ministério da Defesa, entre agosto de 2011 e dezembro de 2014. Divide-se em duas seções, a primeira composta por trinta discursos, a segunda por três artigos e cinco entrevistas. A seleção desses textos obedeceu aos seguintes critérios: reunir os principais pronunciamentos acerca da política de defesa; deixar registro de discursos simbólicos pelas circunstâncias em que foram proferidos; reproduzir textos representativos das variadas atividades abrangidas pela Pasta, para além de sua missão primordial de defesa da Pátria.

De modo a preservar o caráter de alocução pública dos discursos que integram a primeira seção da obra, optou-se por não carregar o livro com um aparato bibliográfico e com a explicação dos fatos, processos e iniciativas citados. As leis e os documentos oficiais referidos são de livre acesso nas páginas eletrônicas pertinentes. As citações vêm quase sempre acompanhadas, no próprio texto, da indicação dos autores ou documentos que lhes servem de fonte. A fim de conservar a integridade de cada discurso, optou-se também por não eliminar repetições, que o leitor poderá relevar.

Em seu conjunto, os textos apresentam a visão de uma *grande estratégia* de defesa do interesse nacional e de contribuição para a paz, em que política externa e política de defesa se conjugam – enriquecidas por uma reflexão acadêmica livre – em uma sociedade plural e democrática. A coedição deste livro pela Fundação Alexandre de Gusmão, do Itamaraty, e pela Editora Unesp, da Universidade Estadual Paulista, com o apoio do Instituto Pandiá Calógeras, do Ministério da Defesa, simboliza, muito oportunamente, a transversalidade do conceito de *grande estratégia*. Essa é a ideia que perpassa os textos a seguir.

Os editores

Sumário

Discursos

Discurso de posse
Brasília, 8 de agosto de 2011 15

La comunidad de seguridad sudamericana
Buenos Aires, 5 de setembro de 2011 19

A cooperação de defesa na CPLP
Santa Maria, Ilha do Sal, 28 de novembro de 2011 27

Defesa: um diálogo nacional
Brasília, 15 de fevereiro de 2012 35

A política de defesa de um país pacífico
Rio de Janeiro, 9 de março de 2012 45

Conclusão da Operação Arcanjo
Rio de Janeiro, 9 de julho de 2012 61

O panorama global de segurança e as linhas de defesa dos interesses brasileiros
Belo Horizonte, 27 de julho de 2012 65

Por uma identidade sul-americana em defesa
Rio de Janeiro, 29 de agosto de 2012 87

Brasil e Bolívia: cooperação em defesa para o século XXI
Santa Cruz de la Sierra, 3 de outubro de 2012 101

A bordo do NPaOc Amazonas
*Ao largo da costa do estado do Rio de Janeiro,
5 de outubro de 2012* *105*

X Conferência dos Ministros de Defesa das Américas
Punta Del Este, 8 de outubro de 2012 .... *107*

Conselho de Defesa Sul-Americano
Lima, 28 de novembro de 2012 .... *117*

Zopacas
Montevidéu, 15 de janeiro de 2013 .... *125*

Uma política de defesa para o futuro
São José dos Campos, 25 de fevereiro de 2013 .... *131*

Inauguração da Unidade de Fabricação de
Estruturas Metálicas
Itaguaí, 1º de março de 2013 .... *157*

Robustecendo o poder brando
Niterói, 27 de maio de 2013 .... *159*

Homenagem das Forças Armadas
Brasília, 4 de junho de 2013 .... *185*

Coragem, idealismo, solidariedade
Brasília, 17 de junho de 2013 .... *191*

Los desafios del escenario estratégico del
siglo XXI para América del Sur
Buenos Aires, 13 de setembro de 2013 .... *199*

Segurança internacional: novos desafios para o Brasil
Rio de Janeiro, 11 de outubro de 2013 .... *213*

Formatura da Turma de 2013 da AMAN
Rezende, 30 de novembro de 2013 .... *237*

Grande estratégia e poder naval em um mundo em fluxo
Rio de Janeiro, 24 de fevereiro de 2014 .... *243*

Brasil e Moçambique, parceiros na defesa
Maputo, 20 de março de 2014 265

The cornerstones of Brazil's defense policy
Estocolmo, 4 de abril de 2014 279

O Brasil na Antártida
Brasília, 28 de abril de 2014 295

A cooperação lusófona em defesa
Lisboa, 26 de maio de 2014 299

A grande estratégia do Brasil
Brasília, 14 de novembro de 2014 305

Sérgio Vieira de Mello
Rio de Janeiro, 28 de novembro de 2014 319

San Tiago Dantas
Rio de Janeiro, 12 de dezembro de 2014 323

Discurso de despedida
Brasília, 2 de janeiro de 2015 329

Artigos e entrevistas

"A Comissão da Verdade é o epílogo da transição democrática"
ISTOÉ, *30 de março de 2012* 341

"Cuanto más Chile se sienta sudamericano, más nos ayuda en la integración"
El Mercurio, *31 de março de 2012* 347

Legado e atualidade de Renato Archer
Princípios, *agosto-setembro de 2012* 353

Pirataria e terrorismo na África podem afetar Brasil, diz Amorim
BBC Brasil, *8 de maio de 2013* 357

A atualidade de José Bonifácio
Folha de S. Paulo, *8 de julho de 2013* 369

Hay que prepararse para evitar una guerra cibernética
  Página 12, *16 de setembro de 2013* *373*
Democracia, desenvolvimento e defesa
  O Globo, *27 de dezembro de 2013* *383*
Entrevista concedida à jornalista Miriam Leitão
  GloboNews Miriam Leitão, *26 de junho de 2014* *387*

Discursos

Discurso de posse

Palavras por ocasião da cerimônia de posse no cargo de Ministro de Estado da Defesa. Brasília, 8 de agosto de 2011

Antes de mais nada, agradeço o honroso convite da Presidenta da República, Dilma Rousseff, para assumir a pasta da Defesa. Sou grato pela confiança e pela oportunidade de participar dessa importante etapa da longa transição do Brasil rumo a uma sociedade mais livre, mais justa e mais igualitária.

Serei breve. A realidade de uma política pública complexa e multifacetada como a Defesa não oferece espaço à pretensão. De maneira serena, cabe a mim, neste momento, mais ouvir do que falar – sem com isso me furtar ao diálogo franco e transparente.

Identifico nos militares valores dignos de admiração: patriotismo; abnegação; zelo pela coletividade; respeito à hierarquia e à disciplina.

Graças a importantes iniciativas levadas a cabo em governos anteriores, e mais particularmente durante o governo do Presidente Lula, o panorama da Defesa nacional é qualitativamente distinto do cenário em que nos encontrávamos no início da redemocratização.

Contamos com Forças Armadas profissionais e plenamente conscientes de sua subordinação ao poder democrático civil. A *Estratégia Nacional de Defesa* e o Plano de Articulação e

Equipamento da Defesa dela decorrente oferecem um horizonte de curto, médio e longo prazos para o setor.

Sob o signo da continuidade que caracteriza os Estados que atingiram maturidade democrática, trabalharei para implementá-los. Farei isso com espírito crítico e de maneira atenta aos ajustes e às adaptações que se façam necessários.

Dedicarei esforços ao fortalecimento da indústria nacional de material de emprego militar e à ampliação da autonomia tecnológica de nossas Forças Armadas, em estreita coordenação com os ministérios do Desenvolvimento e da Ciência e Tecnologia. O momento que vivemos em termos de política industrial reforça essa prioridade.

O aprimoramento da capacidade de operação conjunta entre Marinha, Exército e Aeronáutica, a racionalização de processos e programas e o robustecimento da supervisão do Ministério da Defesa sobre as políticas setoriais das forças são compromissos do titular da Pasta.

O Estado-Maior Conjunto das Forças Armadas terá importante papel nesse processo.

O Instituto Pandiá Calógeras, a ser implantado com celeridade, será importante instrumento de reflexão sobre temas estratégicos e servirá para formar os futuros analistas civis de Defesa.

Não ignoro a centralidade da questão orçamentária. Conhecendo a atenção que a Presidenta da República atribui aos assuntos de Defesa, cabe a mim empenhar-me em obter os recursos indispensáveis ao equipamento adequado das Forças Armadas.

Conto, para tanto, com a compreensão de meus colegas da área financeira. Afinal, o próprio documento legal que instituiu a *Estratégia Nacional de Defesa* estabelece vínculo indissociável entre esta e a estratégia nacional de desenvolvimento. Devemos conceber e aprovar mecanismo que permita conferir previsibilidade, estabilidade e perenidade aos projetos de equipamento e de desenvolvimento tecnológico das Forças.

Na mesma linha, não desconheço as legítimas aspirações dos militares no que se refere à garantia de condições de vida compatíveis com suas responsabilidades, vitais para toda a nação.

Um país pacífico como o Brasil não pode ser confundido com país desarmado e indefeso. Vivemos em paz com os nossos vizinhos. Mas o Brasil é detentor de enormes riquezas e possuidor de infraestruturas de grandes dimensões.

Cabe ao Estado brasileiro resguardar extensas fronteiras terrestres e marítimas. Além da indispensável defesa da população, devemos proteger nossos recursos naturais, a começar pelas riquezas contidas na Amazônia e nas águas jurisdicionais brasileiras.

As descobertas de significativas reservas de petróleo, sobretudo na camada pré-sal, reforçam essa necessidade. Nosso território, da Amazônia ao Aquífero Guarani, que compartilhamos com os vizinhos do Mercosul, é repositório de enorme quantidade de água, recurso cada vez mais escasso no mundo. É fundamental assegurar que a nossa soberania sobre o recurso água – além de sua utilização sustentável – seja preservada.

Hoje, é preciso admitir, nossas Forças sofrem de carências que não permitem o efeito dissuasório indispensável à segurança desses ativos. Há um descompasso entre a crescente influência internacional brasileira e a nossa capacidade de respaldá-la no plano da Defesa. Uma não será sustentável sem a outra.

Atentos ao ecumenismo que caracteriza a inserção internacional do Brasil contemporâneo, devemos valorizar o Conselho de Defesa Sul-Americano e intensificar a cooperação entre os países da região.

Pretendo também atribuir especial ênfase ao relacionamento de defesa com os países africanos. Juntamente com o Itamaraty, fortaleceremos a Zona de Paz e Cooperação do Atlântico Sul. Buscaremos assegurar que o Atlântico Sul seja uma área livre de armas de destruição em massa, em particular de armas nucleares.

Continuaremos a dar nossa contribuição a operações de paz da ONU, dentro dos preceitos do Direito Internacional, sobretudo naquelas áreas de maior interesse para o Brasil e onde disponhamos de clara vantagem comparativa.

Defesa e sociedade devem estar permanentemente em harmonia. Historicamente, nossas Forças Armadas constituíram importantes instrumentos de ascensão social. É importante, assim, que reflitam de forma crescente a diversidade da sociedade brasileira. Devemos valorizar a discussão de temas como Direitos Humanos, desenvolvimento sustentável e igualdade de raça, gênero e crença.

Gostaria de encerrar com as palavras de um grande defensor das Forças Armadas, José Maria da Silva Paranhos Júnior, o Barão do Rio Branco. Em seu último discurso, proferido no Clube Militar, em 11 de outubro de 1911, Rio Branco afirmou: "Toda a nossa vida como Estado livre e soberano atesta a nossa moderação e os sentimentos pacíficos do governo brasileiro, em perfeita consonância com a índole e a vontade da nação".

Essa convicção sobre nossa vocação pacifista não impediu Rio Branco de, nas suas palavras: "Lembrar, como tantos outros compatriotas, a necessidade (...) de tratarmos seriamente de reorganizar a Defesa nacional".

Muito obrigado.

La comunidad de seguridad sudamericana

Discurso na Escola de Defesa Nacional da Argentina.
Buenos Aires, 5 de setembro de 2011

Recibí con gran satisfacción la invitación para dirigirme ante un público tan selecto en esta importante institución argentina. Vuelvo a Buenos Aires en una nueva función, pero movido por el mismo compromiso con la alianza estratégica Brasil-Argentina y la integración de América del Sur.

El extraordinario avance del proceso de integración sudamericana en las dos últimas décadas del siglo XX y la primera década del siglo XXI tuvo en la transformación de las relaciones bilaterales entre Brasil y Argentina un importante fundamento.

En las relaciones internacionales del Brasil, nada ha sido más importante que nuestra aproximación con Argentina. Juntos, superamos la rivalidad, concretamos la cooperación e hicimos de la integración una realidad. Desde que eligieron el camino de la democracia, de la justicia social y del desarrollo económico con estabilidad, Brasil y Argentina estaban destinados a cooperar.

La arquitectura de la integración no podría fundarse en un ambiente de inseguridad. Nuestras repúblicas heredaron de otras eras la lógica de la política de poder. Para que esa lógica fuera sepultada, fue necesario que ambas partes despejaran desconfianzas históricas.

Las sospechas en el área nuclear reflejaban ese cuadro de incertidumbres. Con el proceso de construcción de confianza que resultó en la Agencia Brasileño-Argentina de Contabilidad y Control de Materiales Nucleares – la ABACC –, le dimos al mundo un gran ejemplo de transformación positiva de un ambiente estratégico. Me enorgullezco de haber participado de las negociaciones del acuerdo bilateral que llevó a la creación de la ABACC, que viene de cumplir veinte años.

Tenemos clara en nuestra historia la importancia de la seguridad como base para relaciones bilaterales maduras y mutuamente beneficiosas. A partir de ese fundamento, pudimos agregar nuevos países al proceso de integración, con el MERCOSUR y posteriormente la UNASUR.

Aunque la dimensión central de la integración sea política, tuvieron prioridad inicialmente las áreas comercial, económica y social, debido al anhelo de desarrollo de los pueblos sudamericanos. Hoy tenemos prosperidad económica y progreso social.

Sin embargo, no es posible ni prudente una actitud de negligencia con relación a los riesgos que conlleva la seguridad en América del Sur. Por eso pensamos la integración regional también desde el eje de la defensa. Además, el énfasis en los temas de defensa es particularmente oportuno teniendo en cuenta que defensa y desarrollo poseen conexiones evidentes.

En Brasil, las cuestiones de defensa hacen parte hoy de la agenda nacional. Son objeto de discusión por el Parlamento, por la academia y por la sociedad. Esos temas inspiran un consenso suprapartidario y atraen un nivel de apoyo que califica la política de defensa como una verdadera política de Estado.

Contribuyó para eso el aumento de la participación civil en la dirección superior de los asuntos de defensa. La *Estrategia Nacional de Defensa*, lanzada en 2008, constituyó la piedra angular del esfuerzo de preparación de las fuerzas armadas brasileñas para los desafíos del presente y del futuro.

La estrategia se organiza alrededor de tres ejes: la articulación espacial y el equipamiento de la armada, el ejército y la fuerza aérea en el marco de su tarea constitucional; el fortalecimiento de la industria nacional de material de defensa; y la política de composición de los efectivos de las Fuerzas Armadas.

Una de las directrices de la *Estrategia Nacional de Defensa* es estimular la integración de América del Sur. Pido permiso para citar el propio documento: "esa integración no solamente contribuirá para la defensa de Brasil, como posibilitará fomentar la cooperación militar regional y la integración de las bases industriales de defensa. Alejará la sombra de conflictos dentro de la región. Con todos los países se avanza rumbo a la construcción de la unidad de América del Sur". Y no nos restringimos a la dimensión retórica.

Como ejemplo concreto de historia en construcción, Brasil, Argentina, Chile y Colombia son socios en el proyecto del carguero e abastecedor KC-390, desarrollado por Embraer. Ese proyecto revela que la cooperación en ciencia, tecnología e innovación posee gran importancia para el fortalecimiento de las cadenas productivas industriales de nuestros países. Nunca está demás subrayar que los esfuerzos en ese campo pueden generar sinergias benéficas para todas las partes involucradas.

Otra iniciativa reciente es el *Libro Blanco de la Defensa Nacional*, que ya está en fase de preparación. El *Libro Blanco*, iniciativa característica de las democracias contemporáneas, expone la visión del gobierno sobre temas de defensa. Eso es fundamental, una vez que las Fuerzas Armadas poseen la capacidad de proyectar poder militar más allá del territorio nacional.

Al divulgar y detallar la política y la estrategia de defensa de Brasil, el libro aumentará la confianza mutua entre el país y sus socios y vecinos, más allá de ampliar la participación de la sociedad en los asuntos de defensa.

Nos complace que, también en la UNASUR, las cuestiones de defensa hayan ganado atención creciente. El Consejo de Defensa Sudamericano, en más de una ocasión, fue instrumento para la coordinación de posiciones conjuntas entre nuestros países – contribuyendo para que América del Sur se presente como actor internacional dotado de una identidad propia.

Con medidas de construcción de confianza y de aumento de la transparencia, el Consejo de Defensa abre la posibilidad de creación, en el nivel regional, de iniciativas virtuosas como aquellas que transforman la relación Brasil-Argentina.

El Centro de Estudios Estratégicos de Defensa, con sede en Buenos Aires, llevará adelante esa misión por medio de la producción de conocimiento dirigido a las realidades y a los desafíos de América del Sur.

El desarrollo del pensamiento estratégico autónomo, con amplia participación de todos los sectores de la sociedad y de la academia sudamericanas, además, naturalmente, de los militares, tiene importancia capital en lo que se refiere a la construcción de una visión común sobre la inserción del continente sudamericano en el sistema internacional de seguridad.

El Centro de Estudios permitirá trazar los lineamientos de una perspectiva sudamericana en un campo intelectual – el de los estudios estratégicos – frecuentemente dominado por juicios e intereses que no son los nuestros.

Quisiera detenerme en uno de esos juicios, tal vez uno de los más difundidos. Me refiero a la suposición de que el sistema internacional sea "anárquico". Sólo aparentemente ella se refiere a asuntos abstractos.

Al contraponer la presencia del gobierno en el interior de los Estados a su ausencia en el plano externo, ese concepto reduce la realidad internacional a la vida "solitaria, miserable, sórdida, brutal y corta" del estado de naturaleza concebido por Hobbes. Esta supuesta descripción contiene, en verdad, un elemento prescriptivo, además apologético de la política de poder preferida por las potencias tradicionales. Sin duda, sería ingenuo desconocer que la posibilidad de conflictos seguirá presente en las relaciones internacionales.

Tenemos la expectativa de contribuir para la formación de una multipolaridad benigna en el mundo cuyos contornos se anuncian. Más importante: como ya mencioné, la estrategia brasileña para América del Sur es fuertemente cooperativa. Entonces, será el concepto de anarquía apropiado para describir la relación entre nuestros Estados, que trabajan colectivamente bajo el signo de la integración?

El concepto de "comunidad de seguridad" me parece mucho más adecuado a nuestra realidad y, sobretodo, a los objetivos que tenemos para América del Sur. En él, el reconocimiento del derecho soberano de otros Estados a la autonomía es complementado por la proscripción de la guerra como forma de resolución de diferendos entre los miembros de la comunidad.

Lo que deseamos – y buscamos con empeño – es la constitución de una comunidad de seguridad sudamericana, susceptible de eliminar definitivamente el conflicto armado entre los países de la región.

Esa estrategia cooperativa pretende fomentar relaciones políticas intensas entre los países de América del Sur, que sirvan, ellas mismas, como elemento de disuasión extra-regional. En realidad, es en función de los requisitos de defensa de nuestra región ante el sistema global que el concepto de disuasión gana toda su importancia. Las inmensas riquezas que poseemos, por si mismas, rinden preocupante nuestra actual fragilidad militar.

América del Sur es una gran productora de energía renovable y no renovable, de proteína animal y vegetal. Posee extensas reservas de agua potable y de biodiversidad. Es también dotada de vastos recursos minerales. El continente sudamericano representa 12% de la superficie terrestre, 6% de la población mundial, 25% de las tierras cultivables y de las reservas de agua dulce, 40% de la biodiversidad del mundo. Hay reservas comprobadas, calculadas por bajo, de más de 123 mil millones de barriles de petróleo.

El proceso de degradación ambiental en escala planetaria y la presión creciente por alimentos, agua y energía pueden hacer dramática la disputa internacional por esos recursos. La integridad de la regulación multilateral de la seguridad en un escenario como ese podría ser puesta en riesgo.

No podemos confundir el hecho que seamos pacíficos con la percepción de que permanezcamos indefensos. Al proponernos una comunidad de seguridad "hacia adentro", no podemos dejar de trabajar con la posibilidad de un escenario externo de fragmentación y empleo unilateral de la fuerza por terceros Estados.

En él, todos los países de América del Sur podrían verse afectados. Podríamos ser perjudicados incluso por un enfrentamiento entre países ajenos a nuestra región. De allí el fundamento disuasorio de la política de defensa brasileña.

También por eso la articulación de la integración regional alrededor del eje de la defensa es un interés común de los países de América del Sur. Tenemos que desarrollar la idea de disuasión sudamericana.

No quiero con ello defender la existencia de un modelo único de defensa – algo que Brasil jamás haría en vista de su tradicional oposición a esquemas del tipo "one size fits all". Cada Estado sudamericano posee capacidades diferentes, como son distintos sus imperativos geoestratégicos. Es suficiente recordar que América del Sur posee al menos cinco vertientes de seguridad diferenciadas, no compartidas por todos los países: platina, andina, amazónica, atlántica y del pacífico.

A pesar de eso, hay un enorme margen de convergencia que nos aproxima. Tomo emprestadas las palabras de mi colega Arturo Puricelli, pronunciadas en ocasión de la inauguración del Centro de Estudios Estratégicos de Defensa de la UNASUR. Cito: "nadie es tan grande para rechazar la ayuda, nadie es tan pequeño al punto de no poder contribuir".

Un océano libre de armas nucleares, como el preconizado por nosotros en el contexto de la Zona de Paz y Cooperación del Atlántico Sur, demuestra de forma elocuente la necesidad que estemos en permanente sintonía.

Es en ese espíritu, muy diverso de los conceptos de periodos históricos superados, como los de la Guerra Fría, que Brasil y Argentina, juntamente con sus socios de América del Sur, defienden no sólo sus recursos naturales y sus soberanías, como también sus ideales. En línea de lo que dijo la presidenta Dilma Rousseff en enero pasado: "la alianza estratégica entre la Argentina y el Brasil es también fundamental para la proyección de intereses y valores comunes, cada vez más definidos de forma colectiva en nuestro entorno sudamericano".

Pienso aquí en el ejemplo de determinación con la cual los países sudamericanos apoyaron el regreso de la democracia en

Haití, en un ambiente de paz y con énfasis en el bienestar social, a lo largo de los últimos siete años.

La superación de la anacrónica rivalidad entre los dos países mostró que nuestra cooperación puede ser ejemplar para la edificación de la paz. Nuestra contribución será decisiva para la construcción de una comunidad de seguridad en la América del Sur.

Desde un punto de vista más amplio, comprendemos con claridad que nuestros países pueden, y deben, aportar sus recursos materiales y sus valores a la gestión colectiva de la seguridad internacional. Eso anuncia un futuro basado en el respeto mutuo, en el trabajo conjunto y en la disposición de asumir responsabilidades cada vez mayores en el plano global.

Viva la amistad Brasil-Argentina!

Muchas gracias.

A COOPERAÇÃO DE DEFESA NA CPLP

Intervenção na sessão de abertura oficial da XIII Reunião de Ministros de Defesa da Comunidade dos Países de Língua Portuguesa. Santa Maria, Ilha do Sal, 28 de novembro de 2011

É com grande satisfação que, na condição de presidente cessante deste fórum, dirijo-lhes a palavra. Devo, inicialmente, agradecer a hospitalidade do governo e do povo de Cabo Verde.

Ao assumir a responsabilidade de presidir este fórum pelo próximo ano, Cabo Verde dá testemunho do sentido coletivo com que a CPLP e esta reunião de ministros de defesa assumem seus compromissos.

A cooperação entre os países de língua portuguesa revela o grande potencial que resulta de nossa diversidade. A comunhão de identidades e princípios entre nossos países assegura que essa cooperação seja pautada pelo trabalho conjunto e pelo respeito mútuo.

Nossa ação internacional é modelar justamente por estarmos unidos por laços de fraternidade e igualdade. A CPLP seguirá desempenhando um valioso papel na área de defesa, assim como tem feito em outros setores.

O Brasil tem apoiado as ações da Comunidade por diversos meios. No campo da formação e capacitação das Forças Armadas, prestamos assistência técnica no exterior e disponibilizamos vagas para praças e oficiais em escolas militares brasileiras.

Realizamos avaliações de infraestrutura aeroviária e naval com o objetivo de auxiliar nossos parceiros na identificação das melhores alternativas para seu aproveitamento. Apoiamos o desenvolvimento da engenharia de construção, a instrução em operações de manutenção da paz e o levantamento de plataformas continentais. Buscamos ampliar os contatos entre nossas Forças Armadas por meio de estágios, intercâmbios e operações conjuntas.

Neste ano que se encerra, a ação da comunidade se fez sentir com especial relevo na nação amiga de Guiné-Bissau. O Brasil defende com firmeza que a assistência externa para a reforma do setor de segurança de Guiné-Bissau seja um processo inteiramente subordinado ao controle nacional e adaptado às circunstâncias desse país.

Esse tem sido o sentido que a presidência brasileira, exercida pela Embaixadora Maria Luiza Viotti, tem imprimido à configuração específica da Comissão de Construção da Paz das Nações Unidas. Pautada por esses princípios, a CPLP tem ajudado a promover a cooperação internacional com Guiné-Bissau.

Sabemos que o que foi feito até agora não foi suficiente. Mas não esmoreceremos no nosso empenho em garantir o futuro de paz e prosperidade naquela nação irmã.

Na área de defesa, a importância da CPLP em projetos de reforma do setor de segurança na África foi destacada pelo Conselho de Segurança na declaração presidencial de 12 de outubro deste ano. E cito: "O Conselho de Segurança reconhece (...) Outras iniciativas na área de reforma do setor de segurança na África levadas a cabo por organizações como a Comunidade Econômica de Estados da África Ocidental e a Comunidade de Países de Língua Portuguesa".

Aliás, a conjugação de esforços da CPLP e da CEDEAO tem sido um elemento essencial para o processo de reforma do setor de segurança bissau-guineense. Esta, por sua vez, permitirá que as instituições políticas da nação alcancem o equilíbrio necessário para a retomada do desenvolvimento de longo prazo.

A profissionalização das Forças Armadas de Guiné-Bissau (e também de suas forças de segurança) será amplamente beneficiada pelo treinamento dos contingentes existentes e pelo recrutamento de novos quadros. Após o envio de missão técnica militar brasileira ao país, a estimativa dos custos da iniciativa está sendo ultimada pelo Ministério da Defesa do Brasil.

Vou empenhar-me pessoalmente para que os recursos sejam liberados no próximo ano, de tal modo que a reforma das instalações e o início da formação de pessoal possam ser iniciados no mais breve prazo. Em relação à Guiné-Bissau, é preciso quebrar o círculo vicioso de que não há cooperação porque não há situação ideal, e a situação ideal não se encontra porque não há cooperação.

Cabe a nós, inclusive em função das várias organizações de que fazemos parte, contribuir para quebrar o círculo vicioso perverso que tem impedido o desenvolvimento pleno e a paz nesse país irmão.

Outra importante ação da CPLP na área de defesa foi a realização de mais uma Operação Felino por parte das Forças Armadas de Estados-membros da CPLP, que conta com o decidido apoio brasileiro.

O formato da operação deverá ser aperfeiçoado pela adoção das alterações discutidas pelos diretores políticos de nossos ministérios. Essas modificações têm por objetivo aumentar a interoperabilidade das forças envolvidas nos exercícios, bem como otimizar seus custos.

Já há previsão de uma operação em Guiné-Bissau "na carta", como se diz no jargão militar, e uma outra, posterior, no Brasil, "no campo". O novo formato da Operação Felino favorecerá a consolidação de bancos de dados que contarão com um amplo repertório de experiências e lições aprendidas. Esse repertório contribuirá para a formação de uma perspectiva própria da CPLP no campo das operações de manutenção da paz.

Durante a presidência do Brasil, prosseguiu-se na institucionalização do Fórum de Ministros de Defesa da CPLP. No período 2010-2011, demos seguimento à atualização do sítio virtual do centro de análise estratégica, o que permitirá melhor controle de suas atividades e maior visibilidade para seus trabalhos.

Em março de 2011, realizou-se visita de trabalho do Chefe de Assuntos Estratégicos – CAE à Guiné-Bissau, no quadro das ações de cooperação com aquele país. Também foi apresentado o plano de atividades e orçamento suporte de 2012 do CAE.

Em abril, reuniram-se os Chefes de Estado-Maior Geral das Forças Armadas, dando continuidade às ações de planejamento e execução das operações militares dos Estados-membros da CPLP. Em novembro, a 24ª Reunião do Secretariado Permanente para os Assuntos de Defesa concluiu-se com sucesso.

Avançam as ações de coordenação para a realização do 16º Encontro de Medicina Militar da CPLP, que ocorrerá em março de 2012. Finalmente, está sendo agendado para maio do mesmo ano, no Rio de Janeiro, o Simpósio das Marinhas de Guerra da CPLP.

Haveria muitas outras ações que eu poderia mencionar, além das iniciativas com a Guiné-Bissau. Por exemplo, o projeto do hospital militar em Moçambique, e muitas outras ações que deveremos realizar ao longo da próxima presidência.

Permitam-me uma digressão que interessa ao Brasil e a alguns países aqui reunidos. Gostaria de ressaltar a importância da criação de uma verdadeira Zona de Paz e Cooperação no Atlântico Sul. Não cito isso inutilmente, porque acho que o aprendizado que houver no Atlântico Sul pode servir também para outros oceanos.

A resolução 41/11 da Assembleia Geral das Nações Unidas confere legitimidade multilateral a esse objetivo e estabelece as bases da cooperação regional no marco da Zona de Paz e Cooperação do Atlântico Sul (Zopacas).

Em especial, a ONU conclama os Estados militarmente mais poderosos de outras regiões a não introduzir armamentos nucleares ou outros armamentos de destruição em massa no Atlântico Sul. Conclama, ainda, à redução e à futura eliminação de sua presença militar no Atlântico Sul. Recomenda, finalmente, que Estados de outras regiões não projetem sobre o Atlântico Sul rivalidades e conflitos estranhos a ele.

Essas normas de conduta retêm plena atualidade em um contexto em que o emprego da violência no sistema internacional segue sujeito ao arbítrio e às interpretações unilaterais de resoluções por parte de alguns Estados ou organizações de Estados.

O Atlântico Sul é uma região livre de armamentos nucleares e deve continuar a sê-lo.

Observo que, ademais de sólidos motivos históricos, a ausência de armamentos nucleares no Atlântico Sul é uma eloquente razão para que não aceitemos conceitos ampliativos como o que faz referência a uma suposta "Bacia do Atlântico".

Apoiamos irrestritamente a gradual libertação de todo o Hemisfério Sul e áreas adjacentes do jugo dos armamentos nucleares, objetivo fixado na resolução 51/45 da Assembleia Geral das Nações Unidas.

O princípio dos usos pacíficos dos oceanos e as possibilidades que ele abre à cooperação devem ser utilizados em toda a sua potencialidade.

As iniciativas de levantamento das plataformas continentais no Atlântico Sul revestem-se de importância decisiva. A extensão das plataformas para 350 milhas náuticas, mediante pleito no marco das Nações Unidas, cumprirá duplo objetivo. Por um lado, permitirá ampliar o potencial dos países ribeirinhos no que se refere ao aproveitamento econômico das riquezas do leito marinho. Por outro, evitará que potências extrarregionais pleiteiem junto à ONU a exploração desses recursos.

Depois dessa digressão, que não creio de todo irrelevante para os países não ribeirinhos do Atlântico Sul, queria dizer às senhoras e aos senhores que, aquém do ideal, mas além do que imaginaríamos possível, este fórum de cooperação em defesa é prova viva do alcance e da profundidade que a cooperação entre os países de língua portuguesa pode assumir.

Quando iniciamos nossa cooperação, com a reunião que o Presidente Sarney promoveu em São Luís do Maranhão, junto do então Ministro da Cultura, José Aparecido, ainda não contávamos com o Timor Leste e Angola vivia a situação peculiar de ter um alto representante.

Já naquela ocasião, que reuniu seis chefes de Estado, criamos o Instituto da Língua Portuguesa. Parecia que estávamos tratando de algo cultural e literário – que evidentemente são temas importantes, mas parecia que ficaríamos restritos a essa área. E hoje vemos que não: vemos que há muitos campos em que podemos cooperar, como o econômico e este nosso de defesa.

Situados em quatro continentes e membros de diferentes agrupamentos políticos e organizações de defesa, nossos países encontram sua vocação coletiva na cooperação e na concertação.

Ao gerar consenso em torno de programas e perspectivas comuns, a CPLP será cada vez mais necessária em um mundo multipolar que tem como um de seus traços básicos a convivência de distintas perspectivas políticas.

E, ao avançar sua mensagem de solidariedade no campo da defesa, a CPLP dará seu contributo para que esta convivência se paute pelos melhores valores da humanidade.

Muito obrigado.

Defesa: um diálogo nacional

Apresentação na Câmara dos Deputados por ocasião da abertura do II Seminário Estratégia Nacional de Defesa: Política Industrial e Tecnológica. Brasília, 15 de fevereiro de 2012

Em primeiro lugar, eu quero dizer que é uma grande alegria tratar desse tema para uma plateia tão repleta e tão diversificada como esta que temos hoje aqui, o que denota amplo interesse no tema. Eu diria que isso, em si, já é uma grande vitória desta Frente Parlamentar da Defesa Nacional e do trabalho dos nossos parlamentares.

Colocar a Defesa no centro dos debates políticos é o primeiro passo para resolver os demais problemas, muitos dos quais foram tratados pelo Deputado Carlos Zarattini: a questão de uma política adequada de compras de defesa, a questão de orçamentos adequados, a questão de legislação adequada, como essa que foi aprovada.

Quero congratular-me e cumprimentar todos os Deputados por este grande momento que estamos vivendo, com a aprovação da medida provisória 544 na Câmara dos Deputados. Estou certo de que ela será aprovada, também, no Senado Federal.

Essas questões não são questões só de governo; elas são questões da sociedade. É preciso que a sociedade tenha a percepção da importância da Defesa. Porque entre Defesa e democracia não há contradição. Pelo contrário, Defesa e democracia andam juntas. E quanto mais se debatem, quanto mais se discutem os rumos da nossa Defesa, mais apoio nós teremos.

Essa é uma lição que todos temos que aprender, e agora me dirijo também aos meus companheiros das Forças Armadas, mais diretamente envolvidos com o nosso trabalho diário: é importante haver esse debate. Porque é desse debate que nasce o verdadeiro apoio social.

Eu tive uma boa surpresa recentemente: lendo uma pesquisa do IPEA, havia a constatação clara de que a maioria dos brasileiros percebe a necessidade do investimento em Defesa. Isso é algo muito importante.

Ao trazer o tema da Defesa para o centro das atenções do Parlamento, a Câmara dos Deputados, por meio da Frente Parlamentar da Defesa Nacional, aprofunda um diálogo indispensável para a vitalidade da nossa democracia. Como disse, Defesa e democracia andam juntas no Brasil do século XXI. E o Congresso terá um papel cada vez mais destacado nessa relação.

Os Constituintes de 1988 determinaram esse entrelaçamento essencial ao atribuir ao Congresso uma série de competências ligadas à Defesa. A Nova República assegurou ao povo brasileiro o controle sobre o seu destino inclusive na situação limite – que não desejamos e oxalá nunca ocorra – de um conflito armado.

Dispositivos constitucionais reservam atribuições fundamentais ao Congresso, tais como: a definição e modificação dos efetivos das Forças Armadas; a aprovação de iniciativas ligadas a atividades nucleares; e as decisões sobre tratados internacionais e sobre leis orçamentárias. Essas competências revelam a amplitude não só do controle, mas também do potencial de diálogo entre Executivo e Legislativo na área de Defesa. Esse potencial aumenta significativamente em face da nova dimensão assumida pelo tema nos últimos anos.

Em um mundo em franca transformação, o Brasil deve gerir com eficácia a política de Defesa. Não é à toa que se fala tanto, agora, em transformação das Forças Armadas e, particularmente, em transformação do Exército, que tem se dedicado muito a esse tema.

A necessidade de reforço de nossas capacidades na área de Defesa decorre de uma série de circunstâncias, entre as quais se destaca o processo de desconcentração do poder mundial. Embora essa tendência seja, na sua essência, positiva, ela também encerra riscos, aos quais devemos estar atentos.

A estratégia brasileira combina cooperação e dissuasão.

Na América do Sul, a cooperação deve prevalecer. Desejamos criar uma comunidade sul-americana em que a guerra seja uma solução impensável para as eventuais disputas entre Estados. Isso é uma tarefa da diplomacia. Mas é também uma tarefa da Defesa, nas suas relações e nas relações das Forças com as suas equivalentes em outros países. Apoiamos iniciativas e projetos que reforcem a Defesa e consolidem a segurança de nossos vizinhos. O fortalecimento de nossa relação bilateral com a Argentina, o Mercosul e a Unasul foram passos decisivos nesse sentido. A cooperação com a nossa vizinhança tem no Conselho de Defesa Sul-Americano da Unasul um sólido espaço institucional para a criação de confiança e para o equacionamento pacífico de controvérsias.

Criamos um verdadeiro cinturão de boa vontade em nosso entorno imediato, cujo reforço deve ser preocupação permanente. Esse cinturão de boa vontade permite ao Brasil maior liberdade para uma política externa universalista, sem as amarras que a eventual presença de ameaças em suas fronteiras ensejaria. Essa percepção estende-se progressivamente à África. Desejamos contribuir particularmente para a segurança de nossos parceiros da Zona de Paz e Cooperação do Atlântico Sul. Necessitamos dos países africanos para garantir que esse oceano seja uma via segura de comércio, livre de ações de pirataria e de crime organizado.

Mencionou-se o submarino nuclear; poderíamos ainda lembrar o avião de patrulha e o cuidado com o nosso litoral, que o Exército também exerce. Tudo isso tem a ver com essa dimensão.

Mas a fluidez do cenário internacional e as tendências recentes de emprego indiscriminado da força por parte de alguns, mesmo com justificativas teóricas, exigem que o Brasil e a América do Sul possuam uma estratégia comum fortemente dissuasória. A ausência de ameaças militares imediatas não justifica a imprevidência quanto à possibilidade de que venhamos a ser afetados por crises com reflexos na Defesa e na segurança, mesmo que à nossa revelia.

É uma verdade óbvia, porém frequentemente esquecida, que nenhum país soberano pode delegar sua defesa a terceiros. Devemos ser capazes de impor custos elevados a qualquer país que, por qualquer motivo, se aventure a usurpar o nosso patrimônio. Nisso, essencialmente, consiste a dissuasão.

Marinheiros, soldados e aviadores bem-equipados e preparados, capazes de vigiar nossas fronteiras, nossos mares e nossos céus, inspiram respeito e tornam ações hostis menos prováveis. Forças Armadas bem-aparelhadas e adestradas minimizam a possibilidade de agressões, permitindo que a política de defesa contribua decisivamente com uma política externa voltada para a paz e o desenvolvimento.

Com a *Estratégia Nacional de Defesa*, aprovada em 2008 e agora objeto de revisão, o Brasil afirmou o elo indissociável entre defesa e desenvolvimento. Ao priorizar os setores nuclear, cibernético e espacial, a *Estratégia Nacional de Defesa* impulsiona a ciência e a pesquisa, e expande a formação de recursos humanos em áreas de ponta. Ao reorganizar a indústria nacional de material de defesa, a Estratégia reforça o desenvolvimento tecnológico independente. Níveis sempre maiores de capacitação tecnológica, por sua vez, possibilitarão o atendimento crescentemente autônomo das necessidades de equipamentos das nossas Forças Armadas, ao mesmo tempo em que asseguram maior margem de manobra à política de defesa.

O Governo da Presidenta Dilma Rousseff tem buscado, por meio do Ministério da Defesa, recuperar a capacidade de investimento estratégico do País, contribuindo para o renascimento da indústria nacional de defesa. Iniciativas como a MP 544, aprovada ontem por esta Casa e elaborada com o concurso de vários órgãos do Governo, transformam em realidade o preceito de reorganização da indústria nacional de produtos de defesa, inscrito na *Estratégia Nacional de Defesa*. Essas iniciativas estão em linha com o Plano Brasil Maior, idealizado pela Presidenta.

A MP 544, que esperamos em breve seja uma lei, fornece um novo marco para as atividades do Estado e do mercado no domínio da indústria do material de emprego militar. Em seu bojo são definidos termos de grande importância, como produto de defesa, produto estratégico de defesa e sistema de defesa. Estabelecem-se normas especiais de compra, contratações e desenvolvimento, por meio de processos licitatórios diferenciados, complementando a Lei de Licitações.

A MP 544 institui, ainda, um Regime Especial Tributário para a Indústria de Defesa, o RETID, com o objetivo de reduzir o custo tributário e de industrialização do material de defesa. Estabelecem-se ainda normas de financiamento para o desenvolvimento de programas, projetos e ações afetas a produtos estratégicos de defesa. Finalmente, a MP 544 assegurará a continuidade da capacidade produtiva da indústria nacional de defesa, protegendo tanto empresas quanto produtos estratégicos.

Ao fomentar a capacidade tecnológica e o desenvolvimento nacional, a MP 544 resultará na geração de renda e empregos. É um motivo para que mais uma vez me congratule com esta Casa pela aprovação unânime, ontem, desta medida provisória.

Quero fazer, entretanto, duas observações que creio importantes, se me permitem. A primeira é sobre a regulamentação necessária para essa medida provisória, porque todo esse tratamento especial conferido às empresas estratégicas de defesa tem que ser, depois, objeto de uma reciprocidade. Não faria sentido que o Estado estivesse investindo recursos – porque são, em última análise, recursos do Estado, recursos de algum tipo de renúncia fiscal – para que o resultado depois escapasse ao nosso próprio controle. Há muitos casos anedóticos, que não vou repetir, de apoio a indústrias brasileiras em áreas estratégicas, seguidos da venda dessas empresas a outras. E os produtos que foram alcançados com os nossos recursos não podem ser obtidos, porque são considerados produtos de segurança por outros países. Temos de evitar que esse paradoxo ocorra.

A segunda observação refere-se ao fato de que nós continuamos a dar as boas-vindas ao capital estrangeiro na indústria de defesa, de preferência quando ele está associado a alguma entidade ou empresa nacional. Temos vários exemplos disso, que são bem-sucedidos e devem continuar. O que esta medida provisória faz não diminui em nada as vantagens que já tem hoje em dia esse capital, ou o tratamento benéfico que ele recebe. Apenas cria vantagens adicionais para empresas estratégicas, tais como definidas na lei. Isso é algo muito importante. Há vários exemplos desse tipo. Eu poderia mencionar dois: a Helibrás é um caso; o Guarani, com a IVECO, é outro. Isso continuará a ocorrer e continuará a ser bem-

-vindo, mas não exclui que nós demos um tratamento ainda mais favorável, tributário ou de outra natureza, às empresas estratégicas de defesa.

Outra estipulação da *Estratégia Nacional de Defesa* a que temos nos dedicado é o Plano de Articulação e Equipamentos de Defesa, o PAED. Em dezembro passado, instituí um grupo de trabalho para concretizar a elaboração do Plano. Ele já estava previsto há muito tempo, já havia diretrizes, mas na realidade não tinha ainda havido, talvez em um grau suficiente, uma articulação entre os planos das várias forças. Isso é absolutamente essencial. O PAED deverá analisar aspectos tais como: a harmonização dos projetos apresentados pelas forças; a recuperação da capacidade operacional da Marinha, do Exército e da Aeronáutica; pesquisa, desenvolvimento e ensino; transferência de tecnologia; e a aquisição – de preferência, de maneira regular, como disse o Presidente da Frente – de produtos de defesa no Brasil.

Como decorrência desse novo quadro de tratamento dos assuntos de Defesa, e sempre que possível orientado pelo fortalecimento da indústria nacional, o Ministério da Defesa colocará ênfase em vários projetos durante este ano. Poucos deles ainda não foram propriamente orçamentados, mas já estão em discussão para serem objeto de decisão muito prontamente.

Citaria a aquisição dos caças, com transferência de tecnologia e de capacidade de produção para o Brasil. Outro exemplo é o PROSUPER, que tem que ser desenvolvido. Há projetos na área do Exército, que estão apenas começando, como é o caso do SISFRON, o sistema de vigilância das fronteiras. Há uma lista enorme, que inclui o PROSUB; o veículo blindado sobre rodas Guarani; o desenvolvimento do KC-390, um avião de transporte a jato que deverá substituir o famoso Hércules C-130, não só no Brasil, mas em muitos outros países, e que já tem sido objeto de cooperação com outros países sul-americanos e com países de outras regiões, como Portugal e República Tcheca; helicópteros de transporte, que já mencionei; o SISGAAZ, que a Marinha desenvolverá; e veículos aéreos Não Tripulados. Alguns desses exemplos são típicos da necessidade de interoperabilidade e de perfeita coordenação entre as Forças, uma tarefa que o Estado-Maior Conjunto tem levado adiante.

Todos esses projetos, ou quase todos, encontram-se já em fase de execução. Um ou dois são ainda objeto de decisão. Claro que alguns já estão refletidos, ainda que inicialmente, no orçamento deste ano, mas demandarão recursos por longo tempo. E essa questão da continuidade é absolutamente essencial. Aproveitando a presença do meu amigo Marco Antonio Raupp, juntamente com quem assessorei o Ministro Renato Archer na questão do satélite sino-brasileiro, observo que a área espacial é típica desse desafio da continuidade. Nós conhecemos os efeitos da falta de continuidade em projetos de grande envergadura. A continuidade é algo essencial, e nos alegra muito que essa percepção seja plenamente compartilhada nesta Casa.

Estamos também iniciando uma discussão muito importante sobre artilharia antiaérea, área em que o Brasil ainda é, infelizmente, deficiente. Também nesse caso a cooperação entre as várias Forças é muito importante.

Destaco a relevância do projeto do Satélite Geoestacionário Brasileiro, em que o Ministério da Defesa está associado ao Ministério da Ciência, Tecnologia e Inovação e ao Ministério das Comunicações. Por orientação da Presidenta, teremos uma empresa brasileira integradora desse projeto. Esse é um projeto muito importante, porque, além das vantagens tecnológicas que fornece, ele possibilitará que as comunicações da Defesa sejam seguras. Evitará que elas dependam de um fornecedor estrangeiro, por mais bem-intencionado que seja, uma vez que em algum momento ele pode ser forçado a criar uma dificuldade, ou pode ver outra razão qualquer para isso, até econômica. Nós não podemos depender disso. Então, esse é um passo extraordinário, e o Dr. Raupp é uma das pessoas profundamente envolvidas nessa questão, como era o seu antecessor, Aloízio Mercadante, e o Ministro das Comunicações, Paulo Bernardo.

As externalidades positivas dos investimentos militares para atividades econômicas civis ressaltam a importância do novo marco estratégico da indústria de defesa. Ainda no concernente à Ciência e à Tecnologia, nosso Ministério priorizará, com pleno apoio da Presidenta Dilma Rousseff, a ampliação da oferta de vagas em seus institutos tecnológicos, como o ITA e o IME, bem como a contratação de novos professores e pesquisadores para o CTA, o CTEX e o IPQM. Trabalharemos juntamente com as universidades que cooperam com nossos projetos, sobretudo no caso da Marinha.

Gostaria de consignar aqui o indispensável apoio que temos recebido do Ministério da Ciência, Tecnologia e Inovação, que proporciona financiamento a diversos projetos de tecnologia de ponta de grande interesse para a Defesa, por meio de seus órgãos de fomento à pesquisa e ao desenvolvimento, como a Finep. Também trabalhamos em consonância com outros Ministérios. Já tive oportunidade de mencionar o fato de que a medida provisória aprovada ontem, aqui na Câmara, foi verdadeiramente um trabalho de equipe. Isso é muito importante porque essas medidas e esses projetos na área de Defesa constituem não só um projeto do Ministério da Defesa, mas um projeto de Governo, com apoio do Parlamento e da sociedade.

Eu menciono aqui a América do Sul e a África pelos motivos óbvios de serem a nossa circunstância ampliada, mas, evidentemente, continuaremos a desenvolver iniciativas com outros parceiros tradicionais, como os Estados Unidos e os países europeus; e também com parceiros novos, como a Índia e a África do Sul, países que não mereceram, no passado, toda a atenção que poderiam merecer. Acabo de voltar de uma viagem à Índia, extremamente exitosa. Está aqui o General José Carlos De Nardi, um dos que me acompanhou. Eu o menciono porque lembro aqui da defesa cibernética, que é um ponto importante do nosso desenvolvimento tecnológico.

Essa breve panorâmica da agenda permite apresentar-lhes uma visão de conjunto, ainda que sumária, sobre os desafios e as oportunidades que se abrem à Defesa do Brasil no século XXI.

Se me permitem ser um pouquinho literário, já que fui professor de teoria política – e vejo aqui o Prof. Luís Pedone, que era diretor do departamento da UnB, quando eu lá ensinava –, cito Maquiavel, que, no século XVI, advertia: "O príncipe sábio jamais deve permanecer ocioso nos tempos de paz, e sim fazer destes um cabedal para dele se valer na adversidade, a fim de que, quando mudar a fortuna, esteja sempre pronto a lhe resistir". Se Maquiavel me permitir, indo um pouco mais longe, na verdade, ao agir dessa maneira, ao construir esse cabedal, o príncipe pode até contribuir para evitar que essa hipótese de adversidade se concretize.

No nosso caso, temos uma vantagem. Em nosso país, a preparação da Defesa não é tarefa deixada ao capricho de um príncipe, mas é uma obra coletiva do governo e da sociedade. Um Congresso com parte ativa na política de Defesa contribuirá para a construção da prosperidade e da paz que desejamos.

Muito obrigado.

A política de defesa de um país pacífico

Texto da aula magna para os cursos de Altos Estudos Militares das Forças Armadas e de Altos Estudos em Política e Estratégia da Escola Superior de Guerra. Rio de Janeiro, 9 de março de 2012

É com grande satisfação que venho ministrar aula magna para plateia tão qualificada.

Gostaria de abordar uma questão que creio dizer respeito, de diferentes maneiras, à reflexão desenvolvida pelas senhoras e pelos senhores neste momento de suas carreiras: que política de defesa deve adotar um país democrático com as características do Brasil, que se orgulha de seu passado e presente pacíficos, mas que, como a sexta ou quinta maior economia do mundo, enfrentará desafios de toda ordem? A resposta a essa indagação deve levar em consideração os anseios de nossa sociedade e as lições de nossa história.

Começo pelas lições que a trajetória do país oferece para sua inserção internacional contemporânea. Embora qualquer política de defesa no mundo de hoje deva lidar com as chamadas novas ameaças, é um fato indiscutível que sua atenção primária está posta nas relações entre Estados. A guerra de todos contra todos de que falava Thomas Hobbes não corresponde à realidade internacional atual. A paz perpétua que propôs Immanuel Kant tampouco pôde ver sua promessa realizada, em que pese ao estabelecimento de instituições internacionais, algumas criadas especificamente com este fim.

As relações entre os Estados são caracterizadas por um misto de cooperação e de conflito em gradações diversas. Como felizmente não vivemos em tempo de guerra aberta e generalizada, analisarei nossa política de defesa do ângulo da dinâmica entre cooperação e dissuasão.

Um problema fundamental para a segurança de qualquer Estado, particularmente para aqueles cujo território se caracteriza pela continentalidade, é a definição de suas fronteiras. No Brasil, a habilidade de homens como o Barão do Rio Branco – justamente cultuado nas instituições militares –, somada ao próprio peso específico do país na América do Sul, assegurou que esse enorme desafio fosse enfrentado pela negociação e pelo recurso a outros meios pacíficos.

Essa realidade repercute até os dias de hoje: seguro em suas fronteiras, o país pôde dedicar-se prioritariamente às tarefas do desenvolvimento e, com mais ardor recentemente, ao imperativo de reduzir a desigualdade e erradicar a pobreza.

Costuma-se dar o nome de poder brando (ou *soft power*) à capacidade persuasiva, negociadora e de irradiação de valores que, no caso do Brasil, tem produzido ganhos concretos. Ao poder brando estariam associados outros atributos como a simpatia do povo brasileiro, sua tão propalada índole pacífica e uma capacidade de compreender situações complexas vividas por outros países. Muitas dessas qualidades derivam diretamente da miscigenação de que tanto nos orgulhamos. Esse poder brando se refletiria também na abertura à cooperação, sempre preferida, no nosso relacionamento externo, às fórmulas impositivas ou intimidatórias. Cada vez mais, essa cooperação tem ocorrido também na área da Defesa.

Temos aqui esboçada uma resposta preliminar à pergunta que propus: um país democrático e pacífico deve adotar em sua política de defesa, sobretudo em relação aos vizinhos, um forte componente de cooperação, com vistas a obter, conjuntamente com eles, ganhos que não poderiam ser auferidos por meio de ações isoladas.

***

O entorno geopolítico imediato do Brasil é constituído pela América do Sul e pelo Atlântico Sul, chegando à costa ocidental da África. Devemos construir com essas regiões um verdadeiro "cinturão de boa vontade", que garanta a nossa segurança e nos permita prosseguir sem embaraços no caminho do desenvolvimento.

Isso, de fato, já está ocorrendo. O Brasil deseja construir em seu entorno uma "comunidade de segurança", no sentido que o cientista político Karl Deutsch deu a essa expressão, isto é, um conjunto de países entre os quais a guerra se torna um expediente impensável.

A criação de um ambiente de paz e cooperação na América do Sul progrediu muito nos últimos anos. As raízes desse processo encontram-se em fatos como a construção de confiança estratégica entre seus maiores países e o avanço de um ambicioso processo de integração.

O fortalecimento da relação do Brasil com a Argentina, especialmente no último quarto de século, proporcionou não apenas ganhos econômicos e comerciais notáveis para os sócios do Mercosul – bloco que hoje é nosso maior parceiro depois da China –, mas também o aumento tangível da segurança regional, por meio de iniciativas como a Agência Brasileiro-Argentina de

Contabilidade e Controle de materiais nucleares, a ABACC, que sepultou de vez rivalidades históricas.

A Unasul, com seu Conselho de Defesa, representou outro salto qualitativo para a segurança e a cooperação em defesa. O plano do Conselho para 2012 prevê quatro eixos temáticos: política de defesa; cooperação militar, ações humanitárias e operações de paz; indústria e tecnologia da defesa; e formação e capacitação.

Um conjunto de iniciativas no âmbito bilateral complementa e amplia a cooperação do Brasil com os países da América do Sul. Com a Argentina, a pauta envolve exercícios combinados e projetos de cooperação industrial. Com o Chile, temos uma bem-sucedida parceria na missão de paz no Haiti (como é o caso também com Paraguai e Uruguai, entre outros). Argentina e Chile prestaram inestimável assistência logística ao Brasil no trágico acidente que se abateu sobre a Estação Antártica Comandante Ferraz e vitimou dois bravos tenentes da Marinha.

Temos buscado sistematicamente formas de aprimorar o trabalho conjunto na região amazônica. Todos os nossos vizinhos – da Amazônia ao Prata – foram convidados a enviar observadores às Operações Ágata, nas nossas fronteiras, três das quais ocorreram em 2011. Outras três estão previstas para 2012.

Cito um ou dois casos concretos de atividades cooperativas. As Marinhas de Brasil e Peru, com a participação da Emgepron e do Serviço Industrial da Marinha do Peru, estão negociando um acordo sobre a modernização de meios navais daquela nação amiga. Recentemente, firmamos com a Colômbia a criação da Comissão Binacional Fronteiriça, a Combifron, um mecanismo para troca de informações sobre temas de interesse para a segurança dos dois países.

A construção do avião cargueiro-reabastecedor KC-390, projeto que reúne Brasil e Argentina (além de Portugal e República

Tcheca), podendo ainda ter a Colômbia como parceira – e quem sabe outros países –, demonstra os benefícios da cooperação entre as indústrias de defesa regionais e inter-regionais.

Recordo também o exercício Cruzex, que envolve principalmente forças aéreas da América do Sul. Buscamos ainda aprimorar parcerias na área de ensino: em 2012, a Escola Superior de Guerra realizará o 1º Curso Avançado de Defesa destinado a capacitar civis e militares dos países das nações sul-americanas, com o objetivo, entre outros, de desenvolver o pensamento sul-americano de defesa com base nos conceitos de cooperação e integração.

Para além desses esforços, pretendemos revigorar a Zona de Paz e Cooperação do Atlântico Sul (Zopacas), que congrega os países da costa atlântica da África e da América do Sul, bem como os insulares. Nesse foro, criado pela Assembleia Geral das Nações Unidas em 1986 – e cuja 7ª reunião ministerial deve ocorrer em breve no Uruguai –, nossos países têm a oportunidade de aprofundar a cooperação econômica, científica e ambiental sob a égide do uso pacífico dos oceanos. Sobretudo, os membros da Zopacas querem um Atlântico Sul livre de armas nucleares.

Temos buscado incrementar a cooperação bilateral com nossos parceiros africanos, visando não somente ao comércio, mas também à cooperação técnica e ao desenvolvimento tecnológico. Recordo a histórica cooperação com a Namíbia, cuja força naval foi praticamente formada pela Marinha do Brasil. Dessa cooperação foi-me dado viver, ainda que de longe, como Secretário-Geral do Itamaraty, episódio muito simbólico: a saída, da baía de Walvis, da última belonave da África do Sul do *apartheid* e a chegada simultânea de uma fragata brasileira (a fragata Niterói, se não estou enganado). É um exemplo da substituição da subordinação pela cooperação.

A recente reunião de ministros de Defesa da Comunidade dos Países de Língua Portuguesa demonstrou as amplas possibilidades da cooperação entre as oito nações, de que são exemplo as operações Felino, exercícios conjuntos dos nossos exércitos.

A contribuição que o Brasil puder dar à reforma do Exército da Guiné-Bissau não só é importante para a estabilidade daquele país; ela terá reflexos na nossa própria segurança, dificultando o tráfico de drogas.

Temos hoje aqui o Ministro da Defesa de Cabo Verde, país que ocupa posição estratégica entre a América do Sul, a África e a Europa. De novo: a cooperação que pudermos prestar a Cabo Verde, principalmente no que toca à vigilância do seu entorno marítimo, não será apenas um gesto de solidariedade com um país irmão; atenderá ao nosso próprio interesse em combater a criminalidade e a pirataria em áreas não muito distantes das nossas águas jurisdicionais.

Por meio do foro IBAS, que reúne Brasil, África do Sul e Índia, também temos procurado avançar ações coordenadas, tais como as manobras navais IBSA-mar. O Brasil está construindo, junto com a África do Sul, um míssil ar-ar de quinta geração, o A-Darter. Em minha recente viagem à Índia, pude constatar grandes possibilidades de cooperação bilateral: menciono o projeto do 145 da Embraer com radar indiano, que já é quase um projeto comum. As áreas de defesa eletrônica e de construção de embarcações, especialmente de submarinos e porta-aviões, abrem outras possibilidades de intercâmbio entre essas duas grandes democracias do mundo em desenvolvimento.

Naturalmente, são possibilidades que ainda têm que ser testadas, mas que não devemos desprezar.

Do ponto de vista estratégico, também temos que dar atenção crescente a foros de grande presença econômica e política como o

BRICS, cujas potencialidades na área de defesa ainda não foram exploradas.

Devemos ressaltar, igualmente, a expressiva cooperação com países no mundo desenvolvido. Com a França, temos uma parceria estratégica em defesa assentada na transferência de tecnologia, de que é emblema o programa de construção de submarinos convencionais e nucleares. Desejamos ver florescer ainda mais nossas relações de defesa com outros parceiros tradicionais, como os Estados Unidos, com quem temos cooperação vasta e multifacetada.

É mister reconhecer a existência de percalços no passado recente. Confiamos em que o aprofundamento do diálogo nos permitirá avançar na direção certa.

No plano global da cooperação, o Brasil destaca-se como um importante contribuinte de tropas para missões de paz das Nações Unidas nas últimas décadas. Neste momento, lideramos o componente militar da Missão de Estabilização das Nações Unidas no Haiti, a Minustah.

Aproximando-se o oitavo ano da presença brasileira naquele país, começamos a diminuir nosso contingente ao nível anterior ao terremoto de 2010. É essencial termos consciência de que não devemos perpetuar nossa presença no Haiti. Devemos contribuir para que o Haiti recobre progressivamente a competência para gerir seu próprio destino, com democracia e prosperidade.

A participação da fragata *União* como capitânia da Força Tarefa Marítima do contingente das Nações Unidas no Líbano, a Unifil, sublinha a diversidade de nossa contribuição à causa da paz e da segurança. Todas essas dimensões da cooperação formam um componente expressivo de nossa política de defesa e condizem com nossa identidade democrática e com nossas tradições pacíficas.

Ao expandir nosso poder brando por meio da cooperação, a política de defesa coincide com a política externa na promoção de um ordenamento global que favoreça o entendimento em detrimento do conflito. Mas não tenhamos ilusões: o poder brando não é suficiente para garantir que o Brasil tenha sempre sua voz ouvida e respeitada e faça frente a eventuais ameaças, atuais ou potenciais.

***

Vivemos um momento de transição no sistema internacional. O esgotamento da unipolaridade e a crescente tendência à multipolaridade neste início de século não sinalizam necessariamente a prevalência de relações internacionais pacíficas. Decerto, o maior equilíbrio (ou menor desequilíbrio) de poder favorecido por essa nova circunstância corresponde a um princípio de "grande sabedoria e prudência", recomendado pelo filósofo do século XVIII David Hume em seu clássico ensaio sobre o tema.

Em tese, a ocorrência de maior equilíbrio de poder, característica da multipolaridade, dificulta a criação de hegemonias e cria novas oportunidades de projeção de vários países, entre os quais o Brasil, no cenário internacional. Mas a multipolaridade não garante, em si mesma, a paz. Isso fica evidente na natureza praticamente endêmica das conflagrações armadas do sistema europeu que se estendeu, com algumas interrupções, do Tratado de Westfália até a Primeira Guerra Mundial.

Na realidade mundial que se anuncia, ao Brasil interessa uma multipolaridade que, na falta de melhor termo, eu qualificaria de orgânica. Nela, normas gerais de conduta e instituições internacionais representativas, legítimas e efetivas devem regular a convivência entre os Estados e inibir os impulsos desagregadores decorrentes do unilateralismo e do abandono prematuro da via pacífica e diplomática para a solução de conflitos.

Um Conselho de Segurança reformado em sua composição e procedimentos, com novos membros permanentes, deve velar pelo emprego justificado, controlado, proporcional e parcimonioso da força. Mas a política de defesa deve estar preparada para a hipótese de que o sistema de segurança coletivo baseado em normas venha a falhar, por uma razão ou por outra – como de resto tem ocorrido com indesejável frequência.

Essa é uma das razões pelas quais devemos "fortificar" nosso poder brando, tornando-o mais robusto. Por isso, nossa estratégia regional cooperativa deve ser acompanhada por uma estratégia global dissuasória frente a possíveis agressores. A baixa percepção de ameaças imediatas não nos exime de seguir os conselhos da prudência.

Temos em conta o aumento do valor estratégico global dos ativos que conformam nosso patrimônio nacional e regional. O Brasil e, de forma mais ampla, a América do Sul, são grandes produtores de energia renovável e não renovável, de proteína animal e vegetal. Possuímos extensas reservas de água potável em nossos rios e em nossos aquíferos. Temos enorme biodiversidade. E dispomos de vastos recursos minerais. As descobertas no pré-sal, localizadas na Amazônia Azul, elevam o Brasil a um novo patamar de reservas e produção de petróleo e gás natural.

Vários desses ativos podem tornar-se objeto de dramática competição internacional. Vemos que situações conflitivas continuam a produzir-se do Oriente Médio ao chifre da África e ao nordeste asiático. Nada garante que a rivalidade entre potências de fora de nossa região não tenha rebatimento em áreas de nosso direto interesse.

Forças Armadas bem-equipadas e adestradas protegerão nossos ativos contra ataques militares; serão imprescindíveis, também, para garantir nossa incolumidade diante de conflitos entre terceiros países, que podem nos afetar de diversas maneiras.

Um conceito essencial da *Estratégia Nacional de Defesa* é o de que a capacidade dissuasória do Brasil deve fazer com que o hipotético adversário ou agressor reflita sobre as consequências de eventual ato hostil a nosso país. Deve ser evidente que toda e qualquer agressão – sob qualquer pretexto – terá um custo muito alto para quem a perpetrar. Repito: não vejo como um ato desse tipo possa partir de qualquer de nossos vizinhos sul-americanos ou mesmo latino-americanos.

Mas uma capacidade dissuasória crível em termos globais é crucial para evitar a concretização de hipóteses adversas. A inexistência dessa capacidade pode, ao invés de ajudar a construir a paz, ser fonte de instabilidade e conflito. O complemento necessário de uma política externa independente é uma política de defesa robusta. Uma não é sustentável sem a outra.

A esse postulado acrescentaria outro ainda mais singelo, mas por vezes desconsiderado: o de que a nossa defesa não é delegável.

***

O Brasil vive um novo ciclo de desenvolvimento, que conjuga crescimento econômico e inclusão social. Há hoje ampla compreensão de que a política de defesa torna esse ciclo ainda mais virtuoso. Cito as palavras da senhora Presidenta da República, Dilma Rousseff, no almoço de confraternização com os oficiais-generais de nossas Forças Armadas em dezembro do ano passado:

> Na caminhada para tornar o Brasil um país mais justo, mais desenvolvido e mais soberano, o Ministério da Defesa e as Forças Armadas Brasileiras têm e terão um papel

> *muito relevante. As nossas Forças Armadas serão parceiras inestimáveis na construção deste novo Brasil. Um Brasil forte, profissionalizado, com capacidade de criar e construir ciência, tecnologia e inovação exige forças armadas fortes, capazes de construir este país.*

Pesquisa do IPEA, divulgada em dezembro de 2011, revela que 70,3% dos brasileiros acreditam que os gastos com equipamentos militares devem aumentar, enquanto 88,4% aprovam o fomento à indústria de defesa, seja pelo incentivo às empresas exclusivamente brasileiras, seja pelo incentivo às empresas compostas também por capital estrangeiro, com ênfase nas primeiras.

Essa preocupação com a base industrial de Defesa brasileira conjuga-se à aspiração nacional ao desenvolvimento. O robustecimento da base industrial de defesa tem como consequência direta a geração de emprego, a capacitação nacional e o desenvolvimento de setores tecnológicos de ponta. Um importante passo foi dado nas últimas semanas com a aprovação, pelo Congresso Nacional, da Medida Provisória 544, que estabelece regras especiais para a compra e contratação de produtos, serviços e sistemas de defesa por parte do Estado brasileiro.

O mercado mundial de defesa movimenta U$1,5 trilhão por ano. A participação do Brasil nesse enorme mercado reduz-se atualmente a apenas U$ 1 bilhão. A MP 544, que em breve será sancionada como lei, permitirá que a indústria de defesa nacional tenha condições de competitividade internacional.

As parcerias com outros países e as compras de produtos e serviços no exterior devem ser compatibilizadas com o objetivo de assegurar amplo espectro de capacitações e tecnologias sob domínio nacional. Não queremos ser meros compradores de bens e serviços.

A recomposição da capacidade operativa das Forças Armadas deve, assim, estar associada à busca de autonomia tecnológica e ao fortalecimento da indústria de defesa nacional. É esse o princípio que norteia a preparação do Plano de Articulação e de Equipamento da Defesa, o PAED. O PAED representa a consolidação dos detalhados planos de articulação, equipamento e recuperação da capacidade operacional da Marinha, do Exército e da Aeronáutica. O PAED permitirá que as três forças consolidem requisitos comuns para a aquisição de meios, ampliando a eficiência e diminuindo custos. Dará, também, ao restante do governo e à sociedade transparência sobre como estão sendo empregados os recursos da Defesa – o que é vital em um Estado democrático.

De acordo com mensuração do Instituto Internacional de Pesquisas da Paz de Estocolmo, o SIPRI, o Brasil ocupa a décima posição na classificação mundial dos gastos de defesa em 2011. Do orçamento alocado para esse ano, de R$ 60,2 bilhões, cerca de 75% foram destinados a pessoal e encargos sociais. O custeio representou 13,2%, e o investimento, 10,6%.

É preciso esclarecer que, em um país de proporções continentais como o Brasil, é natural que o volume dos gastos em pessoal seja considerável; na verdade, quando se considera (em uma comparação dentre outras possíveis) que o efetivo total de nossas três Forças Armadas equivale aproximadamente à metade do efetivo de uma única força – o exército – da Turquia, percebe-se que esses números podem até mesmo ser modestos. A questão, portanto, está menos na distribuição dos gastos do que no nível de recursos destinados ao custeio e ao investimento nas Forças Armadas. Como se sabe, essas são variáveis-chave em um ambiente estratégico composto por equipamentos militares sujeitos a desgaste e, especialmente, à inovação tecnológica.

Conhecemos as dificuldades do momento econômico internacional e seus inevitáveis reflexos no Brasil. Tampouco ignoramos a indispensável prioridade da área social. Mas, para refletirmos sobre a escala adequada de participação dos gastos de defesa em relação ao Produto Interno Bruto nacional, cumpre comparar o Brasil ao que poderíamos chamar – com toda a imprecisão e variação de condições geoestratégicas – seus "semelhantes" no cenário internacional: os países-membros do agrupamento BRICS. A média de gastos desses países é de 2,4% do PIB. Esta razão no Brasil foi, em 2011, um pouco menos de 1,5%.

Tomando-se por base os indicadores econômicos atuais, estima-se que o PAED, caso implementado, elevará a razão entre gasto de defesa e PIB para cerca de 2%, ou seja, um aumento de meio ponto percentual em relação ao nível corrente, ainda bem abaixo da média BRICS de 2,4%. Observe-se que o PAED é um plano indicativo, que não tem a força dos planos plurianuais e, muito menos, da Lei Orçamentária Anual; mas será referência importante para ações de prazo tão longo como essas empreendidas para a Defesa.

Seria fastidioso referir-me a todos os projetos em cursos nas três Forças, sob a coordenação do Ministério da Defesa. Quero fazer uma menção especial a três deles, não necessariamente os maiores, mas de grande significado para a tecnologia nacional: a Corveta Barroso, o Blindado Guarani e os foguetes lançadores de sondas (futuramente lançadores de microssatélites). O que todos têm em comum é que não só sua construção, mas os respectivos projetos são brasileiros.

Outro princípio de nossas ações é o aumento da interoperabilidade das três Forças singulares, para que a cadeia de comando e controle da Defesa possua máxima eficiência. Quero registrar que o Estado-Maior Conjunto das Forças Armadas vem trabalhado no aprimoramento do sistema militar de comando e controle (SISMC)[2], de que é exemplo o teste realizado entre o sistema de planejamento operacional militar (SIPLOM) do MD e o sistema C² (Comunicação e Controle) em combate do Exército, ocorrido durante a Operação Conjunta Atlântico II. Na mesma linha, as recentes operações de garantia da lei e da ordem e as operações Ágata são exemplos bem-sucedidos da interoperabilidade.

***

Meus comentários sobre a recuperação das Forças Armadas Brasileiras limitaram-se, até aqui, a aspectos materiais. O sucesso de nossa estratégia dissuasória, e também de nossas iniciativas de cooperação, depende de termos marinheiros, soldados e aviadores perfeitamente capacitados para o desempenho de suas missões.

Na mesma linha, a sociedade brasileira possui clara percepção da importância do papel desempenhado pelas Forças Armadas não só para a tarefa fundamental da defesa da pátria, mas, nos termos constitucionais, para atuação supletiva (mas frequentemente decisiva) na garantia da lei e da ordem, como está ocorrendo aqui no Rio de Janeiro, no Complexo do Alemão.

Na democracia, o respeito que os militares devem ao poder civil é axiomático. Ao mesmo tempo, cabe às autoridades civis respeitar e valorizar o trabalho desenvolvido pelos militares, sobretudo o seu agudo senso de profissionalismo. O profissionalismo militar foi bem definido pelo cientista político norte-americano Samuel Huntington como a conjugação de perícia, senso de responsabilidade e espírito de corpo – que não se confunde com o corporativismo, mas encerra a ideia de fazer parte de um conjunto que age de forma orgânica.

A sociedade e o Estado devem expressar o respeito e a valorização do profissionalismo dos militares por meio de ações que assegurem condições adequadas de trabalho e de vida. O atendimento a essa dupla necessidade está no cerne de qualquer política de defesa bem-sucedida.

O governo da Presidenta Dilma Rousseff, do qual me orgulho de participar, está plenamente consciente da importância de garantir uma vida digna à família militar, ao mesmo tempo em que trata de recuperar a capacidade operativa das Forças Armadas. Até porque, somente dessa forma, poderemos continuar a trabalhar pelo desenvolvimento de uma sociedade próspera, justa e solidária, ao abrigo de ameaças externas.

Muito obrigado.

Conclusão da Operação Arcanjo

Palavras por ocasião da Cerimônia de Passagem de Comando da Força de Pacificação do Exército Brasileiro para as forças de segurança pública do Rio de Janeiro. Rio de Janeiro, 9 de julho de 2012

Gostaria, inicialmente, de referir-me de maneira específica aos generais que comandaram, em nome do Exército, a Força de Pacificação: General-de-Brigada Sarmento, General-de-Brigada Leme, General-de-Brigada Sardenberg, General-de-Brigada Tomás e General-de-Brigada Rego Barros. Todos eles desempenharam de maneira competente, brilhante e dedicada as funções para as quais foram chamados.

Senhor Governador,

Esta não é a primeira passagem de comando que assisto aqui, mas ela é singular, porque esta passagem do Exército para a Polícia Militar vem acompanhada do sentimento de dever cumprido, sobretudo do próprio Exército.

Como Ministro da Defesa, eu vivencio um pouco desse agradável sentimento que nos une no dia de hoje. Por uma dessas coincidências da vida, eu estava com o Presidente Lula na Guiana, em uma viagem de carro entre o aeroporto e o local onde teríamos uma reunião da Unasul, quando o Ministro Nelson Jobim, em contato sempre com Vossa Excelência, ligou para solicitar esse apoio.

Foi um momento especial, que, se me permitem dizer, revelou, da parte sobretudo do Governador Sérgio Cabral, grande coragem política. Digo isso porque uma das coisas difíceis da vida é pedir ajuda. Pedir ajuda na hora certa e à autoridade certa. E o Presidente Lula e o meu antecessor, Ministro Jobim, corresponderam, como mais tarde viria a corresponder também a Presidenta Dilma Rousseff, quando foi necessário prorrogar a permanência do Exército aqui.

Gostaria também de cumprimentar a Marinha, cujos Fuzileiros participaram do início dessa operação. Naturalmente, foi o Exército que aqui ficou por mais tempo. Seu trabalho nos enche de satisfação e de alegria – a nós, que somos responsáveis, no Governo, pelo assunto; mas, tenho certeza, também a toda a população brasileira, que pôde assistir a esse exemplo de dedicação e devoção à causa pública.

O General Adriano, com o apoio do Ministério da Defesa e de seus oficiais aqui presentes, levou a bom termo esta operação, ao mesmo tempo em que realizou um trabalho esplêndido na segurança da Conferência Rio+20.

Tudo transcorreu extraordinariamente bem, graças a essa capacidade do Exército – que eu já havia testemunhado no Haiti – de combinar a firmeza na defesa da ordem com a compreensão das necessidades locais e com a capacidade de dialogar com a comunidade e com os meios de comunicação de massa.

É importante frisar que essa operação aqui foge ao padrão normal de atividade das Forças Armadas, que é a defesa da pátria em face de ameaças externas. Mas, uma vez solicitada, a operação foi cumprida com total competência e com grande profissionalismo.

As estatísticas são impressionantes: as patrulhas a pé e com veículo e os contatos feitos com a população chegam a números muito elevados. E recebi de tudo isso testemunhos pessoais.

A Polícia terá um trabalho fundamental na pacificação, junto com todas as outras secretarias de governo. Não vou, de maneira nenhuma, dar lições ao Governador, que sabe disso muito melhor do que eu.

É muito importante que órgãos federais e também empresas privadas, através de órgãos como o Senai, o Sesc, o Sesi, possam dar apoio permanente, porque a pergunta que a população faz é – e depois? Depois, é preciso que haja uma atividade econômica permanente, que permita a essas pessoas vencerem a situação de pobreza e de marginalização que se tornou responsável – em grande medida, mas não exclusivamente – pela criminalidade.

Gostaria, então, não só de agradecer ao Exército, na pessoa do General Enzo, e ao General De Nardi, que todos os dias me dava o assessoramento, e naturalmente a todos que participaram, direta ou indiretamente, dessa operação.

Gostaria de dar parabéns ao Governador do estado do Rio e dizer que, para nós, é um grande orgulho que a cidade do Rio acaba de ser declarada patrimônio paisagístico da humanidade.

Então, vejam pelo que temos que zelar: pela paz, pelos cidadãos, pela segurança, pelo seu bem-estar e pelos seus direitos humanos, mas também por esse patrimônio único que nos foi dado e que nos cabe guardar.

O PANORAMA GLOBAL DE SEGURANÇA E AS LINHAS DE DEFESA DOS INTERESSES BRASILEIROS

Palestra por ocasião da abertura do Curso de Inverno do Centro de Direito Internacional. Belo Horizonte, 27 de julho de 2012

O crescente interesse da sociedade brasileira pelos assuntos internacionais é um fato bastante auspicioso. Ele expressa a projeção do Brasil na política internacional e, também, o próprio reconhecimento pela sociedade do papel do país nos destinos do mundo.

Esse interesse tem contribuído, nos últimos anos, para um entendimento de que a projeção do Brasil exige clareza quanto às formas de defesa de seus próprios interesses, a seu condicionamento estratégico e aos passos necessários para que o país tenha adequadas capacidades – tanto diplomáticas quanto militares. Parece-me apropriado falar dessas questões para um auditório de estudantes de Direito Internacional, que devem compreendê-las com rigor.

Nosso país tem na diplomacia e no Direito a racionalidade básica de sua inserção internacional. O momento é especialmente oportuno para a discussão dos temas de defesa.

Na semana passada, o Governo da Presidenta Dilma Rousseff enviou para a apreciação do Congresso Nacional três documentos de grande importância: a *Política Nacional de Defesa*, a nova *Estratégia Nacional de Defesa* e o *Livro Branco de Defesa Nacional*. Em todos eles, transparece a relação íntima que a Defesa mantém com a democracia brasileira. Os documentos deixam patentes as conexões entre Defesa e política externa, esteios da soberania.

Esclarecem os Objetivos Nacionais de Defesa e os meios para sua consecução, além de facilitarem o acompanhamento e a reflexão da sociedade sobre as capacidades e os desafios da defesa nacional. A *Política de Defesa*, a *Estratégia de Defesa* e o *Livro Branco* são um convite à participação da população no debate público de assuntos fundamentais para a proteção de seus interesses. Pensar nossa política de Defesa exige refletir sobre o panorama global de segurança em que se insere o Brasil.

Gostaria, assim, de iniciar essa exposição com algumas considerações sobre a dinâmica recente nesse panorama e discutir algumas de suas premissas.

* * *

A segurança internacional – ou insegurança internacional – tem hoje o Oriente Médio como epicentro. Um de seus elementos--chave, o conflito árabe-israelense, segue sem solução no horizonte visível. Está mais distante de algum tipo de acordo do que em outros momentos do passado recente.

Se compararmos a situação atual com a que vigorava, por exemplo, quando os Estados Unidos convocaram a Conferência de Annapolis, há cerca de cinco anos, veremos que a perspectiva de uma solução negociada que permita a existência plenamente reconhecida de um Estado palestino coeso e economicamente viável, vivendo lado a lado com o Estado de Israel, é hoje muito menos promissora.

Esse conflito tem assumido novas e mais graves dimensões ao longo dos últimos anos. Pior: a questão palestina perdeu visibilidade e sentido de urgência no plano internacional. Na realidade, essa questão estrutural passou a coexistir com uma verdadeira guerra civil no mundo árabe, uma guerra civil multifacetada que opõe sunitas a xiitas, fundamentalistas a seculares.

Essa guerra assume, por vezes, contornos sociais, ao opor burguesias urbanas à população rural ou às massas empobrecidas das periferias. Entrelaçam-se com ela conflitos sectários diversos, que criam alianças improváveis entre grupos religiosos, muitas vezes sob a forma do famoso adágio segundo o qual "o inimigo do meu inimigo é meu amigo". Assim, grupos cristãos juntam-se a xiitas (ou alauítas) no Líbano e na Síria ou com forças seculares (progressistas ou conservadoras) no Egito.

Obviamente essa guerra civil – usando essa minha expressão um tanto exagerada – não está imune às influências da geopolítica regional e global. Sauditas, turcos e cataris apoiam a revolta síria, enquanto o Irã e o Hezbollah procuram dar sustentação ao cambaleante regime do partido Baath.

A Rússia não quer perder um importante aliado no Mediterrâneo, ao mesmo tempo em que vê com preocupação o espraiamento das influências wahabitas e salafistas, provenientes do Golfo Pérsico, em direção ao Cáucaso. Para além do princípio da não intervenção, Rússia e China pressentem os riscos de movimentos de fundamentos religiosos ou étnico-culturais em suas periferias.

Inversamente, os países ocidentais teriam todo o interesse em romper o eixo que liga Teerã ao sul do Líbano por Bagdá e Damasco, ansiando por ganhos estratégicos decorrentes da debilitação da República Islâmica do Irã. Mas o dilema que enfrentam não é simples: querem contribuir para a desejada mudança de regime na

Síria sem serem colocados na posição de aliados involuntários de movimentos terroristas como os que levaram à "guerra contra o terror".

São frequentes os artigos na imprensa internacional que apontam – sem que sejam desmentidos – a grande preocupação dos Estados Unidos, cuja principal agência de inteligência (a CIA) estaria empenhada em evitar que armas destinadas à oposição cheguem a grupos fundamentalistas e, principalmente, a organizações terroristas – tarefa admitidamente nada fácil em vista das conexões obscuras entre os diferentes setores da oposição síria.

Todo esse imbricamento de tensões faz com que qualquer raciocínio simplista, que busque dividir as facções em conflito entre "boas" e "más", "amigas" e "inimigas", tenham sua ingenuidade exposta à luz do dia.

Da mesma forma, os comentários que tendem a culpar um lado ou outro pela paralisia do Conselho de Segurança das Nações Unidas nessa questão soam extraordinariamente desfocados ou – pior ainda – politicamente motivados. Sim, o Conselho de Segurança tem falhado; sim, a ONU tem deixado de cumprir seu papel; mas a intransigência dos que se têm valido do veto não é a única causa dessa falência.

A arrogância daqueles que decidiram, *a priori*, de que lado está a razão (ainda que mais tarde, como no caso do Iraque, possam vir a arrepender-se de sua precipitação) é igualmente responsável pelo fracasso anunciado da diplomacia. Dessa situação, cujos desdobramentos ainda estão por vir, tira-se desde logo uma conclusão: em política internacional, não há "mocinhos" e "bandidos".

Há interesses em conflito, às vezes latentes, às vezes abertos, como agora. Por isso mesmo, a busca da paz pelo diálogo é frequentemente mais importante do que a vitória do lado que, momentaneamente, possa parecer o mais justo – até porque, em um conflito de raízes culturais e religiosas tão profundas, os perdedores irão necessariamente renascer, eventualmente com novas roupagens e com base em novas alianças, muitas vezes de forma até mais perigosa.

É o caso hoje no Iraque. A dificuldade que a chamada comunidade internacional tem em agir no caso da Síria; seu apoio puramente retórico à iniciativa do ex-Secretário-Geral da ONU, Kofi Annan; a relutância em abrir um diálogo amplo que envolvesse todos os atores com capacidade de influir sobre as partes do conflito, tudo isso demonstra, a meu ver, que o objetivo de uma solução pacífica cedeu lugar às várias agendas nacionais.

Por outro lado, a experiência da ação na Líbia, em que o mandato, aparentemente inocente, de uma criação de zona de exclusão aérea com o fito de proteger a população civil, foi obviamente extrapolado e, na prática, interpretado como uma suposta permissão para mudança de regime, minou qualquer possibilidade de consenso internacional (isto é, entre os cinco membros permanentes do Conselho de Segurança) em torno de eventual ação humanitária ao amparo do Capítulo VII da Carta da ONU.

Mais que tudo, a tragédia da guerra civil síria, de que todas as potências procuram tirar (ou manter) algum tipo de proveito põe a nu a fragilidade das teses que previam um mundo sem conflitos (ou com conflitos facilmente manejáveis) como consequência do fim da Guerra Fria.

* * *

Antes de discutir essas teses, é preciso fazer um recuo histórico e apreciar com clareza os riscos levantados pela crise síria.

O desaparecimento da União Soviética modificou a distribuição internacional de poder em favor dos EUA, configurando, no terreno militar, uma situação de unipolaridade.

Não cabe aqui examinar essa questão sistêmica em suas múltiplas dimensões, mas salientar um aspecto de interesse para nossa discussão: a retirada do principal contrapeso que, nas quase cinco décadas anteriores, constrangera o recurso a intervenções militares. É verdade que esse constrangimento não impediu guerras não declaradas para "combater a expansão do comunismo internacional", como a do Vietnã, ou, do outro lado, o recurso igualmente brutal à força para reprimir veleidades autonomistas ou dissidências libertárias, como na invasão da Tchecoslováquia.

O virtual condomínio das duas superpotências limitava, de alguma forma, essas ações intervencionistas às respectivas áreas de influência. Elas eram condenadas e, ao mesmo tempo, de fato, toleradas. Com exceção da Guerra da Coreia, ainda nos albores da Guerra Fria, não havia sequer a preocupação de cobri-las com um manto de legalidade.

Nos anos 1990, época do autodenominado "multilateralismo assertivo", essas intervenções banalizaram-se e ganharam uma aura de "quase legitimidade". Na esteira da primeira Guerra do Golfo, apoiada, com graus diversos de entusiasmo, pelo conjunto das nações, sucederam-se intervenções, inicialmente aéreas – como a Operação Raposa do Deserto, em 1998, sem autorização expressa do Conselho de Segurança.

Em 2003, também sem autorização do Conselho, a intervenção se fez seguir de ocupação. Contrariando todas as avaliações dos que viam efeitos positivos no intervencionismo, a ação no Iraque produziu uma enorme instabilidade política, que não é estranha a alguns desdobramentos sombrios da chamada "Primavera Árabe".

Um elemento complicador nessa equação estratégica é a questão da proliferação de armas de destruição em massa. Tradicionalmente negociada por meio de tratados, o problema da proliferação passou por transformações importantes nos últimos vinte anos. Observa-se, nesse campo, o deslocamento da diplomacia em favor de instrumentos coercitivos, militares e de inteligência – a chamada contraproliferação. Na primeira Guerra do Golfo, em 1991, a força multinacional formada sob a Resolução 678 do Conselho de Segurança, que autorizara o uso da força para obter a retirada das tropas iraquianas do Kuwait (e apenas para isso), realizou intensas operações militares contra alvos relacionados a programas nucleares, químicos e missilísticos do Iraque.

Muitos especialistas consideram, provavelmente com razão, que se tratou aí da mais ampla e duradoura ação militar contra a proliferação jamais conduzida. Pela primeira vez, por exemplo, atacou-se militarmente um reator nuclear em funcionamento. A ação buscou, de certa forma, complementar a iniciativa de Israel em 1981, pela qual, na chamada Operação Ópera, oito caças F-16 cruzaram a Jordânia e a Arábia Saudita para bombardear o reator iraquiano de Osirak.

De maneira mais sutil, essa estratégia de contraproliferação tem-se manifestado por meio de ataques cibernéticos e de assassinatos (nunca negados) de cientistas nucleares. É preciso ter esses antecedentes em mente no momento em que se analisa como, no Oriente Médio, entrecruzam-se tantas questões sensíveis, entre elas o dossiê relativo ao programa nuclear iraniano. Nesse caso, a pretexto do combate à alegada proliferação, apela-se para a lógica punitiva das sanções, ao tempo em que são brandidas ameaças ocasionais de uso da força. Em vez de contribuir para uma solução, a retórica intimidatória do unilateralismo, além de ter efeito sobre o preço do petróleo, agrava o quadro de militarização das soluções dos impasses regionais.

Minha experiência nos quase vinte anos em que me tocou atuar, seja como chanceler, seja como embaixador em foros multilaterais, convenceu-me de que não há alternativa ao instrumento do diálogo – da diplomacia – para gerar confiança e encontrar uma solução aceitável para todas as partes interessadas.

Foi o que Brasil e Turquia tentaram fazer no caso do programa nuclear iraniano, ao longo de seis meses de penosas negociações que resultaram na Declaração de Teerã de 17 de maio de 2010. Nessa declaração, todos os pontos essenciais da proposta originalmente feita pelos Estados Unidos – e depois encampada pelo Grupo P-5+1 (os cinco membros permanentes do Conselho mais a Alemanha) e pela própria Agência Internacional de Energia Atômica – foram atendidos. Não obstante, questões de política, sobretudo interna, levaram à rejeição do Acordo. Essa atitude inusitada dos proponentes originais do acordo fez o ex-diretor da Agência Atômica, Mohamed El Baradei, que havia participado ativamente da elaboração da proposta, comentar: "É como não aceitar o sim como resposta".

Menciono esse episódio *en passant* não com o intuito de reabrir um velho dossiê – sobre o qual muito se falou e se segue falando –, mas porque ele não é estranho ao emaranhado de tensões que se desdobram na crise síria.

* * *

Dois conjuntos de riscos se colocam nesta altura, um no nível do sistema de segurança coletiva e outro no nível da estabilidade regional. A ideia de uma intervenção militar na Síria levanta, de saída, a questão da autoridade do Conselho de Segurança – ou seja, do próprio Direito Internacional. Ações unilaterais tomadas à revelia do Conselho constituem uma gravíssima violação da Carta das Nações Unidas.

Cito aqui um exemplo de minha experiência como embaixador na ONU, o caso do Kosovo. Na época, o Brasil ocupava assento temporário no Conselho de Segurança no biênio 1998-1999. Naquela ocasião, afirmei que o Brasil consideraria "lamentável se deslizássemos para um sistema internacional de dois níveis – um em que o Conselho de Segurança continuaria a exercer responsabilidade primordial pela manutenção da paz e segurança internacional na maior parte do mundo, ao passo que teria responsabilidade apenas secundária em regiões cobertas por alianças especiais de defesa".

Quatro anos mais tarde, a assim chamada *coalition of the willing*, formada a propósito da invasão do Iraque, em 2003, cometeria o mesmo tipo de grave violação da ordem multilateral. Também observamos, mais recentemente, que o sistema de segurança coletiva pode ser violado por ações que, originalmente autorizadas pelo Conselho, acabam excedendo seu mandato multilateral e passam a perseguir objetivos particulares.

Já me referi ao abuso do mandato do Conselho de Segurança na busca de variados objetivos, tais como o chamado *regime change*. Em entrevista recente ao jornal *Le Monde*, Kofi Annan apontou as consequências deletérias desse tipo de ação: "A maneira pela qual a 'responsabilidade de proteger' foi utilizada na Líbia criou um problema para esse conceito. Os russos e os chineses consideram terem sido enganados: eles adotaram uma resolução na ONU que foi transformada em um processo de mudança de regime. Algo que, do ponto de vista desses países, não era a intenção inicial".

É comum ler-se, em artigos de especialistas (nem todos talvez dignos do título), chamados ao uso de sanções e mesmo à intervenção militar contra o regime de Damasco. Muitas vozes que fazem ou ecoam esses apelos partem de pessoas bem--intencionadas, genuinamente chocadas com a violência da repressão ao que, inicialmente ao menos, parecia um movimento espontâneo em busca de democracia, na esteira dos que já haviam sacudido governos autoritários na Tunísia, no Egito e em tantas outras partes do mundo árabe. É de se notar que as mesmas vozes não se fizeram notar nos casos do Bahrein e Iêmen, onde os interesses geopolíticos são de outra ordem.

Não há dúvida de que é auspiciosa a aspiração popular pela liberdade nos países do Oriente Médio. A sacudida e a eventual derrubada de regimes autoritários, até então apoiados, se não festejados, por boa parte da chamada comunidade internacional, foram evoluções que o mundo contemplou com simpatia e com grande expectativa.

Trata-se de movimento que nós, brasileiros, valorizamos muito, pela nossa própria história recente. Mas, para que a "Primavera Árabe" não só floresça, como também frutifique segundo suas dinâmicas internas, é imperativo que os processos ocorram de forma evolutiva e, na medida do possível, sejam gerenciados em benefício da estabilidade internacional.

Como disse, hoje parece óbvio que, independentemente de suas motivações iniciais, a "Primavera Árabe" serviu também de trampolim para rivalidades regionais e globais de toda ordem. E isso é especialmente visível no caso da Síria.

Não estou sugerindo que nada deva ser feito. É evidente que a inação pura e simples tem também um alto preço. Seria preciso afastar falsas dicotomias e – sem perder de vista o princípio da autodeterminação e a evolução política interna – engajar todos os atores com potencial influência na dinâmica síria em um verdadeiro diálogo, por mais difícil que isso seja, no qual todos entendessem claramente o quanto têm a perder com uma conflagração que, cada vez mais, ameaça generalizar-se.

A mudança de regime na Síria, levada a cabo pelos próprios sírios, pode até ser desejável. Mas é imperativo ter em mente os riscos de anomia e radicalização que a queda de Assad pela força e uma intervenção aberta naquele país provavelmente acarretarão para a estabilidade regional.

Até que ponto a ruptura do eixo que liga Teerã, Damasco e o Hezbollah, com conexões no governo de maioria xiita do Iraque, aparentemente desejada por alguns, criaria um vácuo de poder que incentivaria reações mais violentas?

Por outro lado, a ação militar contra o regime Assad ocorreria em um quadro em que inexiste uma liderança simultaneamente consensual e isenta de filiações fundamentalistas. Abriria o caminho para lutas intestinas, com riscos de perseguição a grupos religiosos no seio da complexa teia de confissões que caracteriza a Síria; e isso poderia levar à fragmentação da Síria em vários mini-Estados.

O ocorrido no Iraque, nesse particular, deve inspirar no mínimo uma atitude de cautela. Há, ainda, a questão dos alegados arsenais de armamentos químicos do país, que, caso realmente existam, devem ser motivo de enorme apreensão. A volatilidade já se tem feito sentir no Líbano (e não apenas pelo movimento maciço de refugiados), enquanto a deterioração das relações da Síria com a Turquia, ela mesma membro de uma aliança militar, é causa de inquietação.

Até mesmo pensadores conservadores ou do *establishment* nos Estados Unidos começam a ficar inquietos diante de tantas incógnitas. Por outro lado, qualquer que seja o julgamento que se faça sobre o regime sírio do ponto de vista do tratamento dispensado a seu próprio povo, o fato é que, em mais de uma ocasião, o governo Assad deu, em suas relações exteriores, mostras de moderação, seja dispondo-se a resolver a questão das Colinas de Golã por meio da negociação, seja contendo tendências mais radicais do movimento Hamas, na sequência dos ataques de Israel a Gaza, em 2009.

Tive a oportunidade, como Ministro das Relações Exteriores, de testemunhar pessoalmente exemplos desse comportamento, o que, obviamente, não redime o regime sírio de seus pecados contra sua população.

O Brasil, que tem hoje observadores militares na Síria e lidera a Força Tarefa Naval no Líbano, não pode deixar de acompanhar de perto todos esses desdobramentos. Mais importante do que isso: o Brasil deve construir sua própria análise sobre os fatos, uma análise que não esteja contaminada por interesses geopolíticos ou geoeconômicos de terceiros.

* * *

A compreensão de que os lances da crise na Síria repercutem no tabuleiro mais amplo da redistribuição do poder enseja alguma reflexão sobre o mundo em que vivemos. Em seu célebre artigo intitulado "O Fim da História?", de 1989, Francis Fukuyama argumentava que, nessa suposta etapa superior da evolução histórica, consagrada pela derrocada da ideologia comunista, os assuntos políticos e estratégicos cederiam passo à predominância da esfera econômica na vida internacional.

O fim das alternativas viáveis ao capitalismo significaria, para Fukuyama, "a diminuição da possibilidade de conflitos de larga escala entre os Estados". Os limites desse tipo de avaliação são conhecidos. Hoje, Fukuyama pode ter saído de moda, mas algumas de suas ideias continuam a impregnar visões de analistas e tomadores de decisão. Por isso, é interessante ver o que permanece e o que foi superado da tese do fim da história em debates recentes.

O canadense Michael Ignatieff, em artigo sob o sugestivo título "Como a Síria dividiu o mundo", trata da mudança das expectativas do Ocidente. De acordo com ele, "nossa ideia de que a História tinha um roteiro para a liberdade levou o Ocidente a interpretar equivocadamente as intenções estratégicas da Rússia e da China. Colocamos de lado os sinais de que eles se recusavam a abraçar nossa visão de mundo (...) A Síria marca o fim dessas ilusões (...). Eles ainda não são nossos inimigos, (...). Mas são adversários, com interesses opostos aos nossos".

Uma variação dessa leitura envolve os BRICS. Zaki Laïdi, professor da Sciences Po, lança a indagação sobre se os BRICS seriam "contra" o Ocidente. Segundo ele, "quer gostemos ou não, os BRICS são hoje parte da paisagem geopolítica global. Resta ver se eles serão capazes de (...) avançar uma narrativa global alternativa àquela do Ocidente, cujo conteúdo básico é a afirmação de que o mundo é multipolar e que a soberania estatal é uma de suas características essenciais".

Não desejo discutir o mérito dessas afirmações. Gostaria apenas de assinalar o que elas revelam de superação da ilusão do "fim da história" – mas também de permanência da lógica do conflito entre os Estados. Está claro que o término das disputas ideológicas não resultou no encerramento dos confrontos de interesse.

Estamos longe da utopia e seguimos perigosamente próximos ao conflito. É esse o quadro conceitual que, apesar da perplexidade que possa provocar nesse ou naquele comentador, emoldura o panorama contemporâneo da segurança global.

É certo que o conflito entre os Estados felizmente não tem sido generalizado, como na imagem hobbesiana da "guerra de todos contra todos". Há mesmo áreas em que o conflito tem podido ser canalizado por instituições internacionais. É o caso do comércio internacional, hoje disciplinado por regras, inclusive sobre a maneira de solucionar controvérsias – embora qualquer um que conheça o funcionamento do *green room* da Organização Mundial do Comércio seja testemunha do afloramento de instintos, os mais agressivos!

Outras áreas, porém, como a geoestratégica e a geoeconômica, não atingiram nível comparável de normatização. Disputas por recursos naturais ou por energia, por exemplo, seguem desprovidas de referências institucionais seguras para um equacionamento pacífico.

Somos obrigados a concluir que, mesmo mantendo a paz como um ideal a ser perseguido com afinco, na diplomacia como na Defesa, não podemos excluir as hipóteses de conflito. Essa reflexão sobre a resiliência do conflito como fator nas relações internacionais não deriva de uma visão belicista. Ela decorre de uma análise realista e não é irrelevante quando se considera a inserção estratégica internacional de um país como o Brasil, que almeja a paz e dela se beneficia.

Nossas políticas não podem depender de teses ilusórias que as induzam a abdicar de suas responsabilidades ou a delegá-las a terceiros.

* * *

Em sua inserção estratégica no mundo, o Brasil conjuga duas linhas de defesa de seus interesses. A primeira linha de defesa é sempre a diplomacia. Seus princípios são, entre outros, a solução pacífica de controvérsias, a defesa da paz, a cooperação entre os povos e o respeito ao direito internacional.

Evitar o emprego da violência entre os Estados é uma de suas preocupações centrais. A diplomacia brasileira condena o uso da força, salvo em legítima defesa ou quando devidamente autorizado pelo Conselho de Segurança, nos mais estritos termos da carta da ONU. Em questões em que o emprego da violência está em jogo, interpretações latas e flexíveis não podem ser admitidas. O emprego unilateral da força encontra-se nas antípodas dessa posição. O mesmo se passa com a extrapolação de mandatos sancionados multilateralmente.

Igualmente perigosa é a concepção, por parte de alguns, de que o Conselho de Segurança deva atuar como instrumento de legitimação *a posteriori* do emprego unilateral da força. O Brasil defende um sistema de segurança coletiva que cumpra eficazmente o propósito inscrito na Carta: "Preservar as gerações vindouras do flagelo da guerra, responsável por sofrimentos indizíveis à humanidade".

A história das relações exteriores do Brasil atesta seu empenho com essa visão. O compromisso com o direito internacional acompanha desde cedo nossa diplomacia, que oferece exemplo singular de país de proporções continentais que equacionou todas as suas questões fronteiriças por meio da negociação.

Afastamo-nos de todas as estruturas hegemônicas, contrárias à criação de ordenamentos seguros e equilibrados tanto no nível global quanto no nível regional. É isso que tem inspirado nossa visão no Mercosul e na Unasul, além das Nações Unidas. Demonstramos que o julgamento político consciencioso é uma alternativa às fórmulas impositivas e coercitivas.

Essa postura clara permitiu, no passado, solucionar disputas. No presente, contribui para evitá-las. Mais que isso: tem conferido ao Brasil o papel de atuar no sentido de facilitar o diálogo e minimizar conflitos entre terceiros. A própria formação de nossa sociedade nos ensina a lidar com a complexidade e a traduzi-la em posições equilibradas, o que propicia soluções negociadas.

No momento em que a falência do Conselho de Segurança em lidar adequadamente com a crise síria parece condensar os limites de sua anacrônica estrutura – que clama por reforma – fica mais evidente o tipo de contribuição que países como o Brasil, mas também Índia e África do Sul, podem dar ao sistema de segurança coletiva.

Falta ao Conselho capacidade de mediação entre a arrogância dos que reivindicam estar do "lado certo da História" e a intransigência dos que, a pretexto da defesa *à outrance* da soberania, não reconhecem que certos temas, como os Direitos Humanos, têm e terão, cada vez mais, apelo universal.

Os países do IBAS, embora ciosos de sua soberania, conhecem a enorme importância de processos de evolução democrática e não são indiferentes às causas da humanidade. Sua experiência nesse campo não é pequena, seja frente ao colonialismo, na Índia, ao autoritarismo, no Brasil, ou ao *apartheid*, na África do Sul.

É preciso observar, contra simplificações que pretendem enquadrar a posição do Brasil em falsas oposições – como aquela que contrapõe os BRICS ao Ocidente –, o cuidado que sempre tivemos em manter a identidade do IBAS como foro de cooperação entre três grandes democracias em desenvolvimento, com suas características multiétnicas e multiculturais.

* * *

A outra importante linha de proteção do interesse brasileiro é a defesa nacional. A integridade territorial, a preservação das instituições e a segurança da população compõem os mais elementares objetivos nacionais de defesa.

A inexistência de ameaças imediatas não justifica a imprudência na consideração das incertezas e adversidades a que estão sujeitos o sexto maior Produto Interno Bruto, o quinto maior território e a quinta maior população do planeta.

É preciso reconhecer que o abundante estoque de biodiversidade, recursos naturais, fontes de energia e água e de produção de alimentos detido pelo Brasil constitui um patrimônio de enorme valor estratégico, que devemos proteger e defender.

A defesa, como a política externa, não é delegável. A defesa orienta-se também pela contribuição do Brasil à paz mundial. Não será possível a um país de grandes proporções, como o nosso, beneficiar-se da paz sem arcar com uma parte dos custos desse "bem público".

Será crescentemente arriscado ver com indiferença disputas de alcance sistêmico, ainda que geograficamente afastadas. Penso, aqui, na advertência feita por Maquiavel, que dizia em seus discursos:

> Os outros poderosos, que estão distantes e não têm relações com eles, cuidarão da coisa como de algo longínquo, que não lhes diz respeito. Erro em que laboram até que o incêndio se aproxime deles; e, quando este chega, não há remédio senão apagá-lo com suas próprias forças, que já não bastam, visto que aquele se tornou poderosíssimo.

Para alcançar esses objetivos, a política de Defesa conjuga estratégias de dissuasão e de cooperação. A dissuasão tem o propósito de minimizar o risco de ações hostis por parte de eventuais adversários. Diz-se, com razão, que o Brasil não tem inimigos. Mas não podemos excluir que uma possível corrida por recursos ou rivalidades inicialmente surgidas em função de outras situações, aparentemente longínquas, venha impingir sobre nossos interesses.

Impor custos proibitivamente altos àqueles que procurem agredir os interesses e os ativos do país, por qualquer razão que seja, é o objetivo da dissuasão. E a capacidade dissuasória crível decorre da manutenção de Forças Armadas bem aprestadas, equipadas e integradas. A *Estratégia Nacional de Defesa*, cuja nova versão a Presidenta Dilma Rousseff enviou, por meu intermédio, ao Presidente Sarney na semana passada, indica os três eixos pelos quais essa capacidade será aprimorada: a reorganização e reorientação das Forças Armadas, o apoio à indústria de material de defesa e a política de composição dos efetivos das Forças Armadas.

A implementação desses preceitos tem ocorrido por iniciativas como o Plano de Articulação e Equipamento de Defesa, o PAED, que direcionará os investimentos para o aparelhamento das Forças. Vários projetos já estão saindo do papel, como a base e estaleiro de submarinos nucleares em Itaguaí, no Rio de Janeiro; o Blindado Guarani, veículo de transporte de tropas construído aqui perto de Belo Horizonte, em Sete Lagoas; e a modernização dos caças de alta performance F-5M, que deverá ser completada em setembro na unidade de Gavião Peixoto da EMBRAER, em São Paulo, e manterá a operacionalidade dos esquadrões de caça, enquanto se decide sobre a nova aeronave de combate da Força Aérea.

Outra iniciativa é a recém-aprovada Lei 12.598, que concede vantagens tributárias e condições especiais à indústria de material de defesa brasileira e possibilitará a autonomia operacional das Forças. Essa é uma medida de grande importância, uma vez que a viabilidade de empreendimentos ligados à base industrial de defesa depende de uma política consistente e previsível por parte do Estado. A indústria de defesa ilustra o elo indissociável entre política de defesa e política de desenvolvimento nacional.

***

Ao lado da dissuasão, não podemos esquecer a cooperação. A cooperação tem o propósito de maximizar, pela ação coletiva, os ganhos que países parceiros não obteriam isoladamente. Há uma vasta margem para esses ganhos na área de defesa. O espaço prioritário da estratégia cooperativa é o entorno do Brasil, composto pela América do Sul, pelo Atlântico Sul e pela orla atlântica da África.

A América do Sul é nossa vizinhança imediata e foco de nossas principais iniciativas de cooperação militar e industrial. A prevalência da cooperação explica-se pelo fato de que a guerra é, cada vez mais, uma alternativa impensável para a solução de controvérsias que possam vir a ter entre si os Estados sul-americanos.

Esse quadro, próximo ao que o cientista político Karl Deutsch designou uma "comunidade de segurança", tem no Conselho de Defesa Sul-Americano da Unasul seu reflexo institucional. O CDS promove a transparência, a construção de confiança e a criação de um ambiente no qual estejam ausentes hipóteses de conflito entre seus membros.

Uma iniciativa que concretiza esses objetivos é o Registro Sul-Americano de Gastos de Defesa, instrumento de medição que harmoniza os dados dos países da Unasul nesse campo. Outra é a notificação de manobras e deslocamentos militares nas áreas de fronteira, observada pelo Brasil nas Operações Ágata, que vêm sendo realizadas em território brasileiro desde 2011 para combater a ilegalidade ao longo de toda a faixa de fronteira terrestre.

Outro plano da estratégia cooperativa é o Atlântico Sul. A Zona de Paz e Cooperação do Atlântico Sul, conhecida como Zopacas, que reúne os países ribeirinhos em torno do princípio dos usos pacíficos dos oceanos. Os países do Atlântico Sul comungam no interesse de vê-lo livre de armas nucleares e de rivalidades militares.

O Brasil tem intensificado sua cooperação bilateral com países africanos, especialmente da porção ocidental do continente, buscando explorar o potencial de ganhos conjuntos com seus vizinhos atlânticos. As atividades envolvem tanto projetos ligados ao desenvolvimento, como o levantamento de plataformas continentais, quanto atividades de repressão da criminalidade e da pirataria em áreas relativamente próximas de nossas águas jurisdicionais.

No caso da Namíbia, nossa cooperação foi fundamental para a estruturação de sua Marinha. O Brasil assiste, pois, com inquietação à crescente instabilidade na África Ocidental.

A derrubada do governo no Mali, seguida de intento de secessão, fatos que parecem associados às reverberações do conflito na Líbia, é certamente um desenvolvimento preocupante.

Outros espaços de articulação da cooperação em defesa são a Comunidade dos Países de Língua Portuguesa e o Fórum de Diálogo Índia-Brasil-África do Sul.

Além do seu entorno estratégico, o Brasil mantém profícuas relações cooperativas com o mundo desenvolvido, sob o signo da transferência de tecnologia, e com os países emergentes, com os quais explora possibilidades inovadoras em um conjunto de áreas. No âmbito das Nações Unidas, enviamos observadores para uma série de países, e contribuímos com expressivos contingentes para as missões de paz no Haiti e no Líbano, onde comandamos respectivamente as forças terrestre e naval de manutenção da paz.

* * *

Estou convencido de que a maior presença do Brasil no mundo se traduzirá em formas de convívio mais abertas, equilibradas e cooperativas. Em uma palavra, contribuirá para relações internacionais mais pacíficas. Tem sido esse o sentido geral da ação exterior do Brasil. Mas "não levar em conta a tempestade durante a bonança" – para citar ainda uma vez Maquiavel –, é erro comum.

O Brasil tem hoje consciência de que a contrapartida necessária de uma política externa independente é uma política de defesa robusta, em que dissuasão e cooperação se reforçam mutuamente.

Muito obrigado.

Por uma identidade sul-americana em defesa

Aula magna ministrada no Curso Avançado de Defesa Sul-Americano. Rio de Janeiro, 29 de agosto de 2012

Inicialmente saúdo os representantes civis e militares dos ministérios da Defesa da Argentina, Bolívia, Chile, Colômbia, Equador, Paraguai, Suriname, Uruguai e Venezuela, aqui presentes como convidados do Governo brasileiro para participar do Curso Avançado de Defesa Sul-Americano de 2012. Ao incluí-lo em seu plano de ação para este ano, o Conselho de Defesa Sul-Americano dá mais um passo significativo – ao lado de iniciativas como a criação do Centro de Estudos Estratégicos de Defesa, na Argentina – rumo à construção de uma identidade sul-americana em matéria de defesa.

Nas próximas dez semanas, os alunos do curso terão, de forma concentrada, uma visão dos contornos dessa identidade, pelo estudo da realidade de defesa sul-americana, pelo contato com autoridades de nossa região e pela visita a algumas das principais organizações brasileiras na área de Defesa.

Falar em identidade regional em matéria de defesa é falar na grande maturidade de nossos países ao colocarem suas relações nesta área sabidamente sensível sob o signo da paz e da cooperação.

O surgimento da América do Sul como realidade política é fenômeno recente. Quando, no ano de 2000, ocorreu em Brasília a primeira Cúpula de Chefes de Estado da América do Sul, um período surpreendentemente longo de afastamento começou a ser superado. Essa desconexão tinha suas raízes no passado colonial de nossas sociedades, em que os territórios ligados a uma ou outra metrópole mantinham entre si rivalidades exógenas, depois projetadas sobre a vida independente de nossas nações. A fragmentação afligiu muitos dos pensadores de nossa região.

No Brasil, coube ao prócer de nossa diplomacia, o Barão do Rio Branco – cujo busto, devo notar, é cultuado junto aos dos patronos das Forças Armadas no pátio central aqui desta Escola Superior de Guerra – ter a consciência clara de que os ódios entre espanhóis e portugueses eram, nas palavras dele, uma "velha sobrevivência", estranha à América do Sul. Nas palavras do Barão do Rio Branco, "as fronteiras não são obra de separação e divergência, devem ser garantia de segurança e paz". O Brasil desejava, dizia ele, ver as nações vizinhas, e volto a citar textualmente, "cada vez mais prósperas e fortes", baseadas em uma "inflexível diretriz de concórdia eficaz e leal amizade entre todas as nações sul-americanas".

Muitos exemplos desse tipo de raciocínio lúcido podem ser encontrados nos países de nossa região, atestando que nossos estadistas frequentemente pensaram à frente das circunstâncias históricas. Muitas décadas teriam que passar para que a integração sul-americana começasse a se tornar realidade.

A democratização foi um fator central para a transformação das atitudes políticas frente à interdependência de nossos destinos. Ainda seria necessário, porém, o reconhecimento de que as estratégias nacionais de desenvolvimento de cada um dos nossos países não podem dispensar a integração com os parceiros regionais.

Condições internacionais menos rígidas e restritivas, como o fim da Guerra Fria, viriam contribuir para que os países da América do Sul tivessem margem de liberdade para conduzir um projeto integrador pautado por seus próprios interesses econômicos, sociais e culturais.

Na primeira década do século XXI, esses fatores convergiram gradativamente sobre a realidade sul-americana. O Mercosul e a Comunidade Andina lograram, em 2004/2005, estabelecer o que constituiu, na prática, uma área de livre comércio em toda a América do Sul.

Recordo que as tentativas nesse sentido, de uma década antes, não prosperaram devido à escassa confiança recíproca e, sobretudo, ao poder de atração de esquemas de liberalização comercial envolvendo os países desenvolvidos do continente americano. É verdade que os primeiros intentos integradores eram bem mais antigos e remontam à criação da ALALC em 1960, transformada em ALADI em 1980.

A despeito do mérito desses esforços, de que surgiu o arcabouço jurídico que até hoje serve de guarda-chuva a iniciativas mais recentes, por meio dos acordos de complementação econômica (os ACES), a verdade é que a ALALC e a ALADI lidaram com realidades excessivamente heterogêneas. Assim, a integração econômica e política da América Latina (e hoje deveríamos acrescentar do Caribe), embora siga sendo um princípio norteador de política – no caso do Brasil, em nível constitucional – não tem a viabilidade imediata do esforço no mesmo sentido, porém focalizado, da integração na América do Sul.

Com a iniciativa de infraestrutura lançada na Cúpula de Brasília, em 2000, já começávamos a interligar fisicamente nossa região. Politicamente, a América do Sul ganhava também personalidade internacional e aproximava-se, sem intermediários, de seus vizinhos da América Latina e Caribe, da África e do mundo árabe.

Esse ímpeto, corroborado por sinais de uma redistribuição do poder mundial em direção à multipolaridade, motivou os países sul-americanos a criar um quadro institucional para debater e perseguir seus interesses comuns. A criação da Unasul, em 2008, sintetizou o avanço dos anos anteriores nas várias frentes de integração e projetou as aspirações de progresso em outras tantas.

Sua agenda atual é multifacetada. Inclui temas como a defesa da democracia, o comércio, o desenvolvimento social, a já mencionada infraestrutura, a ciência e a tecnologia e o problema mundial das drogas. Ao dialogarem sobre seus desafios comuns e planejarem coletivamente sua prosperidade, os países da Unasul fizeram da América do Sul uma realidade política que dá vida ao que até então era um mero conceito geográfico.

Em uma região que deixou de ser objeto da história para tornar-se sujeito ativo de seu devir, a integração não poderia deixar de estender-se à área da defesa. Tradicionalmente, este foi um campo cercado por sensibilidades. De um lado, diferendos territoriais dificultavam (e por vezes ainda dificultam) a exploração do potencial cooperativo. De outro, quando se tratava da segurança nacional, a ideia das fronteiras como "obra de separação e divergência" aplicava-se também aos limites que dividem o Estado da sociedade no interior dos nossos países. A opacidade e a desconfiança eram a regra de parte a parte.

A democratização transformou a relação entre cidadãos e governantes pelo fortalecimento do princípio da transparência no interior de nossas comunidades políticas. Embora os processos políticos continuem a evoluir – e nem sempre de forma linear –, a América do Sul é hoje um continente politicamente mais maduro, no qual defesa e democracia se reforçam mutuamente.

Convido todos, a propósito, a examinarem o *Livro Branco de Defesa Nacional* que o Governo da Presidenta Dilma Rousseff acaba de apresentar ao Congresso Nacional. Iniciativas como essa, já corriqueiras em nossa região, suscitam o acompanhamento atento e crítico dos assuntos de Defesa pela sociedade civil, fator imprescindível para políticas de defesa em sintonia com os interesses nacionais.

Essa representatividade é exemplificada, no caso brasileiro, pelo sólido vínculo entre a política de defesa e a política de desenvolvimento que orienta a nossa *Estratégia Nacional de Defesa*.

Ao mesmo tempo, estou convencido de que a integração sul-americana é o caminho a ser trilhado para que a relação entre nossos países na área de defesa leve, cada vez mais, a marca da convergência estratégica. Uma América do Sul que procura superar desafios comuns e projetar-se coletivamente na política internacional deve refletir maduramente sobre sua identidade em matéria de defesa.

A condição básica dos Estados no tocante à sua segurança é o exercício do direito soberano à sua própria defesa. Desde a fundação das Nações Unidas, no pós-Segunda Guerra Mundial, o emprego da violência pelos Estados em suas relações externas ficou, ao menos em teoria, sujeito ao sistema de segurança coletiva centrado no Conselho de Segurança.

Exceção feita à autodefesa, essa sempre indeclinável, individual ou coletiva, prevista na Carta de São Francisco em termos bastante estritos, o uso da força depende da autorização daquele órgão, que detém a responsabilidade primária pela paz e a segurança internacionais.

Com todas as suas imperfeições institucionais, que estão a requerer inadiável esforço de reforma, o arcabouço jurídico da

ONU fornece, ainda, o melhor quadro normativo para regular as questões de paz e de guerra. É pelas Nações Unidas que poderemos "multilateralizar a multipolaridade", tornando esta nova ordem mundial sinônimo de estabilidade e prosperidade para todos os povos.

"Multilateralizar a multipolaridade": não se trata, aqui, de mero jogo de palavras. A multipolaridade, expressão de uma distribuição de poder menos concentrada, embora benéfica, não pode, por si mesma, garantir a paz e, muito menos, a justiça.

Sem o arcabouço normativo do multilateralismo, a multipolaridade ensejará no máximo um equilíbrio de poderes, a exemplo do sistema que vigorou na Europa, com algumas interrupções, entre a Paz de Westfália e a Primeira Guerra Mundial, isto é, entre meados do século XVII e os albores do século XX.

E, como todos sabem, esses quase três séculos de história foram pontilhados por conflitos e tentativas de dominação, que, por vezes, levaram à supressão de povos e nações. O final do largo período das guerras mundiais do século XX assistiu à criação de um sistema de normas, ao qual faltou, entretanto, uma base de sustentação na realidade de poder.

À bipolaridade da Guerra Fria seguiu-se uma fase do que poderíamos chamar de "unipolaridade consentida", na qual o multilateralismo frequentemente serviu de manto a atitudes hegemônicas.

Temos, hoje, pela primeira vez na história moderna, uma combinação entre a existência de normas internacionais, portanto multilateralismo, e uma realidade que se aproxima da multipolaridade: uma espécie de "equilíbrio de poder normatizado", no qual, além das regras que visam proteger a independência e a soberania, estão presentes, ainda que de forma embrionária, normas que dizem respeito à justiça, aos direitos humanos e à preservação da natureza.

É esse multilateralismo assentado em realidades de poder ou, se quisermos, é essa multipolaridade normatizada que poderá garantir, na medida em que isso seja de todo possível, um futuro de paz e de justiça.

Os países sul-americanos desejam dar sua contribuição a essa causa. Mas no mundo em que vivemos – um mundo de estados-nação, marcado ainda por fortes assimetrias de poder – sermos pacíficos não pode significar que sejamos indefesos.

Embora vivamos em uma região afastada dos principais focos de tensão global, não podemos ser imprudentes quanto à possibilidade de nos tornarmos vulneráveis a riscos ou ameaças provenientes de cenários em princípio alheios ao nosso ambiente. Não podemos, por exemplo, descartar hipóteses de conflito entre terceiros países que afetem adversamente nossos interesses ou mesmo que atinjam nosso patrimônio.

É preciso reconhecer que o arcabouço multilateral da ONU, que regula o uso da força entre os Estados e que desejamos prestigiar, tem sido repetidamente minado por ações armadas unilaterais ou pela extrapolação dos objetivos de mandatos conferidos pelo Conselho de Segurança – o que inevitavelmente afeta a credibilidade do sistema.

A dissuasão liga-se à avaliação soberana dos riscos e ameaças a que está submetido um país ou, nesse caso, uma região. Pressupõe a capacidade de imposição de custos proibitivamente altos para eventuais forças adversas, de modo a desincentivar ações hostis, provenham de onde provierem.

Está superada a etapa histórica em que se tentou persuadir nossos países de que sua segurança estava garantida por potências de fora, cabendo às nossas Forças Armadas especializarem-se, total ou principalmente, em tarefas como o combate ao crime organizado ou ao tráfico de drogas.

Os países sul-americanos têm o direito e o dever de proverem sua própria defesa através de adequada capacidade dissuasória. Mas não é óbvio que possam fazê-lo de forma isolada. A estratégia global dissuasória conjuga-se com uma estratégia regional cooperativa. A construção da América do Sul não estará completa enquanto as fronteiras que apartam nossos países não forem, e volto a usar as palavras de Rio Branco, "verdadeiras garantias de segurança e paz" entre nações "cada vez mais prósperas e fortes".

O chamado do Barão do Rio Branco por uma "inflexível diretriz de concórdia eficaz e leal amizade entre todas as nações sul-americanas" é atualíssimo e aplica-se muito especialmente à área da defesa.

Se é verdade que o conflito segue sendo um fator de incidência nas relações internacionais, não é menos verdadeiro que, em certas regiões, sua manifestação é largamente mitigada – se não eliminada de todo, mas quem sabe eliminada – graças, em parte, ao desenvolvimento de instituições voltadas à paz e à cooperação. A transformação da realidade política europeia nas últimas sete décadas é um exemplo eloquente.

Temos na América do Sul alguns casos de "mudança pacífica". Gosto sempre de citar, a esse respeito, a superação das suspeitas e rivalidades entre Brasil e Argentina. Nossos dois países souberam desmontar uma estrutura de interação fundada na política de poder e edificar uma parceria que é exemplo mundial de construção de confiança. A Agência Brasileiro-Argentina de Contabilidade e Controle de Materiais Nucleares, ABACC, é representativa da força do projeto integrador, capaz de gerar uma visão compartilhada de paz e entendimento em uma das áreas mais sensíveis da segurança, a área nuclear. Ao mesmo tempo, a ABACC fortalece nossa posição

– tanto do Brasil, quanto da Argentina – nas discussões sobre desarmamento e não proliferação em nível global.

Avanços como esse foram decisivos para que nossos países abrissem, aqui na região, novo ciclo de inserção competitiva e de desenvolvimento industrial. Pela cooperação, os países atingem ganhos que não obteriam agindo separadamente.

No plano bilateral, operações de prevenção e repressão de criminalidade fronteiriça, como as Operações Ágata, no Brasil, ensejam, também, oportunidades de cooperação e criação de confiança com nossos vizinhos. Seguindo as normas estabelecidas, o Brasil notifica seus vizinhos da movimentação de Forças por ocasião desse tipo de operação. Em muitos casos, temos tido observadores desses países dentro das nossas Forças e, até mesmo em alguns casos, operações simultâneas com nossos vizinhos funcionando como espelho, o que garante a maior eficácia da atividade.

Devemos continuar, no plano bilateral ou plurilateral, o desenvolvimento de exercícios conjuntos, mais uma forma de ampliar o conhecimento mútuo entre nossas Forças Armadas e aperfeiçoar suas habilidades em ações conjuntas. Quero saudar, nesse contexto, a grande iniciativa entre Argentina e Chile de fundarem a Brigada Cruz Del Sur. O Brasil está estudando uma maneira de participar, pelo menos em um primeiro momento, como observador nesse esforço.

No plano multilateral regional, a Unasul passou a contar com uma instância de consulta, cooperação e coordenação em matéria de defesa: o Conselho de Defesa Sul-Americano, criado na reunião extraordinária de Costa do Sauípe em dezembro de 2008.

A instituição do Conselho ocorreu menos de sete meses após a assinatura do Tratado Constitutivo da Unasul, em maio do mesmo ano. Em seu período ainda curto de existência, o Conselho já exibiu notável capacidade de equacionar questões surgidas entre seus membros, dando contribuição efetiva à manutenção da estabilidade regional e à causa da paz.

O atual plano de ação do Conselho de Defesa Sul-Americano atesta a variedade de áreas em que a cooperação sul-americana tem realizado ou realizará o potencial de ganhos conjuntos. A coordenação de ações na missão de paz no Haiti é um exemplo de contribuição competente e de forte conteúdo humano para a reconstrução do país irmão. Outra área indicada no plano de ação do CDS aberta a enormes benefícios pela cooperação é a de indústria e tecnologia de defesa.

Uma das diretrizes da *Estratégia Nacional de Defesa* brasileira é justamente o estímulo à integração sul-americana, e especialmente o fomento à integração das bases industriais de defesa. Projetos como o do avião cargueiro-reabastecedor KC-390, em que o Brasil tem contado já com a parceria da Argentina, e ao qual poderão juntar-se outros países, começam a dar concretude aos planos de desenvolvimento industrial coletivo sul-americano.

Onde ainda não podemos desenvolver conjuntamente, procuramos comprar produtos de defesa de nossos vizinhos. É o caso de lancha fluvial blindada que estamos adquirindo da Colômbia. Notem-se, também, os avanços na implementação dos procedimentos de aplicação das medidas de fomento da confiança e segurança, documento adotado pelo CDS.

Esse repertório de medidas aprofundará a identificação estratégica entre as nações sul-americanas. São pilares do documento a proscrição do uso da força e da ameaça do uso da força, assim como o compromisso regional com o *status* da América do Sul como zona livre de armas nucleares.

Todas essas frentes de cooperação ampliarão as capacidades individuais e coletivas dos países sul-americanos. Uma América do

Sul que substitui a política de poder pela construção de confiança poderá atingir aquilo que eu chamarei de "coordenação dissuasória", isto é, um nível de cooperação e integração que desestimula ações hostis contra cada um dos países ou contra o conjunto da América do Sul.

Uma identidade sul-americana em matéria de defesa não será estabelecida de uma penada, mas tampouco surgirá se não colocarmos nossas mentes para refletir em seus contornos. A história – recente, mas vibrante – da construção da América do Sul dá prova de que já temos uma trajetória bem definida a nos orientar. Aspiramos à justiça social, ao desenvolvimento econômico e a uma participação coesa nas relações internacionais do século XXI. Compreendemos que democracia, soberania e integração são vetores complementares na estratégia dissuasória e cooperativa de defesa.

Infensos que somos a intentos hegemônicos ou de imposição de um pensamento único, reconhecemos a pluralidade como atributo básico do processo de pesquisa e formulação da identidade sul-americana em defesa. A variedade de experiências e de condições constitui riqueza a ser explorada. Ao mesmo tempo, é preciso levar a sério os diferentes diagnósticos de risco e ameaças feitas por cada um de nossos países. Não haverá integração em defesa sem um diálogo franco e honesto, respeitoso da diversidade, entre países que desejam se conhecer.

Estamos unidos por princípios comuns que emprestam credibilidade a nossos esforços: a solução pacífica de controvérsias; o respeito à soberania; a subordinação do poder militar à liderança civil democrática; e a prevalência dos direitos humanos.

Como nos recorda o estatuto do CDS, impusemo-nos o objetivo de consolidar a América do Sul como zona de paz, base para a estabilidade democrática e o desenvolvimento integral de nossos povos. Mas, para alcançarmos uma identidade sul-americana em matéria de defesa, é imperioso desenvolver novos modos de pensar a nossa realidade.

Isso envolve um certo grau de transição conceitual. Estamos acostumados, muitas vezes, com teorias tradicionais a respeito dos processos de paz e guerra no sistema internacional.

Abordagens inovadoras ou alternativas sobre conflito e cooperação devem ser buscadas. Um exemplo é o poder explicativo de um conceito que só recentemente tem ganhado espaço nas análises de relações internacionais, o de "comunidade de segurança", proposto pelo cientista político Karl Deutsch nos anos 1950. Segundo Deutsch, forma-se uma comunidade de segurança quando o sentido de coletividade, de confiança e de respeito mútuo entre determinados países torna inconcebível a guerra como meio de solução de controvérsias. Penso que o conceito guarda potencial para conformar as relações de "leal amizade entre todas as nações sul-americanas", para socorrer-me mais uma vez das palavras do patrono da diplomacia brasileira.

Outra parte do esforço de buscar novos modos de pensar sobre a realidade da nossa região envolve uma atitude de cuidado frente a análises e teorias marcadas por interesses de ordem geopolítica, geoeconômica ou geoestratégica alheios aos nossos. Cumpre, pois, cultivarmos e refinarmos o senso crítico, fundamento da capacidade de julgar, em relação a esquemas conceituais nascidos em outras realidades.

Em resumo, identificaremos nossos interesses comuns em defesa mediante um longo processo construído pelo diálogo na pluralidade e pela compreensão de princípios unificadores na diversidade, mas também pela reflexão inovadora e crítica. O Curso Avançado de Defesa que ora se inicia é um campo privilegiado desse processo.

Permitam-me terminar com uma citação literária. Comentando certa vez uma visita à cidade de Colônia do Sacramento, Jorge Luís Borges escreveu:

> *A guerra também andou por aqui. Escrevo também porque a sentença pode ser aplicada a quase todos os lugares do planeta. Que o homem mate ao homem é um dos hábitos mais antigos de nossa singular espécie (...). Aqui sentimos de maneira inequívoca a presença do tempo, tão rara nessas latitudes. Nas muralhas e nas casas está o passado, sabor que se agradece na América.*

A grave sabedoria dessas palavras sobre a guerra na história humana esconde um fato extraordinário: Colônia do Sacramento, ou simplesmente Colônia, vive, enfim, uma paz centenária.

Na América do Sul, nosso passado de conflitos convive com outro passado, mais jovem, de natureza totalmente diversa, um passado de paz. Em uma terra agraciada com abundantes recursos e habitada por povos que aspiram à concórdia e ao progresso, esse outro passado é, também ele, um sabor que se agradece.

Muito obrigado.

Brasil e Bolívia: cooperação em defesa para o século XXI

Palavras por ocasião do ato de doação de helicópteros da Força Aérea Brasileira para o Governo da Bolívia. Santa Cruz de La Sierra, 3 de outubro de 2012

A transferência de quatro aeronaves H-1H à Bolívia, duas das quais estamos entregando hoje, representa a contribuição direta do Brasil para a ampliação da capacidade operacional das Forças Armadas de nossa nação irmã.

O ato de que participamos hoje teve sua origem em uma reunião histórica, eu diria, do Presidente Evo Morales com o então Presidente Lula, na cúpula de Costa do Sauípe em dezembro de 2008. Naquela ocasião, foi a primeira vez em que os presidentes da América Latina e do Caribe se reuniram sem nenhum tipo de tutela externa.

Convencido da necessidade exposta pelo Presidente Evo Morales de reforço desses meios aéreos, o Presidente Lula determinou realização do estudo de viabilidade pela Força Aérea Brasileira. Agora, obtida a aprovação de nosso Congresso, a Presidenta Dilma Rousseff pôde sancionar a lei que autoriza a doação dos helicópteros. O gesto que se concretiza hoje dá prova cabal de que a cooperação com a Bolívia não resulta apenas de iniciativas de um governo de meu país, senão também de um firme compromisso do Estado brasileiro. Dá prova, também, de que a cooperação estende-se com naturalidade às áreas de defesa e segurança.

Entre outras tarefas, os helicópteros possibilitarão à Bolívia combater o narcotráfico com ainda maior eficácia e, também, outros tantos ilícitos. Permitirão, ainda, ampliar a vigilância de suas fronteiras.

Brasileiros e bolivianos compreendemos que a segurança e a prosperidade de nossos países estão intimamente associadas. A cooperação e a integração são hoje realidades que definem a América do Sul. Emergimos na política mundial como uma região cada vez mais coesa e como um polo de paz. Na Unasul, o Conselho de Defesa Sul-Americano fortalece a confiança e a transparência entre nossos países. Bom exemplo disso são as normas relativas a exercícios militares em regiões próximas das fronteiras.

Sempre que realizamos operações de repressão e prevenção à criminalidade em nossa faixa de fronteira, como as operações Ágata, notificamos a vizinhança sobre a movimentação de Forças. Observadores bolivianos e dos demais países vizinhos são convidados a participar das operações. Quero aqui, mais uma vez, convidar para que sejam enviados observadores bolivianos à próxima operação, que se iniciará em breve. Ao fortalecer sua coesão interna, a América do Sul reforça sua capacidade de coordenação dissuasória.

Posso afirmar que a Política de Defesa do Brasil é de cooperação para dentro e dissuasão para fora. A América Latina necessita de uma "cooperação-dissuasória", ou "dissuasão-cooperativa", para proteger seus vastos recursos. A Bolívia, um país tão rico, necessita proteção, e a melhor maneira seria por meio da cooperação, sem interferência, é claro, na sua soberania.

Nossa região possui recursos de alto valor estratégico, como terras agricultáveis, reservas energéticas e de biodiversidade, além de bacias hidrográficas e aquíferas. Esse patrimônio torna-se objeto de especiais cuidados frente à conjuntura global deste início de século XXI, marcada, entre outras, por três crises simultâneas: a crise alimentar, a crise energética e a crise ambiental. Devemos estar prontos para dissuadir forças adversas que pretendam desrespeitar nossas soberanias para acessar esses ativos.

As estratégias nacionais de defesa serão tão mais eficazes quanto contarem com uma articulação em nível sul-americano.

Em um marco maior, nossa coesão está relacionada à formação de uma identidade sul-americana em defesa. Nesse sentido, já há um importante centro de estratégia na Argentina. E, também, este objetivo tem grande impulso com o Curso Avançado de Defesa Sul-Americano, o CAD-SUL, criado pelo Conselho de Defesa Sul--Americano e atualmente em realização na Escola Superior de Guerra no Rio de Janeiro.

Gostaria de registrar a importância que atribuímos à presença de dois oficiais das Forças Armadas bolivianas no curso. Sem prejuízo da pluralidade de visões, característica da convivência entre nossos países, estamos unidos na área de defesa por uma série de princípios comuns, como o respeito à soberania, a liderança civil democrática do poder militar, a solução pacífica de controvérsias e a defesa dos direitos humanos.

Esses são fundamentos sólidos para a construção de nossa identidade de defesa, com benefício para a segurança de todos os povos sul-americanos. O ato a que assistimos hoje é apenas um passo, mas um passo seguro, nessa direção.

Quero aqui também anunciar que em breve iniciaremos a revitalização de quatro veículos blindados bolivianos. Sei que a necessidade é maior, mas esse já é um passo para uma maior cooperação.

Estou convencido, Presidente Evo, de que o potencial de cooperação entre Brasil e Bolívia na área de defesa é vasto, e que deve ser realizado em sua plenitude, para o bem de nossos países e para o bem de nossa América do Sul. Desejo muito sucesso aos aviadores bolivianos em suas missões nessas aeronaves.

A bordo do NPaOc Amazonas

Palavras por ocasião do desfile naval em homenagem à incorporação do Navio Patrulha Oceânico Amazonas à Marinha do Brasil. Ao largo da costa do estado do Rio de Janeiro, 5 de outubro de 2012

Quero dizer que hoje é um dia muito especial para a Marinha do Brasil e para o Ministério da Defesa, porque assistimos à chegada de um importante novo meio operativo à nossa Força Naval.

É com grande alegria que vejo – vou usar aqui o linguajar da Marinha – o excelente "aspecto marinheiro" do Amazonas.

Para mim, como Ministro da Defesa, é motivo de muita alegria presenciar esta belíssima parada naval, com duas fragatas, com os três navios patrulha e com o submarino. Esse desfile evoca a grandeza da Marinha do Brasil e nos dá a certeza de que podemos manter os nossos recursos bem defendidos contra velhas e novas ameaças.

O Amazonas, que hoje conclui sua viagem, engrandeceu a tradição associada a seu nome ao levar uma mensagem de paz aos portos amigos que visitou durante a travessia: começando com Lisboa e Las Palmas, mas eu quero destacar especialmente as quatro cidades africanas em que ele esteve: Mindelo, Cotonou, Lagos e São Tomé. Isso ilustra o nosso compromisso primário com a nossa própria Amazônia Azul, mas também com o Atlântico Sul.

A chegada do Amazonas mostra a prioridade que o Brasil voltou a dar a sua defesa, reequipando suas Forças Armadas e valorizando a profissão militar.

Protegendo a Amazônia Azul pela vigilância da soberania nacional e pela cooperação com países vizinhos, a chegada deste navio patrulha oceânico representa o nosso firme compromisso com a defesa dos interesses do Brasil no cenário internacional.

Desejo aos tripulantes do Amazonas um bom retorno após seis meses de missão e parabenizo todos os navios e todas as tripulações pelo garboso desfile.

Marinheiros! Bons ventos e mares tranquilos!

X Conferência dos Ministros de Defesa das Américas

Intervenção na X Conferência dos Ministros de Defesa das Américas. Punta Del Este, 8 de outubro de 2012

Agradeço ao governo do Uruguai por sua tradicional hospitalidade de nos reunir nesta bela cidade de Punta Del Este, que mesmo sob a bruma revela seus encantos e nos transmite esse ambiente de paz essencial para os nossos trabalhos. Estendo meu reconhecimento às delegações nacionais, integradas por oficiais militares e servidores civis, que prepararam este encontro ministerial com profissionalismo e dedicação.

Não podemos furtar-nos a nossa responsabilidade de ministros de participar desses debates. Temos hoje a valiosa ocasião de entabular um diálogo entre ministros de Defesa das Américas a respeito de nossa cooperação, com o objetivo de orientar seus rumos nos próximos anos. E eu me permito aqui propor uma reflexão: de onde viemos e para onde vamos em termos de cooperação em defesa nas Américas?

Nossa reflexão é indissociável da conjuntura estratégica mundial, sobre a qual não posso deixar de fazer algumas observações, por breves que sejam. O Oriente Médio é epicentro de uma instabilidade passível de deflagrar um conflito de alcance global. Estamos assistindo a uma disputa – um novo "grande jogo"

– entre potências no Oriente Médio, como aquela que, no século XIX, e, sobretudo, após a queda do Império Otomano, redesenhou a região e lançou sobre ela as sementes de uma instabilidade crônica. A disputa competitiva entre potências volta a pesar mais do que os desejos dos povos daquela região.

A Primavera Árabe corre o risco de se ver soterrada por uma tempestade de areia. Estamos longe de um mundo em que a diplomacia prevaleceria sobre o uso da força; em que os desejos legítimos dos povos prevaleceriam sobre os interesses geopolíticos das potências; e em que a paz prevaleceria sobre a guerra. A incapacidade de atuação efetiva do Conselho de Segurança na crise Síria, em grande parte devido à sua composição anacrônica, é alarmante.

A primeira lição que devem tirar países que não se sentem diretamente envolvidos – embora todos o estejamos, de uma forma ou de outra – é que não há margem para ingenuidades sobre a persistência do conflito nas relações internacionais, daí o imperativo de cada Estado assegurar sua Defesa nacional, inclusive, quando os interesses nacionais permitirem, e recomendarem, por meio da cooperação internacional.

Nossa reflexão tampouco pode abstrair-se da nossa experiência histórica nas Américas. Percorremos um longo caminho de esforço de conformação de uma arquitetura de cooperação em defesa. Enfrentamos sucessivos testes de coesão: intervenções recorrentes, alianças com potências extrarregionais, embates ideológicos largamente importados, entre outros, deixaram um gosto amargo sobre a viabilidade da solidariedade continental.

Passo importante nessa solidariedade foi a consolidação do princípio de não intervenção. Em 1933, na VII Conferência dos Estados Americanos – sediada e presidida por este mesmo Uruguai que hoje nos recebe –, alcançamos um ponto máximo da controvérsia entre os defensores e os opositores da intervenção nas Américas. Três dias depois do fim da conferência, muito lucidamente, o Presidente Franklin Roosevelt anunciou que, e eu cito: "A partir de agora, a política dos EUA para a região opõe-se à intervenção armada".

No contexto do pós-guerra, ensaiamos o conceito de assistência recíproca, com expectativas que se refletiram na sua institucionalização por meio de tratado. Alguns episódios, que não necessito relembrar aqui, frustraram a ideia central do TIAR de que um ataque contra um dos membros seria considerado um ataque contra todos.

O fim da Guerra Fria e a conformação de um mundo multipolar impõem que procedamos a um ajuste em nossa concepção da cooperação em defesa nas Américas. Meu país quer olhar para frente, com espírito construtivo, para buscar novas abordagens. Mas isso requer que sejamos capazes de rever conceitos que já não se aplicam à realidade.

No mundo de hoje – em que mesmo questões de legítima defesa (sobretudo a chamada legítima defesa coletiva) inevitavelmente se mesclam com a "segurança coletiva", tal como definida pela Carta de São Francisco –, é prudente evitar qualquer tipo de ação que incida sobre a competência primária do Conselho de Segurança das Nações Unidas, que, a despeito de suas limitações e insuficiências, é o principal órgão em temas de paz e segurança.

Nas Américas, precisamos de novas premissas. Na visão brasileira, a cooperação interamericana em defesa será tão mais efetiva quanto mais for capaz de reconhecer a heterogeneidade de situações geopolíticas e geoestratégicas entre as várias regiões e sub-regiões do continente americano.

A verdadeira solidariedade entre os países das Américas passa pelo respeito à pluralidade de nossas circunstâncias. Por isso, valorizamos e priorizamos mecanismos como os da União Sul-Americana de Nações, a Unasul, e da Comunidade dos Estados Latino-Americanos e Caribenhos, a CELAC. Em 2008, a Unasul criou seu Conselho de Defesa. Ele conforma uma institucionalidade de criação da confiança e prevenção de conflitos. Seus princípios são a não intervenção, a solução pacífica de controvérsias, o respeito à soberania, a liderança civil democrática, a prevalência dos direitos humanos e, sobretudo, o apego à paz. Tudo isso a serviço do desenvolvimento dos nossos povos.

Em pouco tempo, o Conselho de Defesa Sul-Americano desempenhou papel exemplar no equacionamento de diferendos entre Estados-membros, e até mesmo dentro de Estados, com sua aquiescência, naturalmente. Acompanhamos hoje, com extraordinária satisfação, o processo de paz interno em outro país irmão, a Colômbia. Felicitamos o governo da Colômbia e, em particular, o Presidente Santos, pela coragem que o levou a abrir um diálogo visando a paz e a conciliação.

O Conselho de Defesa Sul-Americano parte de base auspiciosa e própria: a natureza de zona de paz, livre de armas nucleares. Na verdade, esse espaço sul-americano projeta-se no espaço latino--americano e caribenho. Estamos pedindo às potências nucleares que retirem suas reservas aos protocolos do Tratado de Tlatelolco, de que somos membros todos os estados da América Latina e do Caribe.

Seria muito importante que esta conferência reconhecesse a Zona de Paz e Cooperação do Atlântico Sul e seu caráter livre de armas nucleares – não apenas em cumprimento de resoluções pertinentes da Assembleia Geral das Nações Unidas, mas também como um gesto de criação de confiança entre os Estados das Américas. É o mínimo que se pode esperar, além da progressiva aplicação do artigo VI do Tratado de Não Proliferação Nuclear, que determina negociações que em boa-fé visem ao desarmamento nuclear de todos os países.

O que precede não exclui um vasto campo de cooperação no âmbito das Américas. Pelo contrário, é o que tornará esta cooperação profícua.

No âmbito do primeiro eixo temático, as ações de prevenção e de socorro frente a desastres naturais integram, sem dúvida, a pauta de possíveis programas de cooperação entre nossos países. No entanto, isso requer a compreensão de que as Forças Armadas têm, em muitos países (certamente no Brasil), um papel subsidiário aos órgãos de defesa civil.

A despeito da importância das ações das Forças Armadas nessas situações, seria um erro e até uma contradição, em termos, tentar "militarizar a defesa civil". Também devemos ter clareza acerca de como um mecanismo interamericano sobre o tema seria articulado com outros mecanismos nacionais e regionais, e, em especial, com o Conselho de Defesa Sul-Americano, no nosso caso. Dentro desses parâmetros, a proposta para o eixo temático 1 deverá ser ainda melhorada e estar sujeita aos ajustes correspondentes. É o que esperamos que seja capaz de fazer o grupo de trabalho correspondente.

Quero também deixar claro que o Brasil não considera adequada – repito, não considera adequada –, nesse contexto, a menção à proteção do meio ambiente e da biodiversidade, como sugere o título desse eixo temático. Não são temas essencialmente militares, nem temas essencialmente de defesa.

No tocante ao eixo temático 2, creio que nossos países têm uma história de êxito recente, da qual podem orgulhar-se, que é o engajamento de muitos deles e da região como um todo em favor do estado irmão do Haiti. Mas aqui também cabe frisar: o mandato conferido pelo Conselho de Segurança da ONU é o que dá legitimidade às nossas ações.

Seja por meio da Minustah, seja por meio da OEA, cujo Secretário-Geral quero cumprimentar, e de seu mecanismo de apoio eleitoral, seja por meio da oferta de cooperação técnica ou de doações, os países das Américas deram grande contribuição ao objetivo de resgatar a paz e a segurança do Haiti e salvá-lo de um desastre de enormes proporções, como foi o terremoto de dois anos atrás.

A própria Unasul não esteve ausente desse processo, e quero cumprimentar a liderança exercida pelo Presidente Correa, do Equador, nesse particular. Fomos particularmente atuantes nos socorros prestados por ocasião do terremoto de 2010. Certamente, teremos lições a aprender dessa tragédia, que serão úteis aos debates previstos acerca de desastres naturais. Aí verificamos cooperações variadas – bilaterais, trilaterais, multilaterais – envolvendo, até mesmo, em certos casos, países que têm relações difíceis entre si.

Uma dimensão decisiva dessa contribuição é oferecer cooperação estruturadora do desenvolvimento haitiano – e não apenas cooperação ocasional – que se realiza e, logo que passam os sintomas da tragédia, ausentam-se. Ela deve lançar sementes de um progresso autossustentável do Haiti, lembrando sempre que, por melhor que sejam os trabalhos das ONGs, o Haiti é um Estado nacional, e não uma coleção de organizações não governamentais.

Sob essa lógica, o Brasil tem expectativas elevadas quanto à construção da hidrelétrica de Artibonite 4C, cujo projeto executivo completo foi preparado pelo Exército brasileiro, a pedido do governo haitiano, em 2010, e para o qual já contribuímos com US$ 40 milhões, provavelmente uma das maiores contribuições que o Brasil já deu para qualquer outro país em desenvolvimento.

Gostaríamos de contar com o apoio dos demais países das Américas – especialmente aqueles que detêm mais recursos, como o Canadá e os Estados Unidos, e também do BID – para reunir os recursos ou contribuições materiais para levar adiante este projeto estruturante, concreto. Este é um teste real para a solidariedade latino-americana, e americana em geral.

No tocante ao terceiro eixo temático, relativo às questões de segurança e de defesa, há anos esta conferência debate, sem êxito, se o narcotráfico é – ou não é – ameaça; se requer – ou não – o emprego intensivo das Forças Armadas. O Brasil não pode associar--se a propostas de fazer com que a destinação primária das Forças Armadas volte-se para o combate ao narcotráfico. Não concordamos com isso, embora respeitemos as circunstâncias daqueles países, ou grupos de países, que realizam escolhas distintas. De nossa parte, continuamos a ter sérias dúvidas sobre a pertinência dessa atribuição de funções não típicas do estamento militar.

O Conselho de Defesa da Unasul soube resolver a controvérsia em torno do tratamento dos temas de segurança pública e de defesa. Em Cartagena de Índias, no início do ano, aprovamos proposta colombiana de criar o "Conselho de Segurança Cidadã". O novo órgão nos oferece as condições para assegurar o tratamento da questão dos ilícitos transnacionais e do narcotráfico de forma harmônica, respeitadas as competências próprias do Conselho de Defesa e, também, do Conselho sobre o Problema Mundial das Drogas, este mais voltado para aspectos educativos e preventivos.

O ponto de partida para nossa cooperação, repito, é reconhecer a heterogeneidade das Américas, que não lhes permite conformar um complexo regional de segurança único e uniforme. Complexos de segurança pressupõem a convergência na definição de ameaças.

Nessa matéria, as várias regiões das Américas têm seguido trajetórias distintas nos anos recentes. Estou convencido de que, nos dias de hoje, a definição das ameaças não pode ser feita, ou, pelo menos, feita de maneira predominante, no nível interamericano.

Para um grupo de países, a prioridade das questões de defesa recai sobre o terrorismo internacional, as chamadas novas ameaças, a proliferação de armas nucleares, o narcotráfico e, em certa medida, até mesmo a imigração ilegal. Para outro grupo, a prioridade é a proteção dos recursos naturais, de suas fontes de energia, de suas reservas de água doce, de sua biodiversidade, inclusive na Amazônia e no Atlântico Sul, e a preservação das condições de seu uso em favor de nosso desenvolvimento econômico e social.

Na questão nuclear, os acordos entre Brasil e Argentina deram ao mundo um exemplo de como é possível substituir a lógica da rivalidade pela lógica da construção de confiança. A ABACC, órgão responsável por essa supervisão, em conjunto com a Agência Internacional de Energia Atômica, é hoje uma referência mundial, aceita em documentos globais de salvaguardas.

O Brasil tampouco pode aceitar que se qualifiquem como ameaças de segurança questões relacionadas ao meio ambiente e à biodiversidade, com envolvimento de atores militares, sobretudo atores externos à própria Amazônia, em sua proteção, como sugere o título do eixo temático 1 desta conferência. Detentores das enormes riquezas da nossa Amazônia – e agora da Amazônia Azul –, não julgamos que haja um papel para a cooperação militar interamericana em área tão afeta à soberania nacional.

No marco do exame de questões de defesa e segurança, o Brasil considera inescapável que esta conferência registre as justas reivindicações da Argentina com respeito às Ilhas Malvinas, Geórgia do Sul e Sandwich do Sul, como aliás já ocorreu no Mercosul, na Unasul e na CELAC. Preocupa-nos a realização de exercícios que envolvem o disparo de mísseis, como os que estão em curso nessas ilhas, que contribuem para recrudescer a militarização do diferendo.

Seria de esperar que esta Conferência faça apelo a que se iniciem negociações entre as partes, nos termos anualmente reiterados pela Assembleia Geral da ONU. Ainda sob o terceiro eixo temático, em relação ao tema das funções dos componentes do chamado "Sistema Interamericano de Defesa", o Brasil concebe como desnecessária a proposta de criação de uma secretaria para esta CMDA neste momento.

Buscamos consolidar e fortalecer o Conselho de Defesa Sul--Americano, e é aí que queremos concentrar nossas energias, sem prejuízo, volto a dizer, dos programas de cooperação que possamos desenvolver com os demais países das Américas – bilateralmente, trilateralmente ou em conjunto. Nossos programas e projetos de cooperação nessa matéria não justificam, ou, pelo menos, não justificam ainda, uma estrutura permanente dedicada a eles.

O que importa é assegurar que possam articular-se com as instituições regionais com harmonia, complementaridade e respeito mútuo, o que pode ser obtido pelo diálogo entre as respectivas autoridades já constituídas. Por outro lado, devemos continuar a apoiar a Junta Interamericana de Defesa, a JID, pela valiosa contribuição que tem dado – e deve continuar a dar – à promoção dos programas de cooperação entre os países das Américas e ao fomento do diálogo franco – sempre bem-vindo – sobre temas tão sensíveis e importantes.

A trajetória histórica dos nossos esforços de cooperação interamericana em defesa é marcada por idas e vindas, erros e acertos, êxitos e retrocessos. Para diminuirmos os erros e aumentarmos os acertos, temos que atentar às mudanças que ocorreram no mundo e em nossa região. É hoje um anacronismo, se quisermos ter um sistema verdadeiramente interamericano, mantermos o isolamento de Cuba.

No mundo multipolar que conforma no século XXI, não há lugar para pensamento único ou fórmulas uniformes. Devemos ter clareza sobre isso, de forma a articular, com sabedoria política, programas de cooperação de defesa que sejam compatíveis com a atualidade e com a realidade de nossas Américas em toda sua diversidade.

Reitero a contínua disposição do Brasil a contribuir para esse projeto.

Muito obrigado.

Conselho de Defesa Sul-Americano

Intervenção na Reunião Plenária do Conselho de Defesa Sul-Americano. Lima, 28 de novembro de 2012

Obrigado pela presença, obrigado por aqueles que apoiaram nosso pedido. É muito importante, sobretudo depois do que nós ouvimos aqui, fazer alguns comentários sobre a situação estratégica da América do Sul. Tenho dedicado um bom tempo do meu trabalho à reflexão sobre essa situação estratégica. Acho que ela merece nossa atenção. Gostaria de dizer duas ou três coisas, algumas delas até já repetindo coisas que disse antes, mas que me parecem importantes.

Todos nós concordamos que na América do Sul – e quando falo em América do Sul não me limito só ao português e ao espanhol, mas também aos que falam inglês porque são partes da nossa região e do nosso entorno estratégico – o nosso objetivo maior é criar uma zona de paz e cooperação. Eu diria mesmo, sendo um pouquinho acadêmico, que queremos que a nossa América do Sul seja aquilo que o cientista político Karl Deutsch chamava de uma comunidade de segurança, isto é, uma zona onde a guerra torna-se inconcebível. Daí decorrem várias decisões importantes que o nosso país tem que tomar e também decorre a percepção de outras decisões que devem ser tomadas.

A construção dessa zona de paz e cooperação talvez seja o objetivo principal da América do Sul. E para isso nasceu o Conselho de Defesa Sul-americano. Para dirimir desconfianças, para criar entendimento, para facilitar o diálogo. Tudo o que nós fazemos é muito importante – eu não quero absolutamente diminuir a importância do que está sendo feito – para caminhar nesse sentido.

É claro que desenvolver cadeias produtivas na área de defesa é bom, mas é melhor ainda porque isso nos aproxima a todos, e cria um clima de confiança entre nossos países. Essa criação da zona de paz e segurança, em que o conflito armado é praticamente banido do processo de mudança da região, é algo extremamente importante. Este é o ponto principal.

Eu costumo dizer que quando nós tratamos da defesa de um país ou de uma região há dois elementos básicos: a dissuasão e a cooperação. No caso da América do Sul, para dentro, o que nos interessa é a cooperação. Até porque a cooperação é a melhor dissuasão. Países que cooperam entre si, países que trabalham juntos, países que fazem exercícios juntos, são países que muito dificilmente recorrerão a um conflito armado para resolver suas diferenças. Esse é um elemento essencial e de muita importância.

O outro elemento foi, de certa maneira, abordado pelo professor, ministro e mestre Alí Rodríguez, ao se referir à defesa dos nossos recursos naturais. De quem estamos defendendo os nossos recursos naturais? É muito importante ter claro que, na defesa dos recursos naturais, nós não estamos vendo este ou aquele país, essa ou aquela superpotência, ou outra potência qualquer.

O que nós temos que desenvolver é a capacidade dissuasória para que, na eventualidade, que não podemos excluir, de um conflito entre terceiros países, a nossa região venha a ser objeto de algum tipo de cobiça internacional, e, portanto, de algum gesto de agressão. Essa concepção, que tenho resumido dizendo que é a cooperação para dentro e a dissuasão para fora, é muito importante. Ela condiciona também a maneira de encararmos as nossas próprias necessidades de defesa. Vejo que vários de nossos países têm, e é legítimo que tenham, grande preocupação com a ideia de uma corrida armamentista na América Latina ou na América do Sul.

Mas é preciso ter presente que as defesas que se fazem necessárias hoje para a nossa região, como um conjunto, e para alguns de seus países não são contra um vizinho, uma vez que o nosso objetivo principal é justamente o de terminar com a possibilidade de um conflito armado dentro da região. As defesas necessárias são, isto sim, a capacidade de nos defendermos de ameaças externas. Ameaças que parecem longínquas hoje, mas que podem se materializar.

Eu não quero me estender muito sobre a natureza dessas ameaças, nem creio que seja o caso de fazê-lo aqui. Mas, vejam bem, nós estamos muito longe de um mundo totalmente pacífico, de um mundo de onde o conflito tenha sido banido. Nós temos visto as situações no Oriente Médio, na África. Do ponto de vista do Brasil, um país que compartilha o Atlântico Sul, vemos essas situações chegarem perigosamente perto de nossas costas. Para darmos um exemplo: a situação do Mali, um país que não tem litoral, mas que se aproxima do litoral, em que se fala, inclusive, de uma possível intervenção militar de uma organização internacional. Tudo isso coloca problemas que têm que ser analisados.

Nós não podemos traçar uma estratégia de defesa da América do Sul pensando apenas nos nossos vizinhos, nem pensando em uma única superpotência ou em outra superpotência. Nós temos que pensar no que pode ocorrer em um conflito que está fora do nosso controle, mas que pode chegar a nos afetar. Essa percepção, para mim, é muito importante. E eu não creio que caiba a ninguém, muito menos a nós, do Brasil, impor uma única percepção. Mas acho que o espaço para nós discutirmos essas percepções, o espaço para nós discutirmos as nossas estratégias, o espaço para nós discutirmos as nossas políticas de defesa tem que ser criado.

Sem nenhuma pretensão de impor uma doutrina a outra, sem nenhuma intenção de traçar de cima para baixo uma doutrina para toda a América do Sul, temos que confrontar as várias estratégias nacionais que os nossos países desenvolvem e delas extrair elementos comuns. Digo isso porque no Brasil recentemente fizemos o nosso *Livro Branco de Defesa Nacional*. Aliás, os outros países já fizeram, o Brasil não é o primeiro na América do Sul a fazê-lo. O *Livro Branco* é, sobretudo, um exercício de transparência para a sociedade, mas também uma transparência para os vizinhos, para os nossos parceiros internacionais.

A base do *Livro Branco* são dois outros documentos: uma *Política Nacional de Defesa* e uma *Estratégia Nacional de Defesa*. Recentemente, fomos convidados a apresentar o *Livro Branco* e a *Estratégia Nacional de Defesa* em dois centros: em Washington, no contexto do Colégio Interamericano de Defesa, e na França, que está preparando o seu próprio livro branco de defesa.

Isso é bom, isso é muito interessante. Mas não seria muito mais interessante para nós se todos tivéssemos uma ocasião de cada um ouvir a experiência dos outros? Como eles chegaram a determinadas conclusões? Por que na estratégia nacional de defesa de determinado país, digamos, o aspecto aeroespacial ganha tanta importância? Por que para outro país essa importância não é tão grande? Por que certo país atribui uma grande importância à defesa do seu mar territorial, das suas águas jurisdicionais? Enfim, todas essas questões e como eles estão fazendo isso.

Temos que ouvir de cada um qual é a estratégia que cada país está desenvolvendo. A partir daí, acho que deveríamos estabelecer, ou ao menos ter a preocupação de traçar, uma estratégia para o conjunto da América do Sul. Talvez o Centro de Estudos Estratégicos de Buenos Aires ofereça uma oportunidade para fazer isso. Com base no que nós formos capazes de ouvir e entender, utilizando o que existir em comum, e discutindo inclusive os pontos de diferença, aí, sim, chegaremos a uma estratégia sul-americana que será formadora da nossa identidade.

Então eu queria – e isso não deixa de ser uma proposta – criar um foro para discussão das estratégias nacionais de defesa, de livros brancos, de políticas, o que cada país quiser. Os que não têm estarão sendo incentivados a desenvolver para poder explicitar as preocupações que têm. Qual a preocupação maior? É a pirataria? É o narcotráfico? É a eventualidade de uma guerra entre terceiros países, inclusive até envolvendo armas nucleares? Eu não sei. Nós temos que discutir essas questões.

Eu acho que é preciso ter um foro e um foco para essas discussões. Porque, muitas vezes, questões que nós levantamos, que dizem respeito ao nível de armamento, ao tipo de armamento que temos, têm a ver com isso. O Brasil, por exemplo, quando procura desenvolver uma aviação de caça de última geração não está preocupado com os vizinhos da América do Sul. Com os vizinhos da América do Sul temos paz, queremos cultivar e aprofundar a paz. Estamos preocupados com o que pode acontecer envolvendo outras potências.

Eu não posso excluir que amanhã uma disputa entre A e B pela pesca no Atlântico Sul venha a ter influência no mar do Brasil, como pode ter no da Argentina ou em outro lugar qualquer. A mesma coisa no Pacífico. Nós somos detentores da maior quantidade de água doce do mundo. E quantas vezes nós vemos em foros internacionais esses recursos, que são nossos, serem chamados de *global commons*, como se eles pertencessem ao conjunto da humanidade? Qual será nossa estratégia – que não é só militar, é uma estratégia política, diplomática, mas também militar – para proteger esses nossos recursos?

Eu sinto um pouco de falta – talvez por ser relativamente novo nesse foro –, de um espaço em que nós possamos ter uma discussão sobre questões verdadeiramente estratégicas. Mas, para que esse espaço exista, e para que ele também não se torne um debate repetitivo, seria muito importante que nós tivéssemos um foro – eu estou sugerindo aqui um, mas sem a permissão do meu querido amigo Arturo Puricelli –, que poderia ser o Centro de Estudos Estratégicos de Buenos Aires. Ele poderia ser também em outro lugar, como o Equador, que é a sede da Unasul. Países que já têm, podem falar de seus livros brancos; países que não têm, ouvirão dos outros, o que sempre será algo interessante. Esse é um ponto.

E, para não me estender muito nessa intervenção, vou aproveitar e mencionar outra questão importante. É uma discussão que já vinha ocorrendo. Eu confesso até que ignorava que essa discussão existia, quando fiz uma referência a ela no encerramento do Curso Avançado de Defesa Sul-Americano, que teve lugar no Brasil, no Rio de Janeiro. É a questão do Colégio Sul-Americano de Defesa. Eu acho que chegou o momento de nós pensarmos seriamente em termos um Colégio Sul-Americano de Defesa.

Respeito o Colégio Interamericano; acho que há um papel para ele. Acho, por exemplo, que é um foro onde nos encontramos com outros amigos caribenhos, centro-americanos, onde aprendemos também questões e ensinamentos importantes dos nossos amigos norte-americanos e canadenses. Mas não tem cabimento, se nós queremos formar uma identidade sul-americana, que não tenhamos um Colégio Sul-Americano de Defesa. Agora, e aí vem a minha sugestão, não para resolver hoje, mas talvez para criar um grupo de trabalho que possa analisar isso em detalhe.

Em vez de nós ficarmos disputando entre nós todos onde deve ser a sede do Colégio Sul-Americano de Defesa, por que não aproveitamos as iniciativas que já existem, e outras que possam vir a ser sugeridas, para fazer algo novo? Nós estaríamos inovando também na América do Sul.

Sem pretensões de hegemonia, sem pretensões de centralizar nada. Nós estaríamos fazendo um Colégio Sul-Americano de Defesa que fosse, na verdade, o somatório de várias iniciativas, como o Centro de Estudos Estratégicos de Defesa na Argentina, o curso que está se realizando no Brasil (CAD-Sul), algum outro curso que possa se realizar por um aspecto específico, naval, por exemplo, em outro país. E nós teríamos, talvez, na própria sede da Unasul, uma instância que acompanhasse, monitorasse, sem pretensão de controlar.

Acho que um dos fatores da nossa grande riqueza é a pluralidade. E a pluralidade deve ser mantida. Nós temos ideias diferentes sobre a organização da sociedade, temos ideias diferentes sobre a melhor forma de inserção no mundo. Mas queremos procurar nisso uma unidade, uma identidade. Acho, então, que poderíamos ir trabalhando com essas várias iniciativas que já existem, com outras que possam ser criadas, talvez reforçando um pouco a Secretaria da Unasul.

Porque a Secretaria da Unasul, que eu saiba, não tem, por exemplo, assessores militares. Eu estava vendo outro dia: nós temos cerca de 40 oficiais em Washington e nenhum em Quito. Temos nossos adidos militares que realizam a parte bilateral. Então eu acho que seria o caso de pensar, e nós estaríamos dispostos a procurar, no caso do Brasil, um oficial de Estado-Maior que possa também estar presente, juntamente com outros de outros países, assessorando a Secretaria, assessorando o doutor Alí Rodríguez, ou quem estiver na presidência do CDS, na própria sede da Unasul.

Essas são as colocações que eu queria fazer, senhor Presidente. Agradeço muito a deferência.

Obrigado.

Zopacas

*Intervenção na VII Reunião Ministerial da Zona de Paz e
Cooperação do Atlântico Sul. Montevidéu, 15 de janeiro de 2013*

Gostaria de destacar minha grande satisfação em participar deste encontro da Zopacas. Tocou-me, há quase 20 anos, presidir uma reunião da Zopacas, em Brasília, em 1994. Naquela época, e nos anos que se seguiram, houve dúvidas sobre a permanência desse fórum. Mas, graças aos esforços de muitos aqui presentes – quero destacar mais recentemente a presidência angolana e a disposição, agora, do Uruguai – este fórum continua vivo.

A meu ver, ele se torna hoje ainda mais importante do que era quando foi pensado, na década de 1980. Nós ainda vivíamos, naquela época, o final da Guerra Fria. Os conflitos internacionais de alguma forma inseriam-se em uma certa ordem – talvez não a de que nós gostássemos, pois havia muitas guerras civis, seguramente por influência externa de um lado ou do outro – mas o mundo era mais previsível.

Hoje, nós vivemos uma realidade em que é muito difícil dizer exatamente onde irão surgir os conflitos, como eles irão surgir, e quais serão as intervenções externas nesses conflitos. Esses fatos tornam ainda mais importante e vital a manutenção da nossa zona de paz e cooperação. Nunca é demais ressaltar o caráter único desse fórum.

O Ministro Patriota talvez possa me corrigir, mas não me recordo de outra zona de paz no mundo composta por grandes massas de países de dois continentes. Isso obviamente está ligado ao fato de nós compartilharmos o Atlântico Sul, mas o mais importante não é apenas que estejamos unidos em torno do Atlântico Sul. O mais importante é que esta união não existe para atacar ninguém, nem sequer – necessariamente – para nos defender de um inimigo previamente determinado, como foi o caso de outras organizações que existiram no campo da defesa. A Zona de Paz e Cooperação do Atlântico Sul nada tem a ver com outras experiências anteriores, como a OTAN ou a SEATO.

A Zopacas nasce com o objetivo de trazer a paz. De forma muito inteligente, os que a criaram pensaram que, para manter a paz, era muito importante que houvesse também a cooperação. Esse conceito, que combina paz e cooperação, deve ser desenvolvido, entre outros, por meio de resoluções das Nações Unidas.

Ao aprofundarmos nossas relações, evitaremos que o Atlântico Sul seja visto como um vazio de poder e, portanto, atraia forças externas às nossas regiões.

É por isso que, assim como os outros ministros da Defesa que estão aqui hoje, venho a Montevidéu participar desta reunião, que é e continuará sendo, essencialmente, uma reunião de ministérios das Relações Exteriores. Mas a Defesa tem aqui um papel importante. Não só em situações como as que foram mencionadas, como a pirataria, o tráfico de drogas e o terrorismo, que podem se aproximar de nosso oceano comum, mas também porque essas mesmas atividades ilícitas podem atrair, de maneira negativa para a nossa área, intervenções externas.

Se nós não nos ocuparmos da paz e da segurança no Atlântico Sul, outros irão se ocupar. E não se ocuparão da maneira como nós desejamos: com a visão de um país em desenvolvimento que repudia qualquer atitude colonial ou neocolonial. É por isso que a Zopacas é um fórum único, de que não conheço semelhante no mundo.

Mas, justamente por ele ser único, muitas vezes pode parecer que os nossos objetivos são um pouco longínquos e abstratos. Em função disso, e da experiência passada, seria muito importante que nós conseguíssemos intensificar a cooperação em áreas muito específicas. Não vou referir-me a outras, que já foram mencionadas pelo Ministro Patriota e por outros ministros da Defesa: me aterei à área da defesa.

Muito já se tem feito em cooperação bilateral e trilateral em matéria de defesa, envolvendo países das duas regiões ou continentes. Naturalmente, essas experiências poderiam ser objeto de seminários informativos e de uma discussão transparente. Assim, todos os países podem acompanhar ou participar das atividades em curso e mesmo replicar essas experiências em suas sub-regiões. Há temas específicos que dizem respeito a todos os países, dos quais poderíamos começar a tratar de maneira muito simples e pragmática.

Um deles seria o mapeamento das plataformas continentais, dos recursos marinhos adjacentes às nossas costas. O Brasil já tem uma cooperação ampla nesse sentido com Angola e a está iniciando com outros países, como Namíbia e Cabo Verde. Certamente estaríamos dispostos a compartilhar essa experiência. Outro tema que poderia ser objeto de um seminário é a segurança das rotas marítimas. Devemos trabalhar para a segurança das rotas marítimas no nosso entorno, no oceano de que somos ribeirinhos, de onde tiramos insumos e meios. Igualmente, poderíamos ter um simpósio sobre como realizar operações de busca e salvamento, que envolvem Marinha e Força Aérea.

Menciono, ainda, a área das operações de paz – em que, inclusive, nosso país anfitrião possui grande experiência. Como podemos aprender uns com os outros nas operações de paz, quais as experiências de cada um nesse sentido? O Brasil desenvolveu larga experiência no Haiti e antes esteve presente em Angola e em Moçambique. Sei que vários outros países estão presentes na África, onde há uma ação constante da União Africana, respaldada pela ONU, incluindo operações de paz.

Mencionei quatro temas, e poderíamos pensar em muitos outros, mas eu queria ser simples e ao mesmo tempo concreto. Se nós pudéssemos incluir no nosso plano de ação – que, a meu ver, ainda está um pouquinho abstrato – esse seminário, ou a possibilidade de sua realização, o Brasil se disporia a sediar um deles, ainda no segundo semestre de 2013. E contribuiríamos para que outros se realizem em outros países no espírito do desenvolvimento de um trabalho coletivo.

Finalmente, para não me alongar, gostaria de mencionar também a questão do pragmatismo nas nossas reuniões e nas nossas ações. Não é simples reunir 21 ou 22 países africanos e três – quem sabe no futuro quatro – países sul-americanos. É uma tarefa complexa, as agendas não se combinam, as datas são difíceis. Mas acho que podemos, com um pouquinho de imaginação, nos valer dos foros que já existem – seja no âmbito da União Africana, seja no âmbito de organizações sub-regionais, como a Cedeao e a SADC, ou, no nosso caso, do Conselho de Defesa Sul Americano da Unasul – para fazermos reuniões da Zopacas que se realizem à margem dessas outras reuniões. Acredito que isso facilitaria a presença, sobretudo, dos integrantes dos ministérios da Defesa.

É importante, também, fazermos um esforço para que, nas reuniões que se realizam em Nova York, haja, por exemplo, a presença de altos funcionários também dos Ministérios da

Defesa. Obviamente, nós não queremos militarizar a Zona de Paz e Cooperação do Atlântico Sul, mas é difícil conceber que ela possa chegar aos seus objetivos sem que haja uma cooperação efetiva e real entre os Ministérios da Defesa; até porque várias questões que, na realidade, poderiam conceitualmente se inserir em outros âmbitos, por motivos práticos e operacionais terminam fazendo parte também dos estabelecimentos militares, sobretudo na área da Marinha, que está presente em muitas operações ligadas ao meio ambiente marinho, policiamento do mar e etc.

Essas são as observações que eu queria fazer. Endosso as considerações já feitas aqui sobre a importância de mantermos a nossa área como uma zona de paz, de desenvolvimento, de prosperidade. Devemos lograr isso não tanto pela dissuasão de uns em relação aos outros, mas pela cooperação entre irmãos. Cooperando entre nós, também estaremos dissuadindo terceiros de interferirem nos nossos assuntos.

Obrigado.

Uma política de defesa para o futuro

Aula Magna no Instituto Tecnológico de Aeronáutica.
São José dos Campos, 25 de fevereiro de 2013

Primeiro, gostaria de dizer que para mim é uma emoção muito especial vir a esta Instituição, da qual muito havia ouvido falar, mas que nunca havia podido visitar podia ter estado. Estive envolvido em mais de uma oportunidade com a área de ciência e tecnologia, e convivi com muitas pessoas formadas pelo ITA.

Quando era jovem, lembro que o ITA era considerado o mais difícil vestibular na área das ciências exatas. E o outro, que eu escolhi, era considerado o mais difícil na área das ciências humanas, o Instituto Rio Branco. Havia esse paralelismo entre os dois, mas, infelizmente, eu nunca havia podido estar aqui.

É, para mim, realmente uma grande alegria estar aqui, por muitos motivos, tais como constatar, através dos prêmios que acabam de ser concedidos, a excelência do ensino aqui ministrado e do trabalho aqui feito; constatar, também, essa ligação permanente dos egressos do ITA, dos professores e alunos, com a Instituição, demonstrada pela colaboração das pessoas que concederam e entregaram os prêmios.

É muito gratificante, também, já falando como Ministro da Defesa, ver essa integração entre civis e militares; e ver também que, nesta instituição considerada *hard core* – de ciência dura –, há uma presença muito grande e expressiva de mulheres. Todos esses fatos tornam, para mim, uma alegria especial vir ao ITA.

O ITA é uma referência nacional e internacional como instituição de excelência na área de ciência e tecnologia. Os trabalhos e pesquisas desenvolvidos neste Instituto foram e são motivo de orgulho para todos os brasileiros e têm merecido crescente atenção no Governo da Presidenta Dilma Rousseff.

Além da parceria firmada com o Ministério da Educação, que injetará novo dinamismo nas pesquisas do ITA, a autorização para a contratação de oitocentos novos cargos no Centro Técnico Aeroespacial também dará ímpeto a esse setor absolutamente estratégico para a modernização da nossa Defesa. A contribuição do ITA ao desenvolvimento do país tem, entre outros, por meio do CTA, impacto direto para a proteção de nossa soberania.

Tenho grandes expectativas com o ingresso de muitos de vocês no CTA, embora saiba que muitos outros irão, também, para empresas privadas, sobretudo nacionais. Sua geração será protagonista, tenho certeza, da recuperação do nosso programa aeroespacial.

Qualquer que seja o curso de suas carreiras daqui para frente, todos vocês contribuirão, de uma forma ou de outra, para a construção de um Brasil mais próspero, mais justo e mais forte.

Naturalmente, à medida que avançar em direção a esses objetivos, o Brasil enfrentará dificuldades ou mesmo antagonismos na defesa de seus interesses. Muitos deles tocarão de perto suas atividades profissionais. Quero, portanto, convidá-los a refletir sobre como nossa política de defesa pode preparar-se para os desafios futuros, e como a área de trabalho de vocês se insere nesse tipo de consideração.

Já nos albores da Modernidade, o filósofo Francis Bacon advertia em seu famoso tratado *Novum Organum*: "O conhecimento e o poder humanos são sinônimos, uma vez que a ignorância sobre a causa frustra o efeito". Assim, ainda que vocês não estejam particularmente interessados – o que pode ser o caso, ou não – pela política mundial, saibam que a política mundial se interessará pelos progressos que vocês farão. Em alguns casos ela poderá mesmo tentar impedir esses progressos.

* * *

A pergunta fundamental que se coloca para definir nossa política de defesa é: qual o lugar do Brasil no mundo, e como defendê-lo? Uma forma de responder a essas questões é recorrer ao conceito de *grande estratégia*, em torno do qual é possível articular uma visão ampla da inserção internacional do Brasil.

Esse conceito foi apresentado em nosso meio já na primeira versão da *Estratégia Nacional de Defesa* em 2008. Uma segunda versão da Estratégia já foi apresentada ao Congresso Nacional pela Presidenta Dilma Rousseff no ano passado.

Em algumas de suas definições tradicionais, o conceito de grande estratégia remete à necessidade de emprego de toda a gama de recursos à disposição do Estado, e não apenas dos recursos militares, para a manutenção de sua segurança, seja durante um conflito, seja para garantir a paz em termos que lhe sejam favoráveis. De um modo genérico, grande estratégia é definida como a correspondência entre os meios e as finalidades políticas de um Estado nos planos interno e externo.

Do nosso ângulo, importa sublinhar a lógica da coordenação entre diferentes órgãos de Estado com vistas à proteção da soberania do Brasil e à sua projeção pacífica no mundo. Nesse sentido, Defesa e Relações Exteriores, militares e diplomatas, são os responsáveis mais diretos pela execução dessas tarefas. Mas elas se realizam sobre a base de fatores econômicos, sociais e culturais.

Sem a participação intensa da área de Ciência e Tecnologia uma grande estratégia brasileira não será bem-sucedida.

Uma visão ampla da inserção internacional do Brasil deve conjugar a política externa à política de defesa e à política de ciência e tecnologia. Esta é justamente uma das dimensões da *Estratégia Nacional de Defesa*: a proteção dos interesses brasileiros no século XXI requererá coordenação entre Pastas do Governo. Saliento, especialmente, o Itamaraty, a Defesa e o MCTI, além da participação da academia, do setor privado e da sociedade como um todo.

* * *

Em sua política externa, que me tocou executar durante muito tempo, o Brasil tem uma vocação de independência, universalismo e solidariedade. Somos um país de dimensões continentais, com a terceira maior extensão de fronteiras terrestres do mundo e a maior costa atlântica.

Na América do Sul, o Brasil tem uma paz centenária com seus vizinhos, assentada na demarcação negociada de todos os seus limites territoriais. Devo dizer que me alegra muito visitar instituições militares onde frequentemente vejo, ao lado dos patronos das instituições, a imagem do Barão do Rio Branco, que contribuiu de maneira decisiva para a nossa configuração territorial.

A integração regional é o aprofundamento dessa paz. Sua viga-mestra é o Mercosul, criado em 1991. Por meio dele, Brasil, Argentina, Uruguai, Paraguai e, a partir do ano passado, a Venezuela, aos quais deverá juntar-se, em breve, a Bolívia, intensificam seu comércio e interligam suas cadeias produtivas. Com os demais vizinhos sul-americanos – a maioria deles, na realidade, associados ao Mercosul –, a integração econômica tem corrido em velocidades diversas.

Com a criação em 2008 da União das Nações Sul-Americanas, a Unasul, a integração expandiu-se para o campo político. A Unasul permite a todos os doze países sul-americanos deliberar sobre os tópicos de interesse comum e coordenar soluções para desafios coletivos. Com a Unasul, a América do Sul deixou de ser um conceito meramente cartográfico e ganhou significado político. Ganhou, também, concretude como espaço de integração econômica.

É de notar-se que somente no início do século XXI estejamos interligando de forma efetiva os litorais atlântico e pacífico, algo que, na América do Norte, ocorreu em meados para o final do século XIX. Há, portanto, aí, quase 150 anos de atraso. A decisão de criar a Unasul levou em conta o fato de que o mundo de hoje é organizado ao redor de grandes blocos.

A União Europeia, apesar de todas as dificuldades por que tem passado recentemente, é, evidentemente, um grande bloco; os Estados Unidos são um bloco em si; o mesmo ocorre com a China e, até certo ponto, com a Índia, com seus mais de um bilhão de habitantes. Outras regiões, embora em estágios distintos de integração, tratam de agrupar-se, como a União Africana e a Associação das Nações do Sudeste Asiático (a Asean).

Há, em nossa região, diferentes modelos e níveis de integração. Alguns deles, como a projetada Área de Livre Comércio das Américas, a ALCA, que propunha uma integração hemisférica, não vingaram, pois não atendiam de forma equilibrada aos interesses de todos os países e continham assimetrias muito fortes.

Muito se fala, hoje em dia, da Aliança do Pacífico, composta por México, Chile, Colômbia e Peru. Sem prejuízo desse tipo de iniciativa, assentada nas características peculiares desses países, como sua posição geográfica e seus vínculos comerciais tradicionais, tenho convicção de que a Unasul permite aos seus membros a exploração de um incomparável potencial integrador. Digo isso porque frequentemente se menciona a formação da Aliança do Pacífico, e alguns desses países são membros da Unasul. Não há nisso algo contraditório, até porque temos que conceber a nossa integração em várias velocidades e em vários ritmos diferentes.

A própria existência do Conselho Sul-Americano de Defesa, no âmbito da Unasul, mostra que a integração do conjunto da América do Sul já vai gerando convergências de interesses em áreas sensíveis que, até há pouco, seriam consideradas insuscetíveis de qualquer tipo de cooperação.

Estou convencido de que a crescente integração da América do Sul a transformará em um dos polos da ordem global das próximas décadas. Compartilhando prosperidade e segurança com seus vizinhos, o Brasil também terá melhores condições para posicionar-se com independência na política mundial.

Pode parecer paradoxal, mas a verdade é que integração sul--americana e a independência nacional andam juntas. Quanto maiores as distâncias entre nós e nossos vizinhos, mais vulneráveis nos tornamos a quem deseje tirar vantagem de eventuais desentendimentos; quanto maior a proximidade entre os países sul-americanos, maior a nossa capacidade de evitar interferências desagregadoras e maior, portanto, a nossa real autodeterminação.

Daí a integração sul-americana constituir a mais alta prioridade de nossa política externa e estar tão presente, também, na nossa política de defesa. Essa ênfase na América do Sul é complementada pelos esforços de criar laços de associação com a América Central e com o Caribe, que formam a região mais ampla em que se localiza o Brasil. A Celac, Comunidade dos Estados Latino americanos e Caribenhos, dá institucionalidade a essa dimensão mais ampla da integração regional, mas, também, necessariamente mais frouxa da integração regional.

Nosso comprometimento com o Caribe é muito visível no Haiti. Desde 2004, quando se solicitou ao Brasil que contribuísse com tropas para a manutenção da estabilidade naquela nação irmã, que tem tantos pontos comuns com o Brasil, nossos "capacetes azuis" estão à frente de uma missão cujo sentido básico é o da solidariedade.

Nossos militares têm trabalhado junto a seus colegas de vários países, majoritariamente sul-americanos, na recomposição do Estado e da sociedade haitiana, em pleno respeito à soberania daquele país.

A situação geográfica do Brasil completa-se com sua abertura para o Atlântico Sul e sua projeção para a orla ocidental da África, fato que frequentemente esquecemos. A presença brasileira estende-se ao extremo sul do Atlântico, na Antártica, onde a reconstrução da Estação Comandante Ferraz já está em curso. Atlântico Sul e África são dois espaços de natural presença brasileira.

Na Zona de Paz e Cooperação do Atlântico Sul, chamada de Zopacas, os países sul-americanos e africanos banhados por esse oceano reúnem-se para tratar de seus desafios comuns, o que acabamos de fazer, em janeiro deste ano, em Montevidéu.

Significativamente, participaram dessa reunião não somente ministros das Relações Exteriores, mas, também, ministros da Defesa, ou seus representantes, o que é muito ilustrativo da percepção que se tem da importância do Atlântico Sul. O principal objetivo é a consolidação do Atlântico Sul como um espaço de paz e prosperidade. Por isso, conclamamos todas as potências, sobretudo as nucleares, a mantê-lo livre de armas de destruição em massa e de rivalidades militares que nos são estranhas.

Com a África, em geral, e com os países de sua orla ocidental, em particular, o Brasil tem um imenso potencial a explorar. Fatores de toda ordem entrelaçam nossas populações. O crescimento acelerado que registram várias das economias africanas, e a boa vontade de que dispõe o Brasil em muitas delas, reforça essa avaliação, confirmada pela importante visita da Presidenta Dilma Rousseff à Nigéria e à Guiné Equatorial, à que acabei de me referir.

Em poucas décadas a margem africana do Atlântico Sul será uma fronteira viva do Brasil, como já o são, hoje, nossos limites com a América do Sul. Vale a pena lembrar que, recentemente, entre outros muitos episódios de cooperação, uma aeronave de patrulha marítima, foi até Cabo Verde para ajudar em missão conjunta de patrulhamento e, em breve, também estará indo a outros países.

É expressivo o interesse despertado pela cooperação técnica do Brasil nos mais diversos setores, tais como a Embrapa e a Fiocruz, que estão presentes nesses países.

Em seu discurso, na III Cúpula América do Sul-África, conhecida como ASA, que acaba de realizar-se na Guiné Equatorial, a Presidenta Dilma Rousseff recordou os termos do grande projeto comum que nos liga, e disse: "Uma parceria entre iguais, diferentemente do que fizeram conosco ao longo de várias e várias décadas. Uma parceria entre iguais que se constrói no respeito mútuo, voltada para o desenvolvimento e para o bem-estar de seus povos".

Chamo a atenção, a propósito, para o excelente artigo publicado pelo professor Sombra Saraiva no *Correio Braziliense* de ontem, cujo título vem muito a calhar aqui no ITA: "Asas do Sul: uma da paz, outra do desenvolvimento".

De minha parte, acabo, também, de realizar, por coincidência, nesta mesma semana, minha primeira viagem à África como Ministro da Defesa. Havia estado em Cabo Verde para uma reunião do foro de defesa da Comunidade dos Países de Língua Portuguesa, a CPLP, em 2011, mas aquela fora uma visita de caráter multilateral e não bilateral. Desta vez, fui a Angola e à Namíbia, acompanhado por uma delegação de empresários da indústria de defesa, vários dos quais sediados aqui em São José dos Campos.

Estamos, também, abrindo oportunidades para a exportação de produtos fabricados ou concebidos aqui e, portanto, contribuindo para a criação de empregos altamente qualificados nessa importante cidade. Mais do que as múltiplas oportunidades de comércio e de investimento, gostaria de destacar a atitude aberta adotada nas parcerias que estabelecemos naquele continente, inclusive em defesa. Nas palavras que ouvi na quarta-feira passada de um bom amigo do Brasil, o Presidente da Namíbia, Presidente Pohamba, o Brasil ajuda seus parceiros a fazer o pão, em vez de lhes oferecer o pão pronto.

Mais além da África, no Oriente Médio, a presença do Brasil também é ponderável. (Cito esses fatos porque eles são importantes para entender o mundo em que estarão inseridos.) Somos diretamente afetados pelo que ocorre no Oriente Médio, e não só pelo impacto que os conflitos têm no preço do petróleo, que, obviamente, afetam a todos.

A guerra entre Israel e Líbano, em 2006, custou a vida de brasileiros e exigiu do nosso Governo, em particular da própria FAB, um grande esforço para a retirada da zona conflagrada de três mil nacionais. Essa é uma das razões, não a única, pelas quais atendemos ao chamado para participar da força de paz das Nações Unidas que se interpõe entre aqueles dois países, a Unifil.

Um almirante brasileiro comanda o componente naval da missão, e uma fragata brasileira é, desde novembro de 2011, a nau capitânia da esquadra reunida sob a bandeira da ONU. Não é uma coisa menor em um mar como o Mediterrâneo, de tanta história, ter um navio brasileiro como a nau capitânia de Força Naval das Nações Unidas.

No conflito israelo-palestino, o fracasso da abordagem tradicional de mediação, representada pelo Quarteto (composto por União Europeia, Rússia, Estados Unidos e ONU), aponta para a necessidade de novos atores e novas ideias, e por isso o Brasil foi convidado, e tem sido convidado, para várias iniciativas como a Conferência de Annapolis, que se realizou nos Estados Unidos em 2007.

Considerações do mesmo tipo inspiraram os apelos no sentido de que o Brasil, ao lado da Turquia, ajudasse a destravar as negociações entre o Irã e os países ocidentais sobre o programa nuclear iraniano. Gostaria de frisar isso, pois muito se vê na mídia, mas sempre de maneira superficial. O compromisso que o Brasil e a Turquia obtiveram junto ao Irã em maio de 2010 atendia a todos – não a alguns, a todos – os critérios que haviam sido até então definidos pelas potências ocidentais, mas acabou sendo descartado por razões de conveniência política. Ficou demonstrada, em todo caso, a efetividade da participação da Turquia e do Brasil, países emergentes, em negociações que dizem respeito à paz e segurança internacionais, o que me leva a sublinhar, mais uma vez, a importância da reforma do Conselho de Segurança da ONU, para que ele tenha em seu seio países emergentes como o nosso.

Noto, a propósito, os bem-sucedidos esforços do Chanceler Patriota em alargar a parceria Brasil-Turquia, de modo a abranger a Suécia, país membro da União Europeia, que se associou à nossa proposta-base para solução das questões relativas ao programa nuclear iraniano.

Em outra frente, o Brasil alia-se à África do Sul e à Índia, formando um grupo (IBAS) que explora os pontos de contato entre três grandes democracias multiétnicas e multiculturais muito importantes dos três continentes do mundo em desenvolvimento. O IBAS já tem promovido a cooperação com terceiros países, com países do Sul, mostrando que não é necessário ser rico para ser solidário. Tem programas no Haiti, na Guiné-Bissau e em vários outros lugares. A cooperação do IBAS na área militar por enquanto ocorre mais entre as Marinhas, por meio dos exercícios navais Ibsamar, mas a cooperação individual, das outras Forças, seja com a Índia, seja com a África do Sul, também é grande.

Pelo BRICS, o Brasil associa-se a África do Sul, Índia, Rússia e China, formando um grupo de economias emergentes que defende a reforma da governança global, e também lança ideias inovadoras de cooperação, como a possibilidade de um banco desses países emergentes, o Banco dos BRICS, que já está sendo discutida de forma bem avançada.

O movimento que quero ressaltar com esses exemplos é o da progressiva presença, presença pacífica, do Brasil nos teatros da política mundial, sempre em resposta a uma sólida lógica de interesses (fortalecida pela lógica da solidariedade).

É certo que, do ponto de vista estratégico, no Atlântico Norte, já com alta densidade de presença de outras potências e mesmo de organizações militares, como a OTAN, nossa ação será menos significativa no horizonte previsível. Ainda assim, é digna de nota a oferta, aceita por nós, de Parceria Estratégica que o Brasil recebeu da União Europeia, bem como o Diálogo Global que manteve com os Estados Unidos, e hoje também expandido à área da defesa.

Da mesma forma, na Ásia-Pacífico, a presença brasileira é relativamente mais diluída, sem prejuízo de importantes vínculos, com a China (inclusive na área espacial), e com países como Indonésia e Malásia (destinos de importantes fornecimentos de equipamento militar). Além disso, mantemos ativo relacionamento com o Timor Leste, parceiro na CPLP, onde o Brasil já teve contingentes militares sob a bandeira da ONU.

* * *

O complemento necessário de uma política externa independente e universal, como a do Brasil, é uma política de defesa robusta. Não se pode ter a ilusão de que ser pacífico significa ser desprotegido, ser fraco. Para compreender as prioridades dessa política, é preciso assinalar as fontes de incerteza no cenário global e verificar o impacto que podem ter sobre a proteção da soberania e do patrimônio brasileiros.

Vale fazer menção, a esse respeito, a um relatório divulgado em dezembro do ano passado pelo Conselho de Inteligência Nacional dos Estados Unidos, intitulado *Tendências globais 2030: mundos alternativos*. O documento lista quatro "megatendências" nas próximas duas décadas: o fortalecimento das prerrogativas individuais de cidadãos em todo o planeta; a transformação de padrões demográficos, com 60% da população global habitando áreas urbanas (número que já foi muito ultrapassado no Brasil, mas que continua se estendendo em outros países); a difusão do poder nas relações internacionais, com a conformação de uma estrutura multipolar; e o crescimento da demanda por alimentos, água e energia.

As duas últimas têm especial relevância para a composição e compreensão do quadro de incertezas que mencionei. Permito--me citar a análise feita da última "megatendência", e vou citar por extenso:

> *O crescente nexo entre alimentos, água e energia – combinado com a mudança climática – terá efeitos de longo alcance sobre o desenvolvimento global nos próximos 15 a 20 anos. Em uma mudança tectônica, a demanda por esses recursos crescerá substancialmente devido a um aumento*

> *da população global de 7,1 bilhões hoje para 8,3 bilhões em 2030 (...) Uma classe média em expansão e dilatadas populações urbanas aumentarão as pressões sobre recursos críticos – especialmente alimentos e água (...) A demanda por alimentos, água e energia aumentará, respectivamente, cerca 35%, 40% e 50% (...) A mudança climática vai piorar o perfil de disponibilidade desses recursos críticos (...) Não será possível lidar com os problemas afetos a uma commodity sem impactar a oferta e a demanda pelas demais.*

Discutindo as perspectivas de paz e guerra exatamente no período que se estende até 2030, uma alta autoridade militar russa externou, há menos de duas semanas, avaliação similar sobre a centralidade dos recursos naturais. De forma mais explícita até, advertiu – de acordo com reportagem do *Ria Novosti* – que a competição global por recursos naturais deve acarretar, na opinião dele, conflitos armados.

Mesmo que não se concorde, ou que não se concorde necessariamente, com a avaliação de que os confrontos bélicos são inevitáveis, o diagnóstico sobre a intensificação da disputa por recursos naturais, em um contexto de crescente multipolaridade e continuada propensão ao recurso à força (evidenciada em outras situações a que me referirei adiante), sugere a persistência de graves incertezas.

Esse diagnóstico é consistente, de resto, com a avaliação que tenho feito sobre a existência de três fontes de atrito na política mundial: a crise energética, a crise alimentar e a crise ambiental, cujos efeitos, às vezes sobrepostos, fazem-se sentir em diferentes teatros.

A instabilidade ocasionada pela competição por fontes de energia não renovável no Oriente Médio é evidente, conhecida de todos. A ela se soma a competição pela água.

O mesmo vale para a instabilidade produzida pela escassez de alimentos ou volatilidade de seus preços, em países tão distantes um do outro como o Haiti e São Tomé e Príncipe. Coincidentemente, creio que em 2007, no auge da crise gerada pelo aumento do preço dos alimentos, os Primeiros-Ministros do Haiti e de São Tomé e Príncipe – duas ilhas um pouco diferentes, uma vez que um é um país com 9 milhões de habitantes, enquanto que o outro possui apenas 200 mil habitantes, mas ambos ligados ao Brasil – caíram em um intervalo de poucos meses, e em função desse aumento o preço de alimentos.

No conflito que se desenrola aos olhos de todos no Mali, o insuflamento das tensões étnicas também esteve ligado, pelo menos em parte, à desertificação no Norte do país, hoje palco da batalha contra os secessionistas e fundamentalistas.

O quadro é inquietante quando se considera que essas implicações podem atingir diretamente o território brasileiro. O Brasil é uma potência mundial de primeira grandeza nas áreas energética, alimentar, ambiental e de água. Tem, por isso, um interesse estratégico na estabilidade, que permite a proteção, o acesso, a exploração e o consumo desses recursos com o reconhecimento pleno do princípio da soberania nacional sobre os mesmos.

Não podemos permitir que algum órgão internacional, do qual eventualmente não façamos parte, como é o caso do Conselho de Segurança, venha a decidir, independentemente de nossa soberania, que – por exemplo – a água é um recurso global e que todos têm direito a ela. As incertezas que assomam sobre esse campo nas próximas décadas podem vir a cercear a política externa, limitando seu raio de projeção, e a política de defesa, incrementando as ameaças a que está sujeito o vasto e rico patrimônio nacional que a ela cabe proteger.

Pensando no nível regional, a América do Sul detém 25% das terras cultiváveis do mundo, e outros 25% das reservas de água doce, além de 40% do estoque global de biodiversidade, e enormes reservas comprovadas de petróleo e energia, inclusive com as novas descobertas do pré-sal.

Isso significa que, em um contexto de aumento do valor estratégico dos ativos de que o Brasil e seus vizinhos dispõem abundantemente, a própria unidade da América do Sul como ator político pode vir a ser fraturada por interesses que lhe são estranhos.

Isso reforça a importância, para o Brasil, do Conselho de Defesa Sul-americano da Unasul. Com o CDS, a integração regional alcançou o temário da defesa e passou a moldá-lo. Seus membros têm hoje um instrumento de criação de confiança, transparência e coordenação. Têm, também, um espaço para o desenvolvimento de uma identidade sul-americana de defesa. O Conselho Sul-americano de Defesa deverá seguir evoluindo, de modo a tornar-se o órgão responsável pela concertação nos assuntos de paz e segurança na América do Sul, sempre respeitando os princípios da Carta da ONU.

A União Africana e a União Europeia oferecem exemplos que, nesse caso, valem ser seguidos. O CDS não é uma aliança militar defensiva. Mas exprimirá, progressivamente, a compreensão de que a responsabilidade pela defesa da América do Sul deve ser assumida pelos sul-americanos, sem a presença de atores extrarregionais. A cooperação em defesa com os vizinhos sul-americanos é uma estratégia vital para construirmos um entorno regional seguro e pacífico.

A colaboração com nossos parceiros africanos, embora em velocidade diferente, é igualmente necessária. Temos que estar capacitados nas duas margens a defender o nosso mar – o Atlântico

Sul – contra uma gama de problemas: pirataria, poluição e pesca ilegal, entre outros. Se nós não cuidarmos, de um lado e de outro do Atlântico, de combater esses problemas, outros países poderão querer tratar deles em nosso lugar, às custas dos nossos interesses, da nossa independência e da nossa soberania.

Uma indicação clara de que isso pode ocorrer é a situação, que já mencionei, do Mali, em que uma guerra que não é a nossa – a guerra ao terror – vai se aproximando perigosamente de uma região já mais próxima do Brasil. Embora com raízes locais de natureza étnica e cultural, o conflito no Mali é, em boa medida, decorrência da ação das potências ocidentais na Líbia, onde proclamados objetivos humanitários mesclam-se com interesses mais mundanos, de natureza econômica. A desorganização que se seguiu à guerra civil e à intervenção foi responsável, por um lado, pelo fortalecimento de movimentos fundamentalistas ligados à Al-Qaeda e, por outro, por grande afluxo de armas ao território do Mali, proveniente, paradoxalmente, de forças a serviço de Muammar Kaddafi.

Os laços do Brasil com a África Ocidental não são apenas econômicos, como o suprimento de petróleo, mas também linguísticos e afetivos. Menciono o Mali porque já estive lá e colhi algodão em uma fazenda-modelo da Embrapa com o Presidente que, infelizmente, foi deposto quando faltava apenas um mês para o fim do seu mandato. Voltei em um avião da FAB diretamente ao Brasil: foram apenas sete horas de viagem da capital do Mali a Brasília, em um voo direto. Então, a proximidade é muito maior do que imaginamos quando lemos as notícias e pensamos ser algo muito distante.

Preocupa-nos a situação na Guiné-Bissau, onde o impasse político após o golpe de Estado fragiliza um país suscetível à ação das forças negativas da criminalidade (especialmente o narcotráfico). Não é de se espantar se houver um casamento, como já houve em outras regiões, entre o narcotráfico, a criminalidade e o terrorismo. Esperamos que isso não ocorra, mas é preciso que se saiba agir, em uma situação dessas, em um país irmão como a Guiné-Bissau.

Temos incentivado o estreitamento dos laços já tradicionais de nossa Marinha com suas homólogas dos países da orla ocidental da África. Na visita que acabo de realizar, discuti com os Ministros da Defesa angolano e namibiano modos de expandir a cooperação para as áreas do Exército e da Aeronáutica. Temos em vista a realização de exercícios navais – e, quem sabe, aéreos – conjuntos com Angola, Namíbia e África do Sul.

Além disso, nossa Força Aérea, como já salientei, tem cooperado de forma crescente com países africanos, como Cabo Verde e São Tomé. Várias nações da África (Mauritânia, Burkina Faso e Angola) têm adquirido nossos aviões Super Tucano.

Todo esse raciocínio sobre o quadro de incertezas e a forma de enfrentá-las aponta para a compreensão de que a defesa de um país como o nosso não é delegável.

A ideia de que se pudesse transferir para outro país suas responsabilidades de defesa esteve bastante em voga – não entre nós, felizmente – não só durante a Guerra Fria como também na década de 1990, quando o mundo viveu seu momento unipolar, isto é, a hegemonia política, econômica da superpotência remanescente. Difundiu-se nessa época a tese de que os países da América do Sul, como parte do chamado Hemisfério Ocidental, podiam deixar sua defesa a cargo de uma única potência e especializar-se no combate ao narcotráfico.

Este evidentemente não é, nem pode ser, o caso. A "garantia de segurança" norte-americana ainda é invocada com frequência apenas em situações muito especiais, como ocorre hoje na relação entre o Japão e a China.

É indicativo da escala das transformações do mundo em que vivemos o fato de o relatório do Conselho de Inteligência Nacional dos Estados Unidos mencionar a difusão do poder mundial como uma "megatendência" nas próximas décadas.

* * *

Do ponto de vista da política de defesa, uma questão central será compreender se e como o uso da força entre os Estados será regulado no mundo multipolar. Desde a criação da ONU, o emprego da violência nas relações entre os Estados passou a sujeitar-se à autorização do Conselho de Segurança.

Mas isso nem sempre ocorreu. Vimos casos, como na invasão do Iraque, em que ocorreu sem a autorização do Conselho da ONU, e vimos outros, como na situação da Líbia, onde houve a autorização, em princípio, para a criação de uma zona de exclusão aérea, mas que acabou sendo interpretada de maneira muito larga, permitindo, inclusive, a mudança de regime. Sem entrar no mérito específico que motivou essas ações, é fundamental ter clareza de que foram ações não autorizadas pelo Conselho de Segurança.

A forma encontrada de regular o emprego da força no plano internacional, de acordo com normas, não é sempre respeitada. As incertezas e as fontes de atrito que identifiquei no panorama internacional tornam imperioso o desenvolvimento de capacidades adequadas de dissuasão, de modo a evitar que forças eventualmente hostis de qualquer quadrante perpetrem qualquer tipo de agressão ao patrimônio do Brasil.

Esse, aliás, é o sentido da *Estratégia Nacional de Defesa*. Em nenhum momento se diz que o Brasil entrará em guerra. O sentido da dissuasão é a nossa capacidade de criar um dano suficientemente forte para que outros não se aventurem a interferir diretamente no nosso patrimônio, nos nossos interesses.

A dissuasão visa, também, evitar que interesses brasileiros sejam adversamente afetados durante um conflito entre terceiros, até em função da escassez dos recursos que mencionei anteriormente. Em resumo, a política de defesa conjuga uma estratégia fortemente cooperativa no entorno regional (América do Sul e África Ocidental, irradiando-se à América Latina e à África como um todo) com uma estratégia global dissuasória.

Isto não significa que nós não cooperemos com o mundo desenvolvido ou com outros países do mundo emergente. Temos enorme cooperação com Estados Unidos e teremos, creio eu, importante exemplo disso na cooperação que está sendo planejada entre o ITA e o MIT, que já foi de grande importância para a própria criação da entidade. Possuímos, também, importantes projetos conjuntos com países da União Europeia.

Com outros países emergentes, fora das regiões que mencionei, um exemplo é dado pelas tratativas com a Rússia na área de defesa antiaérea, uma das prioridades que o Ministério da Defesa tem seguido durante o Governo da Presidenta Dilma Rousseff.

* * *

Negociações como essa nos permitem pensar a *grande estratégia* brasileira pela ótica científica e tecnológica. Além das questões ligadas a essa área que acompanhei ao longo de minha carreira no Itamaraty, tive alguma experiência no Ministério da Ciência e Tecnologia.

O MCT foi criado em 1985 sob a liderança do saudoso Ministro Renato Archer. A distinção entre ciência e tecnologia não era muito clara para mim na época, e consultei um experiente colega de trabalho, Raimundo Mussi, que me disse: "Se lhe derem, é ciência; se lhe venderem, é tecnologia". A formulação era clara e provocativa. Mas a história do desenvolvimento brasileiro se encarregaria de mostrar que isso não é bem assim, pois, muitas vezes, a ciência não se dá e a tecnologia não se vende.

A razão é simples. Na expressão empregada algumas vezes em discursos do Ministro Archer ou do Presidente José Sarney: "A divisão mundial do poder passa pela divisão mundial do saber". "Conhecimento e poder são sinônimos". Seria difícil formular melhor do que o já mencionado Francis Bacon a importância da ciência e da tecnologia para uma *grande estratégia* brasileira.

Um mundo de assimetrias nos níveis de conhecimento é, também, um mundo de disparidades de poder. Muitos dos contenciosos movidos por países desenvolvidos contra o Brasil desde a segunda metade do século XX tiveram, em seu centro, o objetivo de restringir políticas de incentivo à independência e à tecnologia nacionais.

Tome-se, por exemplo, as tentativas de cerceamento de nosso legítimo direito ao domínio do ciclo de enriquecimento de urânio para fins pacíficos desde a década de 1950, as invectivas contra a política de informática na década de 1980 e o processo contra a Embraer na década de 1990 (onde as normas do antigo Acordo Geral de Tarifas e Comércio eram interpretadas de tal forma que se tornaria impossível a um país emergente se tornar competitivo, pois aquilo que um país rico podia fazer era permitido, mas aquilo que um país pobre sabia, ou podia, fazer, era proibido). Felizmente, graças ao nosso empenho naquele momento pudemos mudar o jogo, e hoje acordos um pouco mais equânimes lidam com a questão do comércio na área de aviação. Menciono esse tema porque ele é absolutamente vital para essa cidade e para esse Instituto.

Não é coincidência que todos esses exemplos também digam respeito a tecnologias passíveis de aproveitamento militar. No caso da energia nuclear, é bom lembrar, o Brasil obrigou-se, pela Constituição Federal de 1988, a desenvolvê-la exclusivamente para fins pacíficos.

Estabelecemos com a Argentina e com a Agência Atômica de Viena um regime de contabilidade e controle do material nuclear que é referência mundial em construção de confiança. Isso não nos impede de empregar a energia nuclear em objetivos totalmente legais e legítimos, da produção de eletricidade e isótopos medicinais à propulsão dos nossos submarinos.

No caso das tecnologias aeroespaciais, são conhecidas as dificuldades para a obtenção de partes e componentes para o nosso Veículo Lançador de Satélites. Acompanhei de perto os obstáculos levantados à compra de aparelhos de controle de atitude para os nossos satélites para o programa espacial na década de 1980, quando estava no MCT.

O Governo da Presidenta Dilma não desconhece as prioridades do país. Falando ao final da reunião do Conselho Nacional de Ciência e Tecnologia no último dia 6, a Presidenta Dilma ressaltou a importância da indústria de defesa para o desenvolvimento tecnológico do nosso país. Além de gerarem renda e emprego e de constituírem fator anticíclico na economia, os investimentos na indústria de defesa revertem recursos para a pesquisa e o desenvolvimento, gerando externalidades positivas para a economia civil.

Relembro o texto da *Estratégia Nacional de Defesa*: "Estratégia nacional de defesa é inseparável de estratégia nacional de desenvolvimento. Esta motiva aquela. Aquela fornece escudo para esta". Como se recorda, o documento enumera três setores estratégicos, em que a indústria nacional de defesa deve alcançar autonomia tecnológica: o nuclear, o cibernético e o aeroespacial.

Daí o empenho do Governo na revitalização do CTA, e iniciativas como a criação do curso de engenharia aeroespacial aqui no ITA, da mesma maneira que seguimos com empenho no Programa Nuclear da Marinha, e seguimos também com grande empenho o Programa de Defesa Cibernética coordenado pelo Exército.

Os engenheiros formados pelo ITA terão um o papel crucial para tornar realidade o domínio integral do potencial aeroestratégico brasileiro, previsto na END. Digo-lhes de forma muito franca: estamos cientes dos atrasos gerados no programa do Veículo Lançador de Satélites pela insuficiência de recursos. A par de questões salariais, que começam a melhorar com a reestruturação das carreiras na área, nada substitui a motivação de ver concretizados os objetivos do programa espacial, simbolizados pelo lançamento bem-sucedido de nossos foguetes.

Nossa capacitação técnica já foi comprovada, como se vê na área de sensores inerciais e propulsão sólida. Destaco os lançamentos dos foguetes de sondagem VSB-30 e VS-40, cinco deles do Centro de Lançamentos de Alcântara.

Projetamos para muito breve, não quero estabelecer datas, mas projetamos para breve a retomada dos voos do VLS, que já neste ano terá seus primeiros ensaios elétricos. Na sequência teremos o lançamento do VLM. Nesses e em outros programas que envolvem a cooperação junto a parceiros do mundo desenvolvido, o princípio do fortalecimento tecnológico da base industrial brasileira constitui uma referência permanente.

Mas é sempre preciso ver com um grão de sal a noção de "transferência de tecnologia". Se a cooperação entre países com níveis similares de desenvolvimento oferece grande potencial de ganhos conjuntos (como foi o caso, desde os anos 1980, da cooperação Brasil-China na fabricação e no lançamento de satélites), a cooperação com países detentores de avançadas capacidades tecnológicas não é matéria simples, embora necessária.

Esta cooperação deve ser objeto de um esforço detalhado e consciente. Boas cláusulas contratuais são imprescindíveis, mas devem ser acompanhadas do aperfeiçoamento das capacidades de absorção de tecnologia, por parte de empresas e de instituições científicas brasileiras, com adequada supervisão do governo. É importante observar que, nas negociações de defesa antiaérea que mencionei com a Rússia, participam desde o início empresas nacionais da área de defesa, algumas delas aqui da região de São José dos Campos.

O mesmo parâmetro de absorção tecnológica orienta o Projeto F-X2, que deverá representar para a indústria brasileira um salto comparável àquele dado pela cooperação com a Itália na construção do caça-bombardeiro AMX, e quem sabe um salto ainda maior. Reafirmo a prioridade do Ministério da Defesa em relação a esse projeto, que naturalmente será executado no momento em que for oportuno e possível.

Poderia alongar-me sobre outros exemplos, como o submarino nuclear ou os helicópteros e os veículos aéreos não tripulados. Em todos eles, essa necessidade de absorção da tecnologia pela via da capacitação de nossas empresas e dos nossos institutos é absolutamente essencial, pois tecnologia não se dá e raramente se vende.

Preparando as notas para esta aula magna, encontrei um artigo que escrevi quando acabava de sair do MCT em 1989. Nele desenvolvi uma reflexão que ainda julgo ser válida. Peço desculpas pela autocitação – não é bonito, mas nesse caso me pareceu justificável, por referir-se ao que, em palavras de hoje, estou chamando a componente científico-tecnológica da *grande estratégia* brasileira.

> *A cooperação em ciência e tecnologia não pode estar isolada do conjunto do relacionamento internacional do país (...) a cooperação internacional deve basear-se em uma nova estratégia, que tenha como elementos essenciais a diversificação de parceiros e a redefinição da cooperação com os parceiros tradicionais, buscando levá-la para setores de tecnologia avançada. O primeiro desses elementos, aliás, contribui para o segundo (...) O grande desafio que se apresenta ao Brasil e aos países em desenvolvimento é justamente o de combinar esforços em diferentes direções, buscando por um lado aumentar a sua capacidade própria de absorção e geração de tecnologia – para o que medidas especiais de proteção parecem indispensáveis – sem perder de vista as oportunidades efetivas de cooperação com outros países (...) o Brasil necessita de uma ação criativa a nível internacional. Isto pressupõe uma política de ciência e tecnologia atenta aos avanços que se realizam no exterior, no contexto mais amplo de uma política madura e independente.*

Não creio inapropriado aos dias atuais, e ao quadro que procurei traçar, a constatação de que uma política sólida de capacitação em absorção e geração de tecnologia anda junto com uma presença independente e universalista da política mundial, e contribui decisivamente para uma política de defesa robusta.

* * *

Essas três dimensões da ação estatal integram-se, no Brasil, em uma *grande estratégia* de inserção internacional. A Aeronáutica, o ITA e o CTA têm um papel decisivo a desempenhar nela – o de alçar o Brasil aos mais altos níveis de desenvolvimento tecnológico nas áreas de sua competência. Para isso, vocês poderão mirar-se no exemplo do Marechal Casimiro Montenegro, em sua capacidade empreendedora e na visão, além de tantos outros homens que foram homenageados aqui hoje – e no futuro espero que também mulheres.

É mais atual do que nunca a preocupação do Marechal Casimiro com a tríade composta por ensino, pesquisa e indústria. É por meio dessa tríade que o conhecimento gerado por vocês será traduzido no fortalecimento de nossa defesa e na projeção mundial de um Brasil cada vez mais desenvolvido e mais independente.

Inauguração da Unidade de Fabricação de Estruturas Metálicas

Palavras na cerimônia de inauguração da UFEM. Itaguaí, 1º de março de 2013

Senhora Presidenta, eu serei breve, porque não quero repetir o que já foi muito bem exposto pelo Comandante da Marinha. Em duas palavras, gostaria de dizer o que esta inauguração de hoje tem de muito simbólico para o Brasil. Obviamente, ela é muito importante para Itaguaí, para o povo da região. Ela demonstra também a pujança industrial do nosso estado do Rio de Janeiro e se junta a outras obras que estão próximas, públicas e privadas.

Mas esta inauguração sublinha um lado importante da *Política Nacional de Defesa*. Ninguém parte para a construção de um submarino nuclear se não estiver consciente da importância de defender a Pátria com meios adequados. Talvez esta obra, por circunscrever-se a um único espaço físico, seja a demonstração de que o Brasil – o Governo do Presidente Lula, mas com grande apoio de Vossa Excelência, porque a continuidade desses trabalhos não é óbvia – entendeu plenamente que a defesa não é delegável. Defesa é algo de que um país que quer ser autônomo, um país que quer se afirmar no mundo, tem que cuidar. É isso que estamos fazendo aqui com esta obra magnífica que a Marinha iniciou e que está se desenvolvendo de forma notável.

Eu diria também, Presidenta, que esta obra – importante como ela é – insere-se em um contexto de outras medidas que têm sido tomadas pelo seu Governo: o importante reequipamento no ano passado do nosso Exército, em matéria de transportes, de blindados e de foguetes; sua decisão recente em relação à defesa antiaérea; e outras decisões que estão sendo tomadas ou que terão que ser tomadas oportunamente.

E há, ao lado dessa importância de cuidar da própria defesa, uma grande preocupação também ilustrada aqui, que é o desenvolvimento da indústria e da tecnologia nacional. Nós podemos ter o melhor armamento do mundo, mas se nós formos eternamente dependentes daquilo que outros nos fornecerem, não teremos a nossa autonomia e não poderemos defender nossos recursos, nossa população e a nossa orientação no mundo.

E finalmente, Presidenta, a indústria de defesa cria empregos e puxa tecnologia, sobretudo se houver grande vigilância – como eu sei que existe de sua parte – com relação à necessidade da real transferência de tecnologia, não aquela que fica apenas no contrato, mas aquela que se revela na prática. E, além desses aspectos, a indústria de defesa propicia bons negócios, ilustrados pela nossa recente vitória – que deve ser celebrada – da venda dos Super Tucanos à Força Aérea dos Estados Unidos. É um certificado de qualidade. Nós, que conhecemos a Embraer, não diríamos que seja necessário, mas é uma vitória que vem reafirmar essa importância no exterior.

Então, muito obrigado, Presidenta, por sua presença, pela presença do Governador, dos parlamentares, do Ministro Raupp – parceiro fundamental em todos esses trabalhos –, pela presença de todos. Estamos emocionados de poder estar aqui nessa obra que é símbolo do novo Brasil que está sendo criado.

Muito obrigado.

Robustecendo o poder brando

Aula Magna no Instituto de Estudos Estratégicos da Universidade Federal Fluminense. Niterói, 27 de maio de 2013

Antes de iniciar esta Aula propriamente, eu gostaria de agradecer a presença de todos, e fazer minhas as palavras do Almirante Mauro Cesar Rodrigues: vemos com muita alegria a quantidade e a diversidade de rostos jovens aqui presentes. Esse entusiasmo pelo aprendizado das coisas do Brasil, inclusive da sua inserção internacional, seja na política externa, seja na política de defesa, é um motivo de grande alegria.

***

"Os persas partiram para a terra grega". A frase abre a mais antiga das peças conhecidas de Ésquilo, o dramaturgo e combatente ateniense. A mensagem é simples e, todavia, intrigante: qual a razão para que Xerxes, o rei persa, tivesse mobilizado milhares de homens para conquistar a Grécia? Ésquilo oferece uma resposta, que transmite pela fala do fantasma do pai de Xerxes, o rei Dario: a expedição militar seria fruto da "soberba desenfreada" e da "audácia arrogante".

Em sua célebre obra *As Histórias*, Heródoto narra um discurso de Xerxes para a nobreza persa, em que o rei justifica a campanha por três elementos: a glória decorrente da conquista, a tomada de vastas terras férteis e a vingança contra atos pretéritos de Atenas. Em outro momento, Xerxes censura seu tio Artabanos pelo ceticismo com que via a empreitada. Dizia ele: "Se permanecermos em paz, os atenienses não farão o mesmo, mas até enviarão um Exército contra nosso país, a julgar pela forma como eles marcharam sobre a Ásia e incendiaram a cidade de Sardis".

Tucídides, em sua clássica *História da Guerra do Peloponeso*, refere-se às causas da expansão imperial de Atenas. Diz ele, pela boca dos emissários atenienses a Esparta: "Compelidos pelas circunstâncias, fomos levados (...) a ampliar o nosso império, até o seu estado atual, influenciados inicialmente pelo temor, depois também pela honra, e finalmente pelo interesse". Mais de um analista já observou que essa tríade – temor, honra e interesse – é uma das formulações mais claras e mais concisas sobre as origens dos conflitos. De diferentes formas, Ésquilo e Heródoto referem-se a essas três razões ao aludirem ao receio de um ataque, à glória, à vingança, à soberba e, finalmente, à tomada de recursos naturais (as "vastas terras férteis").

Temor, honra e interesse são parte da condição humana.

Mas o que dizer dos conflitos armados que motivariam? Ainda poderemos esperar, no mundo em que vivemos, narrativas sobre exércitos invadindo terras estrangeiras, sobre guerras movidas pelo cálculo, pela dignidade ou pelo medo?

Essas são questões pertinentes para quem tem por profissão estudar temas estratégicos ou tomar decisões a respeito deles.

São bem conhecidas as correntes de pensamento que, por diferentes raciocínios, dariam a essas questões uma resposta – por assim dizer – tranquilizadora. Tais raciocínios estão presentes em nosso panorama intelectual e moldam, até certo ponto, nossa compreensão dos rumos das relações internacionais contemporâneas.

É possível observar ao menos três formas de interpretar o fenômeno da guerra nos dias que correm: pelas perspectivas de sua obsolescência, de sua transformação ou de sua permanência latente e intercalada por tréguas mais ou menos longas.

Muitos autores têm discutido o tema da obsolescência da guerra, em geral com foco na guerra entre as principais potências. Talvez a tese mais conhecida a esse respeito seja, de um ponto de vista – dizem uns – idealista ou – eu diria – ideológico, a do assim chamado "fim da história". Nessa leitura, proposta quando se encerrava a Guerra Fria, a conjugação de democracia liberal e economia de mercado representaria a forma vitoriosa e mais elevada de organização social nos níveis interno e internacional. A ausência de grandes conflitos ideológicos não importaria em um retorno à competição crua de poder. Ao contrário, a difusão de um único modelo de organização político-econômica harmonizaria os interesses dos Estados chamados "pós-históricos". Essa evolução não significaria que Estados ainda resistentes ao capitalismo liberal não pudessem seguir lutando entre si, ou contra as democracias. Mas esses conflitos seriam episódios marginais, sem relevância para a História.

A obsolescência da guerra também é enfocada por um ponto de vista mais realista: a tese do equilíbrio do terror. Segundo essa leitura, muito característica da Guerra Fria, a garantia da destruição mútua entre as potências nucleares no caso de um confronto entre elas ("MAD", na sigla em inglês) excluiria a guerra dos instrumentos à disposição dos Estados. Uma tese que poderíamos chamar de pragmática aponta na mesma direção: mesmo no caso da guerra convencional, o contraste entre os custos da destruição causada e os benefícios derivados da produção econômica na paz tornariam o conflito armado ultrapassado. Uma versão menos utilitarista desse mesmo argumento é a de que a destruição causada pela Segunda Guerra Mundial teria gerado tal repulsa, que levou a uma cristalização normativa contrária à guerra e, em especial, à guerra de agressão.

Outro tema que permeia o debate contemporâneo é o da transformação da guerra, frequentemente com foco em Estados do mundo em desenvolvimento. A premissa compartilhada por muitos autores nesse campo é a do debilitamento do Estado, pela perda do monopólio do uso legítimo da violência (de que falava Max Weber) e, em última análise, do exercício da soberania nacional. A fragmentação das unidades políticas traria à cena um conjunto de atores não estatais, cujos particularismos seriam a base de um novo tipo de conflito, a guerra de baixa intensidade. (Ainda que me pareça pessoalmente chocante considerar de "baixa intensidade" conflitos com dezenas de milhares de vítimas fatais, como é o caso da guerra civil na Síria atualmente.) O fundamentalismo religioso, a criminalidade transnacional e a pirataria seriam algumas expressões das organizações que assumiriam o emprego da força. No limite, o fenômeno da guerra deixaria de circunscrever-se ao tradicional sistema de Westfália e passaria a obedecer a regras e dinâmicas próprias a esses novos atores.

Uma versão moderada desse argumento distingue entre "novas ameaças", creditadas à emergência de atores não estatais, e "velhas ameaças", típicas do relacionamento entre Estados. Nessa leitura, os riscos associados às formas tradicionais de guerra são ignorados de todo, mas minimizados ou relegados a segundo plano. Alguns proponentes dessa abordagem não fazem segredo de que um dos motivos para a distinção é a alteração das prioridades de tomadores de decisão, sensibilizando-os para uma agenda supranacional de defesa de direitos individuais.

O debate corrente registra, ainda, outro tipo de raciocínio: a ideia de que os conflitos entre os Estados seriam passíveis de controle, embora não de eliminação, por mecanismos políticos.

A ausência da guerra não equivaleria à inexistência de rivalidades entre os Estados. Mas, como já havia sido percebido pelas clássicas abordagens do "equilíbrio de poder", em um sistema no qual o poder está suficientemente disperso entre os países, atitudes agressivas tendem a ser desencorajadas. A principal preocupação estratégica dos Estados tornar-se-ia, assim, defensiva.

À percepção dessa tendência de autolimitação soma-se uma segunda leitura, centrada no sistema de segurança coletiva das Nações Unidas. Sua premissa é de que todos os Estados-membros do sistema internacional defenderão o *status quo* contra agressões. A competência para a autorização do uso da força em defesa da integridade do sistema cabe a uma instância deliberativa central, salvo nos casos de legítima defesa – que devem ser sempre interpretados de maneira estrita – pelos membros agredidos. Dessa forma, a guerra não deixaria propriamente de existir, nem os Estados deixariam de preparar-se para essa eventualidade, mas seria restringida e desencorajada pela colaboração entre os membros da comunidade internacional.

Um mecanismo de segurança coletiva necessita, para ser eficaz, de representar a distribuição internacional de poder. Para oferecer um exemplo concreto, essa constatação já traz consigo o debate sobre a reforma, sempre adiada, do Conselho de Segurança das Nações Unidas. Necessita, também, orientar-se para a administração dos conflitos com mínimo recurso à violência e máxima legitimidade política.

Cada uma dessas formas de limitação da guerra que mencionei pretende aplacar ou sublimar suas causas. Mas que conclusão podemos tirar sobre a validade de cada uma?

Evidentemente, entre as proposições que citei, há elementos válidos, sobretudo na perspectiva do equilíbrio de poder e da segurança coletiva. Mas, para discernirmos entre argumentos pertinentes e ingênuos, ou pretensamente ingênuos, é preciso refletir sobre alguns processos importantes que estão em curso na segurança internacional.

***

O sistema de Estados contemporâneo inscreve-se em uma condição que segue marcada pelas clássicas considerações de temor, honra e interesse nas interações dos Estados soberanos. (Faço um rápido parêntese: ao passo que o sentimento de temor e o cálculo de interesse parecem perfeitamente compreensíveis no mundo de hoje, a menção à honra talvez soe, para alguns, antiquada, ou mesmo mais apropriada aos códigos sociais da Idade Média, ou às interações nobiliárquicas de séculos passados. Contudo, eu mesmo pude observar um exemplo muito vivo da importância das considerações sobre a honra nas relações internacionais de nosso tempo quando morei nos Estados Unidos no período que coincidiu com o fim da Guerra do Vietnã. Na ocasião, a frase do Presidente Richard Nixon a respeito das negociações para a retirada das tropas norte-americanas, "*Peace with honor*", ou "Paz com honra", foi muitas vezes repetida com o efeito – senão o objetivo – de prolongar a guerra).

Vivemos um período de redistribuição mundial do poder, do Ocidente para o Oriente e do Norte para o Sul. Não se trata da perda de poder das potências tradicionais – objeto de teses nos meios acadêmicos dos Estados Unidos conhecidas como "declinismo" –, mas sobretudo da ascensão de nações em desenvolvimento. Há reconhecimento cada vez mais amplo dessa realidade, inclusive nos centros geopolíticos tradicionais.

A consolidação do grupo BRICS (Brasil, Rússia, Índia, China e África do Sul), assim como a intensa discussão sobre ele nos meios especializados (inclusive dos céticos), é um reflexo, entre outros, das transformações em curso. A maior dispersão de poder, característica da multipolaridade nascente, amplia as margens de liberdade de ação dos Estados, em contraste com as estruturas mais rígidas da bipolaridade ou da unipolaridade (essa, na realidade, durou pouco). A formação dos novos polos está intimamente associada à criação de blocos regionais.

A União Europeia é o exemplo mais visível dessa tendência. À sua maneira, China e Estados Unidos são blocos em si mesmos. E, ao integrar-se em torno da Unasul, a América do Sul procura seguir o mesmo caminho.

A organização de grandes blocos importa uma mitigação importante da lógica do equilíbrio de poder, de vez que rivalidades antigas e arraigadas são superadas por sólidas medidas de construção de confiança. É este o caso da França e da Alemanha e, igualmente, do Brasil e da Argentina. Embora essa tendência seja clara no interior dos blocos regionais, ainda não se pode dizer com segurança se a evolução geral das relações internacionais no mundo multipolar ocorrerá com prevalência da cooperação ou do conflito, ou até com a convivência entre ambos.

Um dos efeitos da tendência à multipolaridade no sistema internacional é a diluição dos modelos únicos de organização do Estado, com a necessária convivência entre diferentes visões não só sobre a organização política, mas também sobre a ordem global. As prioridades da agenda política internacional se diversificam. Os valores da democracia liberal e da economia de mercado passam a coexistir com outras aspirações, como o desenvolvimento econômico e a justiça social.

Não é à toa que, ao lançar em Doha a sua última rodada de negociações comerciais, a organização dedicada ao livre comércio, OMC, sentiu-se compelida a intitula-la de "Agenda do Desenvolvimento". Isso nunca havia ocorrido antes: a presunção era a de que as negociações se dedicavam exclusivamente ao livre-comércio. A ideia de que o livre-comércio seria justificável por si mesmo já não é aceita. Citando uma frase de La Rochefoucauld muito pertinente para as relações internacionais, a hipocrisia é o tributo que o vício paga à virtude. O simples fato de que a Rodada de Doha tenha sido chamada de "Agenda do Desenvolvimento", ainda que não o seja totalmente, não deixa de ser um tributo a esse novo valor.

Diferentes visões sobre os princípios da soberania e da não intervenção também entram em pauta, como evidenciado pelo comportamento das grandes potências em crises recentes, como a da Líbia e a da Síria. Situações como essas não admitem simplificações. No caso da Síria, há dissensões dentro da própria União Europeia a respeito de intervenção no conflito. Alguns membros do bloco, como a Áustria, argumentam que a suspensão do embargo europeu de armas para os rebeldes violaria resoluções do Conselho de Segurança das Nações Unidas acerca da Al Qaeda e, de forma mais ampla, a Carta de São Francisco.

Da mesma forma, a Alemanha relutou em unir-se a seus parceiros da OTAN durante a intervenção na Líbia. Recorde-se que, em março de 2011, a Alemanha juntou-se a Rússia, China, Índia e Brasil (praticamente os BRICS) na abstenção à Resolução 1973 do Conselho, sobre a Líbia.

A guerra civil síria, e ainda mais a crise na Líbia, exacerbaram as divisões entre defensores da intervenção militar e defensores de uma visão soberanista *à outrance*.

Entre países ocidentais, de um lado, e China e Rússia, do outro, a multipolaridade já torna possível a existência de um caminho alternativo, indicado por países como Índia, Brasil e África do Sul, o grupo IBAS. Essas três grandes democracias do mundo em desenvolvimento reúnem um importante capital negociador em circunstâncias desse tipo, pois sua defesa firme do princípio da não intervenção convive com o forte apelo pelos Direitos Humanos, forjado pela experiência na luta contra o colonialismo, o autoritarismo e o *apartheid*. A capacidade de desdramatizar a agenda e de intermediar a ação política representada pelos países do IBAS é uma razão para o otimismo, entre tantas de sentido contrário, a respeito da prevalência da cooperação sobre o conflito na multipolaridade.

É curioso que, recentemente, a Embaixadora Susan Rice, Representante Permanente dos Estados Unidos nas Nações Unidas, tenha mencionado o papel do IBAS como potencialmente exercendo um papel desse tipo, durante conversa comigo em visita que fez ao Brasil. (Felizmente, nas últimas semanas e dias, essas virtudes da moderação parecem estar ganhando algum espaço no diálogo Estados Unidos-Rússia a respeito da situação síria, à medida que advogados da intervenção vão percebendo que o colapso do Estado seria um mal ainda maior que o conflito civil.)

A crise síria também ilustra as complexidades de se tentar separar conflitos entre Estados de conflitos entre agentes não estatais. É bem verdade que estão presentes, na zona de guerra, combatentes subestatais ou supraestatais, dependendo do ponto de vista, ligados a redes transnacionais. No entanto, esses atores não estatais frequentemente têm apoio e financiamento de potências regionais ou extrarregionais. Nesse caso, do ponto de vista analítico, a erosão do monopólio de um Estado sobre o uso da violência seria complementar, ou pelo menos não contraditório, com a lógica do sistema de Estados soberanos. Seria difícil, assim, classificar o risco representado por esses combatentes segundo uma distinção nítida entre "nova" e "velha" ameaça.

***

Não se pode analisar as perspectivas de conflito sem avaliar uma das características do sistema internacional contemporâneo: a ocorrência, e por vezes interseção, de três crises de escala global: a crise ambiental (especialmente a mudança climática), a crise energética e a crise alimentar.

Uma estimativa preparada pelo Conselho de Inteligência Nacional dos Estados Unidos sugere que, até 2030, a demanda por água, por alimentos e por energia subirá respectivamente 40%, 35% e 50% em relação aos níveis atuais.

O Brasil é uma superpotência em todos os campos em que se abatem essas três crises. A América do Sul, mais amplamente, também é detentora de vastas reservas de todos eles.

Em 2008, dado meu envolvimento com os países que vou citar, senti de maneira muito real a instabilidade política gerada pelo aumento do preço de alimentos de primeira necessidade, como o arroz. A crise daquele ano provocou a queda quase simultânea dos Primeiros-Ministros do Haiti e de São Tomé e Príncipe, ilhas distantes entre si, uma no Caribe e outra no Golfo da Guiné, mas ambas muitos próximas ao Brasil. Esse seria o caso de uma peculiar *tale of two islands*, para parafrasear o título do livro de Charles Dickens.

Mas não é apenas no plano da estabilidade política interna que essas crises se fazem sentir. Elas acirram a competição internacional por recursos naturais. Cito, a propósito, as palavras de um especialista norte-americano, Michael Klare:

> *A economia global tal como se encontra não pode crescer e prosperar sem um suprimento crescente de numerosos recursos críticos, mas a aquisição desses materiais representará uma ameaça cada vez maior à segurança e à estabilidade da sociedade humana e do mundo natural (...) Uma vez que o acesso a uma ampla gama de recursos naturais é essencial para a preservação da vitalidade*

> *econômica, todas as nações terão um forte interesse na luta pelo controle das fontes de suprimento restantes.*

Nesse quadro, é evidente a fragilidade de algumas conclusões derivadas da tese do "fim da história", como as ideias de harmonia de interesses e de saciedade estratégica, mesmo entre as democracias liberais ditas "pós-históricas". Ainda que sem um choque ideológico, a disputa por interesses, de que já falava Tucídides, pode seguir originando conflitos, quiçá em larga escala.

Ao passo que muitas transformações estão inegavelmente em curso nos conflitos contemporâneos, é indiscutível que a soberania nacional segue sendo determinante da organização política e militar. Esse fato é sublinhado pelo papel fundamental que os Estados soberanos têm na defesa de seus recursos naturais, como fica evidente nos atores envolvidos, por exemplo, nos casos do Ártico e do Mar do Sul da China, para citar duas situações que têm ocupado espaço no noticiário internacional. Não há razão para crer que o quadro seja diferente no que tange ao Brasil.

***

A terceira característica do sistema internacional contemporâneo que gostaria de ressaltar relaciona-se à constatação de que a política mundial segue sob a sombra das "velhas ameaças". A principal e mais temível delas é a representada pelos arsenais nucleares, grande parte deles mantidos em estado de alerta. Acidentes, falhas de comunicação ou violações da cadeia de comando podem tornar subitamente real a hecatombe nuclear.

Nas discussões da Comissão de Camberra sobre a eliminação das armas nucleares, que tive a honra de integrar a título pessoal, participaram o ex-Secretário de Defesa dos Estados Unidos, Robert McNamara, e o ex-Chefe do Estado-Maior Conjunto dos Estados Unidos, General Lee Butler, ambos com grande vivência no tema nuclear. McNamara e Butler tinham consciência dos riscos de uma guerra, fosse por acidente, fosse em consequência da percepção da necessidade de responder a alguma provocação. Ambos sublinhavam como, em vários momentos, estivemos a poucos minutos, senão segundos, de uma guerra nuclear.

A tese de que a existência das armas nucleares é uma garantia da paz e da segurança é uma grande falácia. Sobre a área nuclear, o que ouvimos sempre são as urgências do regime de não proliferação nuclear. O Brasil inscreveu em sua própria Constituição o dever de empregar a energia nuclear para fins exclusivamente pacíficos. Nossas credenciais em matéria de não proliferação são impecáveis. Aproveito a presença do ex-Ministro da Marinha, Almirante Mauro Cesar Rodrigues, para recordar que o nosso projeto de submarino nuclear se restringe apenas à propulsão nuclear.

Trabalhamos com afinco pelo reequilíbrio desse regime. Hoje, o que se busca é desarmar por completo os relativamente desarmados. Praticamente não se contempla o desarmamento das potências nucleares. Esse desequilíbrio traduz-se, juridicamente, na ênfase dada pelos detentores de armamentos atômicos ao art. IV do Tratado de Não Proliferação Nuclear, em detrimento de seu art. VI. De acordo com este artigo, os países nucleares contraem o compromisso de "negociar em boa-fé (...) o desarmamento nuclear".

Ao pronunciar-se sobre o TNP, em opinião consultiva de 1996, a Corte Internacional de Justiça indicou que a obrigação dos países nucleares sob o art. VI não é apenas de "negociar", mas de "trazer as negociações a uma conclusão". Em 2000, a Conferência de Revisão do TNP acordou os célebres Treze Passos que permitiriam avanços concretos e realistas para o desarmamento nuclear. Não obstante, a paralisia das negociações na Conferência do Desarmamento, órgão da ONU em Genebra, indica a distância a ser percorrida para a implementação desse objetivo.

Os acordos negociados pelos Estados Unidos com a Federação Russa, embora bem-vindos, são muito limitados: não se inserem em um marco multilateral de desarmamento, e sim na lógica bilateral de controle de armamentos. Mais grave: eles não são irreversíveis, justamente por não fazerem parte do ordenamento internacional. E muitos alegam que o sistema de escudo antimísseis dos Estados Unidos não deixa de ser, ainda que indiretamente, uma violação de acordos anteriores.

Quero ecoar, aqui, a visão de um crítico dessa estratégia de ações puramente bilaterais, o professor Richard Falk:

> *Sempre que um grande acordo de controle de armamentos é concluído, ele enfraquece o interesse do público pela agenda de desarmamento e seu apoio a ela. Administrar os riscos de uma guerra nuclear por meio de medidas concebidas para estabilizar os níveis gerais [dos arsenais], e superar esses riscos pela eliminação dos armamentos são coisas muito diferentes.*

Há outro sentido em que as "velhas ameaças" seguem desestabilizando as relações internacionais contemporâneas, com graves repercussões sistêmicas: a violação das normas da segurança coletiva, quer por ações unilaterais, quer por pseudomultilaterais. Há exatos dez anos, a invasão do Iraque por forças que não haviam obtido a autorização do Conselho de Segurança acarretou um sério descrédito para o sistema de segurança coletiva.

Quatro anos antes desse episódio, a Organização do Tratado do Atlântico Norte decidiu bombardear alvos na antiga Iugoslávia também sem a autorização do Conselho. Para muitos, o tema do conflito entre a Sérvia e o Kosovo parecia distante. Mas essa não era a minha visão. Naquela ocasião, escrevi sobre o tema algumas palavras que ainda julgo válidas:

> *Para um país como o Brasil, membro fundador das Nações Unidas, cujo passado reflete um compromisso sustentado ao longo de mais de um século com a solução pacífica de controvérsias, a proteção da credibilidade do Conselho de Segurança pode ser vista como um verdadeiro objetivo nacional.*

A integridade das normas de segurança coletiva foi novamente desrespeitada durante a crise líbia, em 2011, quando a autorização do Conselho para o estabelecimento de uma zona de exclusão aérea no país, com o alegado objetivo de proteger principalmente a população civil, foi utilizada pela coalizão que se formou para justificar ataques militares cujo objetivo era a "mudança de regime". Não vou entrar no mérito do regime, mas o mérito da mudança de regime sem autorização do Conselho é obviamente muito discutível.

Uma comparação demonstra como esses conceitos vão evoluindo de maneira perigosa, e cada vez mais intervencionista: a zona de exclusão aérea estabelecida contra o regime de Saddam Hussein após a primeira Guerra do Golfo foi usada com muito mais contenção; apesar das críticas de que foi objeto, jamais foi imputado a ela o objetivo de derrubar o governo de Bagdá.

Algumas das consequências da instabilidade que se seguiu à intervenção na Líbia, como o trágico assassinato do Embaixador norte-americano na cidade de Bengazi, em 11 de setembro de 2012, são fatos conhecidos. Algo menos visíveis são as conexões (apesar de tudo bastante reais) entre os eventos na Líbia e a crise que levou ao golpe de Estado e à guerra civil no Mali.

Naturalmente, a crise do Mali tem raízes locais que não podem ser desconsideradas. O separatismo tuaregue sempre tem estado presente ao longo da história recente do país. Mas a independência da região norte do país, chamada Azawad, só foi proclamada em 2012 após grupos tuaregues que serviam ao regime

Kadafi retornarem à sua terra no Mali com abundantes arsenais trazidos da Líbia. A causa separatista foi fortalecida pelo concurso de elementos jihadistas do Magreb.

Esses eventos foram seguidos por uma intervenção militar da França, que, segundo indícios, causou uma migração de militantes radicais para a Líbia, a essa altura considerada pelo Ministro da Defesa francês, Jean-Yves Le Drian, uma possível "incubadora de terrorismo". Vejam bem: a mesma Líbia que foi objeto de intervenção para torná-la mais estável e democrática. A autoria do atentado sofrido pela embaixada francesa em Trípoli no dia 23 do mês passado tem sido creditada a esses extremistas vindos do Mali, decididos a retaliar a intervenção militar naquele país; os ataques perpetrados na última sexta feira contra uma base militar e uma filial de empresa nuclear francesa no Níger seguiria o mesmo padrão. A fluidez da situação é ilustrada pelo fato de que pelo menos alguns dos militantes islâmicos responsáveis por essa onda de ataques no Norte da África e no Sahel teria, alegadamente, o patrocínio de um dos aliados da França durante a ação armada contra Kadafi.

Faço essa breve digressão por duas razões. A primeira é ilustrar o tipo de consequências indesejadas e contraproducentes geradas por ações decididas à revelia do Conselho de Segurança. Essas ações têm duas motivações: uma é o próprio interesse (ninguém pode ignorar que a Líbia é um grande produtor de petróleo); mas às vezes há um impulso baseado em uma atitude que, ainda que não totalmente racional, expressa-se da seguinte maneira: "É preciso fazer algo, não podemos ficar sem fazer nada". Isso é interessante porque temos a honra trazida para o centro das relações internacionais.

A segunda razão para minha digressão é destacar o movimento que esses conflitos e intervenções têm feito em direção à costa ocidental da África, para todos os efeitos uma área vizinha ao Brasil. Esse movimento não dá sinais de esmorecimento; antes pelo contrário: na esteira das intervenções na Líbia e no Mali, o Ministro Le Drian disse as seguintes palavras em entrevista no começo da semana passada, e cito: "Desde a Guiné-Bissau até a Somália, há uma zona de grandes fragilidades que preocupa os Estados Unidos e a Europa". Que me conste, é essa primeira vez que uma autoridade europeia de primeiro escalão refere-se à Guiné-Bissau nesse contexto.

Como país de língua portuguesa e como nação a que nos unimos por vários laços, a Guiné-Bissau é objeto de acompanhamento atento pelo Governo brasileiro. O atual impasse político no país, dificultado pelo envolvimento de redes ligadas ao tráfico internacional de drogas em suas instituições, compõe um quadro de inegável gravidade. Inquieta-nos, porém, a mera hipótese de que a lógica das intervenções militares projete sua sombra sobre a Guiné-Bissau.

E pior será se for sem a cobertura das Nações Unidas. Se houver cobertura das Nações Unidas, nós teremos que ver o que nós mesmos faremos, politicamente ou até de outra forma. Os riscos de falência do sistema de segurança coletiva não pertencem, portanto, ao reino da abstração: eles afetariam diretamente a segurança do Brasil.

***

Quais as implicações desse quadro para a inserção internacional Brasil? Há muitas formas de responder a essa indagação. Vou ater-me a uma que é bastante difundida no meio acadêmico. Vocês seguramente já terão tido contato com a distinção entre poder brando e poder robusto, *soft power* e *hard power*, proposta por Joseph Nye, professor da Kennedy School, em Harvard, que também foi Secretário Adjunto de Defesa dos Estados Unidos. A distinção diz respeito ao método para fazer com que outras pessoas ajam de acordo com a vontade de quem emprega seu poder. O método do poder robusto é a coerção, militar ou econômica. O método do poder brando é a cooptação. Nas palavras de Nye, trata-se de "fazer com que os outros queiram o que você quer".

Eu quero propor a vocês que a inserção internacional do Brasil deve se orientar por uma *Grande Estratégia* que conjugue poder brando e poder robusto, e o faça de modo a levar em conta não só o nosso interesse, mas também o de nossos parceiros e aliados.

A premissa da inserção internacional do Brasil é a paz. Temos uma paz mais que centenária com todos os dez países com os quais temos limites. Nossas fronteiras foram definidas, sem exceção, pela negociação. Nas ocasiões em que participamos de guerra, nossa entrada no conflito foi precedida por agressão estrangeira.

As atenções de nosso povo estão voltadas, como deve ser, para a superação de grandes desafios internos: o desenvolvimento econômico e a justiça social. Começamos o século XXI sob o signo das liberdades políticas, da prosperidade econômica e de uma maior igualdade entre os cidadãos. E temos uma presença ativa e altiva no mundo. Temos uma atitude aberta de cooperação com todos os povos, sem abrir mão da independência e do sentido de grandeza de um país de proporções continentais.

A América do Sul não é apenas (como já se disse) nossa circunstância, mas nossa escolha decidida e nosso ponto de partida. Desejamos ter com os países sul-americanos uma integração cultural, econômica, logística e comercial ampla. É isso o que temos feito, em diferentes velocidades, com o Mercosul e a Unasul, além da Celac, que nos une aos parceiros de todo restante da América Latina e do Caribe de maneira um pouco mais frouxa.

Nos últimos dez anos, o Brasil fez um esforço significativo para ampliar sua presença na América Central e no Caribe. Movidos pela não indiferença do povo brasileiro, "capacetes azuis" brasileiros estão no Haiti desde 2004, contribuindo para uma missão da ONU que entendemos voltada para a preservação da segurança, a estabilidade política e a promoção do desenvolvimento. (É por isso que, entre os projetos mais importantes que temos no Haiti, inclui-se o projeto de construção de uma barragem, em Artibonite, que teria méritos tanto na área energética quanto agrícola.)

A criação da Aliança para o Pacífico, bloco que reúne México, Colômbia, Peru e Chile, é uma tendência aparentemente divergente no quadro da integração sul-americana. Nossa *Grande Estratégia* deverá trabalhar para ressaltar os elementos que nos aproximam a esses parceiros, de modo a que possamos aprofundar o projeto comum de uma América do Sul coesa e integrada. Mesmo que não possamos, no presente, estabelecer uma união aduaneira com os países dessa Aliança, devemos redobrar esforços para implementar uma série de medidas, que vão de novos acordos comerciais (como em serviço, investimento, tecnologia, etc.) à interligação infraestrutural e à cooperação em defesa.

O Brasil não tem vizinhos apenas na América do Sul, mas também na África. Como afirmou a Presidenta Dilma Rousseff em seu discurso na cúpula que celebrou o cinquentenário da União Africana neste sábado: "O Brasil vê o continente africano como irmão e vizinho próximo". O Atlântico Sul e a África são áreas de natural projeção do interesse brasileiro. Ligam-nos à África laços linguísticos, afetivos, culturais, sociais e econômicos de toda ordem. Mas isso sempre foi muito dito e pouco praticado. Eu diria que apenas nos últimos dez anos nós começamos efetivamente a aprofundar, de maneira determinada, a integração com a África, embora outras iniciativas tenham existido, como a criação da CPLP.

Hoje, nossa rede de postos diplomáticos reflete a escala de nossas potencialidades na África, em áreas tão diversas como agricultura, saúde, infraestrutura, mineração e defesa. O professor queniano Calestous Juma, da Universidade de Harvard, é autor de uma frase que vai muito bem com a que acabo de citar. De acordo com ele, "para quase todo problema africano há uma solução brasileira". Sempre respeitando as prioridades de nossos parceiros, temos trabalhado em várias frentes para atender a essa grande demanda de nossos vizinhos de além-mar.

Mas o Brasil tem hoje uma projeção universal. Iniciativas como a aproximação com os países árabes e a formação de grupos como o IBAS e BRICS vieram juntar-se a relacionamentos tradicionais. Temos tido influência crescente na governança global, seja em questões de natureza econômico-comercial, em foros como o FMI e a OMC, seja em questões ligadas à segurança internacional, em discussões sobre o Oriente Médio e o dossiê nuclear iraniano. (Um parêntesis sobre esses dois últimos tópicos. Vale recordar a Conferência de Annapolis sobre a questão palestina, em que o Brasil foi um dos pouquíssimos países em desenvolvimento de fora da região a ser convidado, junto à Índia e à África do Sul, o que significou um reconhecimento do IBAS nesse tipo de discussão. Quanto ao dossiê nuclear iraniano, hoje vemos muitos acadêmicos norte-americanos, como uma ex-assessora da Secretária de Estado Hillary Clinton, a professora Anne Marie Slaughter, dizerem que o acordo que o Brasil e a Turquia propuseram oferecia um bom caminho para as negociações sobre o programa nuclear daquele país.)

Nesse breve quadro, é possível identificar algumas dimensões do poder brando brasileiro. O exemplo de nosso progresso interno atrai a atenção de vários países do mundo em desenvolvimento, interessados na experiência de uma democracia pacífica capaz de crescer com distribuição de renda.

Dois fatos recentes de nossa política externa atestam a condição única ocupada pelo Brasil: a eleição do professor José Graziano para a Direção-Geral da Organização das Nações Unidas para a Alimentação e a Agricultura (FAO), em 2011, e a eleição do Embaixador Roberto Azevêdo para a Direção-Geral da Organização Mundial do Comércio (OMC) há poucos dias.

A escolha de Roberto Azevêdo foi universalmente percebida – por uns celebrada, por outros lamentada – como uma vitória dos países emergentes, que ascendem à direção de um órgão vital da governança global. A eleição desses dois brasileiros traduz a singularidade do Brasil, um país capaz de liderar agendas de aparência tão diversa quanto o combate à fome e o livre-comércio. Nosso poder brando associa-se, assim, às causas da justiça social e do desenvolvimento econômico, nas quais temos uma identificação natural com nossos parceiros do mundo em desenvolvimento.

***

A questão crucial que essa discussão coloca é a seguinte: pode o Brasil manter sua posição de independência, universalismo e solidariedade, e, por extensão, cultivar seu poder brando, sem o amparo de poder robusto? Creio que essa é uma questão crucial para um Instituto dedicado a estudar relações internacionais e defesa.

Gostaria de citar-lhes, a propósito, uma passagem reveladora do texto do próprio Joseph Nye: "Parte de nossos líderes não compreende a importância crucial do poder brando no mundo reordenado do pós-11 de Setembro (...) como ex-Secretário Adjunto de Defesa, eu seria a última pessoa a negar a importância de manter nosso poder militar". Digo isso pelo seguinte: muitas das coisas que vemos repetidas como se fossem verdades absolutas são, na realidade, formas pelas quais países mais desenvolvidos que os nossos – e mesmo autores do meio acadêmico – gostariam que nós víssemos o mundo, mas não são a forma pela qual eles mesmo veem o mundo.

Os países desenvolvidos conservam tanto o poder brando quanto o poder robusto, mas recomendam que países como o Brasil concentrem-se apenas no poder brando, sem perder tempo com o poder robusto. Na política internacional, não existem ideias dissociadas de interesses.

No Brasil, temos bastante clareza do potencial de nossa contribuição ao mundo em termos de poder brando, mas não estamos acostumados a pensar em termos de poder robusto e de capacidades de dissuasão. A discussão do panorama global de segurança revela os limites das teses sobre a obsolescência, a transformação e o controle dos conflitos.

Na maioria das situações internacionais em que esteve envolvido em sua história recente, nosso país não se viu confrontado com a *ultima ratio* do poder, o emprego da força, mesmo que de forma defensiva. Mas não podemos descartar essa hipótese, por mais indesejável que a consideremos. A defesa de um país – seguramente a de um país como o nosso – não é delegável. Uma política de defesa robusta é o respaldo indispensável de uma política externa pacífica. Não podemos nos privar de uma dimensão fundamental do poder, que é a capacidade de defender a soberania nacional e a sociedade brasileira contra agressões e ameaças.

É nesse sentido que podemos afirmar que o Brasil deve robustecer seu poder brando. É preciso ter clareza sobre as funções diferentes, embora complementares, de cada um deles. Sem endossar posições militaristas ou preferências por soluções de força, é o caso de recordar as palavras de um estudioso do assunto, Colin Grey: "O poder brando tende a cooptar os que já eram prontamente cooptáveis, ao passo que o poder militar robusto é necessário para missões mais exigentes" – e, complemento eu, mesmo de caráter defensivo.

Em nossa política de defesa, o poder robusto é orientado por uma dupla estratégia: cooperação e dissuasão.

Não me canso de dizer que, em relação aos nossos vizinhos da América do Sul, nossa estratégia é baseada na cooperação. Temos, com os países sul-americanos, o Conselho de Defesa Sul-Americano, o CDS, em que nossos países constroem confiança e promovem normas comuns de transparência em seus assuntos militares.

Não podemos subestimar o potencial de projetos comuns na área de defesa. Podemos e devemos incentivar exercícios militares combinados e lançar as bases de uma indústria de defesa sul-americana. Há pouco, o CDS lançou o projeto de um avião de treinamento a ser construído conjuntamente pelos países da Unasul. Para suprirmos a necessidade de lanchas blindadas para a defesa dos nossos rios na Amazônia, demos preferência a equipamento de produção colombiana. Também com a Colômbia e o Peru, estamos desenvolvendo o projeto de um navio de patrulha fluvial. Super Tucanos produzidos pela Embraer já patrulham os céus de bom número de nossos vizinhos. A Argentina tem importante participação no projeto brasileiro do avião cargueiro-reabastecedor KC-390, que substituirá os antigos Hércules C-130.

Para além dessas propostas pontuais, devemos desenvolver uma doutrina conjunta para a nossa defesa e, sobretudo, para a proteção dos recursos naturais sul-americanos. Essa será uma das tarefas da Colégio Sul-Americano de Defesa cuja criação está sendo discutida no âmbito do CDS. Em todos esses aspectos, afirma-se uma singularidade sul-americana.

Com os vizinhos de além-mar, estamos ligados primariamente pela Zona de Paz e Cooperação do Atlântico Sul, a Zopacas, em que exploramos as possibilidades abertas pelos usos pacíficos do oceano ao mesmo tempo que zelamos pela manutenção do Atlântico Sul como zona livre de armas de destruição em massa.

Além desse mecanismo multilateral, temos cooperado diretamente com vários países africanos. Temos um modelo bem-sucedido de cooperação com a Namíbia, cuja Marinha foi formada com assistência brasileira. O mesmo começa a ocorrer agora com Cabo Verde. Temos realizado exercícios marítimos conjuntos de antipirataria com várias Marinhas e guardas costeiras do continente. Com África do Sul e Índia, realizamos a Manobra Naval IBSA-Mar. A cooperação para a formação de pilotos e pessoal de apoio de aeronaves Super Tucano já ocorre com várias das Forças Aéreas africanas que têm esse caça. Nosso centro de treinamento para operações de manutenção da paz – o CCOPAB – abre-se à cooperação com os Exércitos de países africanos.

Nossa cooperação em defesa estende-se para demais parceiros, tradicionais ou emergentes, atenta para as perspectivas de real transferência de tecnologia e de iniciativas inovadora.

Mas, acima de tudo, o poder robusto é fundamental para a dissuasão, de modo a desincentivar eventuais atos hostis por parte de atores vindos de qualquer quadrante. Para que tenhamos adequadas capacidades dissuasórias, as Forças Armadas estão atravessando um período de modernização e transformação, conforme estabelecido na *Estratégia Nacional de Defesa*. Para tanto, o Ministério da Defesa está na fase final de preparação do Plano de Articulação e Equipamento de Defesa, PAED, que conjugará, de forma consistente, os principais projetos das três Forças.

O Brasil deve estar pronto a enfrentar as ameaças do presente, mas também a fazer face a ameaças futuras. Essas ameaças podem ter suas raízes nas tensões ligadas às crises ambiental, energética e alimentar, mas também na forma que venha a assumir a evolução da multipolaridade nos próximos anos e décadas.

Defender a soberania e contribuir para a paz mundial são missões que se complementam. O Brasil tem "capacetes azuis" em diferentes teatros da política internacional. Já mencionei a Minustah. No Líbano, exerce o comando da Força Tarefa Marítima da Unifil. Uma fragata da Marinha é a nau capitânia dessa missão da ONU, colocando o nossos marinheiros em um dos mais tradicionais tabuleiros da geopolítica naval, o Mediterrâneo.

Na África Central, o General brasileiro Carlos Alberto dos Santos Cruz assumirá, nos próximos dias, o comando da componente militar da Missão de Estabilização da Organização das Nações Unidas na República Democrática do Congo, a Monusco. Do Caribe à África Central e ao Mediterrâneo, a presença militar brasileira sob a bandeira das Nações Unidas mostra que o Brasil assume suas responsabilidades na garantia da paz. Tem-se aí um caso em que o poder robusto reforça o poder brando do Brasil como país pacífico.

***

O recurso abundante que fiz a conceitos e teses nesta Aula Magna reflete a riqueza do campo intelectual em que vocês realizam seus estudos. Indiquei-lhes também várias iniciativas em curso na política de defesa do Governo da Presidenta Dilma. Ao longo de suas carreiras, vocês refletirão e agirão sobre uma realidade estratégica pulsante.

Assegurar um lugar de destaque ao Brasil na política mundial dependerá da formulação democrática e judiciosa de uma *Grande Estratégia* que equilibre poder brando e poder robusto em doses apropriadas. Ainda uma vez, Tucídides oferece bom conselho. Diz ele que Nícias, um dos mais sábios governantes de Atenas, desejava "deixar atrás de si o nome de alguém cujo serviço ao Estado tivesse sido bem-sucedido, do início ao fim. Isso seria alcançado evitando-se riscos e confiando o menos possível na sorte. E esses riscos só podiam ser evitados com a paz".

Muito obrigado.

Homenagem das Forças Armadas

Palavras em almoço oferecido pelos Comandantes da Marinha, do Exército e da Aeronáutica. Brasília, 4 de junho de 2013

Fico muito contente por estar aqui participando desta reunião da família militar, à qual me sinto muito bem integrado. Aliás, uma das primeiras boas-vindas que recebi, um cartãozinho da senhora do General Vilela, que hoje não pode estar aqui, dizia, para minha mulher e para mim: "bem-vindos à família militar". Eu me senti muito bem com essa expressão de expectativa positiva de integração, e de fato é o que eu tenho procurado fazer.

Talvez conhecer a alma seja um desafio muito grande, mas conhecer os costumes, conhecer a maneira de pensar, e confirmar o que de fato eu já sabia – ao longo da minha carreira eu convivi com militares de diferentes funções, tanto como adidos, como diretamente no exercício da sua atividade, por exemplo no Haiti –, que é a virtude exemplar de colocar a sua maior gratificação no serviço ao país.

Eu costumava dizer isso aos diplomatas: a gente pode ter muitas coisas boas – um posto interessante, uma situação mais bem remunerada do que outra –, mas na realidade a maior alegria de quem escolheu por profissão servir ao país é servir – e servir bem.

É claro que, para servir bem ao país, muitas condições são necessárias. São necessárias condições de vida dignas, são necessários equipamentos adequados, que permitam àqueles que integram as diferentes corporações – as Forças Armadas, no caso – desempenhar bem as suas funções. Nesses quase dois anos agora de "serviço ativo", depois de um período na "reserva remunerada", eu tenho procurado fazer exatamente isso.

Tenho tido o apoio da Presidenta Dilma. Os momentos variam – nem sempre, digamos, os ventos que sopram são "ventos de cauda", é preciso esperar um pouco, enfrentar certas turbulências, mas, de modo geral, têm sido ventos muito positivos graças ao apoio dela.

Eu sei que é muita pretensão dizer que eu procuro ser um intérprete dos anseios das Forças Armadas. Mas eu procuro ser – sim – um veículo adequado para que as reivindicações justas, tanto por condições de vida como por condições materiais de trabalho, ocorram da melhor maneira possível.

E faço isso não só pela simpatia que hoje tenho, e pela amizade de que hoje desfruto com muitos dos senhores – muitos dos oficiais-generais aqui presentes, funcionários do Ministério da Defesa, inclusive civis –, mas em função principalmente da minha convicção de que o Brasil tem que ter uma defesa adequada.

O Brasil não é mais o país de vinte, quarenta, cinquenta anos atrás. A nossa dimensão no mundo mudou. Os exemplos se sucedem dia a dia da maneira mais variada possível.

Obviamente, um país que ganha a projeção que o Brasil ganhou; que influi nos acontecimentos internacionais como o Brasil influi; que tem essa cooperação tão estreita com seus vizinhos; um país como esse tem que estar preparado para enfrentar qualquer eventualidade.

Essa preparação para a eventualidade é o que de certa maneira garante – senão totalmente, parcialmente – que ela não ocorra. Esse esforço, que já vem de meus antecessores e que se consubstanciou no desenho de uma *Estratégia Nacional de Defesa* (hoje mesmo eu recebi a notícia de que talvez a Câmara apreciasse a *Estratégia*, a *Política* e o *Livro Branco*, instrumentos importantes na transparência junto à sociedade), eu tenho feito com muito prazer.

Embora – de fato – eu talvez já estivesse pronto para colher os frutos de uma longa semeadura, de mais de cinquenta anos, é com muito prazer que tenho desempenhado essas novas funções para que fui chamado.

Queria dizer que esse prazer se deve muito ao bom relacionamento – relacionamento leal, correto, franco, em que até as diferenças de opinião são legítimas, desde que as orientações finais sejam seguidas. Isso tem sido muito positivo.

Também tem sido muito positivo ver a ação das Forças Armadas. Como disse, eu tinha visto um pouco no Haiti, mas também aqui nas Operações Ágata – ajudando de maneira muito importante o país a ter segurança nas suas fronteiras – e em tantas outras operações. E ver também o preparo – todos os dias – dos militares nos mais diversos níveis.

Eu tenho tido prazer de conversar e discutir com muitos dos aqui presentes – respeitando naturalmente as cadeias de comando –, mas sempre que eu posso também conversando livremente com os oficiais-generais que são mais próximos de mim, e também ver o trabalho dedicado de sargentos, soldados.

Eu agradeço, por exemplo, a oportunidade que o General Enzo me deu de visitar a Escola de Sargentos em Três Corações, como também fui visitar duas vezes a Escola de Especialistas de

Aeronáutica, em Guaratinguetá (estou devendo ainda uma visita à escola da Marinha).

É nessas horas que se vê que as Forças Armadas no Brasil são um instrumento de integração social e nacional, tanto no sentido geográfico quanto no sentido das formações das classes e da ascensão social. Eu sei que muitos dos oficiais-generais – e acho isso um grande motivo de orgulho para nós – vêm de origens relativamente humildes. É por isso que as Forças Armadas, sendo representativas do Brasil, estão também aptas a defendê-lo.

Hoje nós vivemos em um clima democrático que se aprofunda, onde tudo é discutido – e tem que ser assim. É muito importante, dentro desse contexto, ser capaz de perceber a importância de preservarmos esses valores a que se referiu o General Enzo.

E eu destacaria o profissionalismo: as Forças Armadas são profissionais. Não são quaisquer profissionais, são profissionais do uso de um instrumento muito delicado, que é o uso da força.

Esse profissionalismo é indispensável. Um deslize em outras carreiras pode ter consequências, às vezes individuais, às vezes para um grupo pequeno. Nas Forças Armadas não pode haver deslizes.

E eu fico muito contente de poder testemunhar, nesses meus dois anos, o avanço desse profissionalismo – que já era grande, faz parte das tradições –, mas que cada vez mais se aprofunda.

Essas homenagens de aniversário são muito boas, gratificantes, mas elas cansam mais do que a Operação Ágata, isso eu posso garantir! Eu dizia ontem que, talvez, na minha idade, eu não tivesse razão para comemorar. Mas quem sabe sim: ter chegado aqui, ter tido a oportunidade de ter um convívio que eu não esperava, eu não poderia imaginar que eu viesse a ter na minha vida essa função para que a Presidenta Dilma me convocou.

A respeito disso, eu costumava dizer quando eu convidava alguém para algum cargo – nós não somos as pessoas que podem julgar se nós temos ou não competência para um determinado cargo, a pessoa que convida é que tem que julgar, e depois a História fará o julgamento definitivo.

Seja como for, fazer essa travessia nesse clima de amizade, companheirismo e de respeito, ao mesmo tempo, é, para mim, uma grande satisfação.

Gostaria, na pessoa do General Enzo, que é o nosso anfitrião, de agradecer a todos. Não sei se o rodízio se completará, porque ainda falta tempo – não sei o que os astros ou a Presidenta dirão – mas o fato é que é uma grande satisfação trabalhar com vocês todos.

Muito obrigado.

Coragem, idealismo, solidariedade

Discurso de paraninfo na formatura da Turma Oscar Niemeyer do Instituto Rio Branco. Brasília, 17 de junho de 2013

Hoje é um dia de muita alegria e felicidade para todos os que estamos aqui: naturalmente, para as moças e os moços que se diplomaram em um dos cursos mais exigentes do nosso país e que ingressam agora em uma carreira com enorme potencial de gratificação intelectual, mas também cheia de desafios profissionais e humanos; para os pais, mães, familiares e amigos que viram seus sacrifícios – financeiros ou emocionais – recompensados, suas preces atendidas.

Mas este é um momento de celebração para todos os demais aqui presentes, já que hoje festejamos a iniciação formal na carreira diplomática de um grupo de cidadãos e cidadãs, jovens, brilhantes e dedicados, imbuídos dos mais altos valores e das mais nobres expectativas, que escolheram, por meio de sua profissão, servir à Nação brasileira. Nem mesmo o fato de essa cerimônia repetir-se todos os anos a torna rotineira. Parabéns a todos vocês!

Com a permissão de vocês, vou, antes de tudo, fazer um agradecimento. Para alguém que já percorreu boa parte do que Oscar Niemeyer chamou de "curto caminho cheio de alegrias que o destino, sem consulta, nos oferece", a homenagem sincera e desinteressada vinda dos mais jovens é o que pode haver de mais gratificante. Vocês não imaginam a alegria que me deram. Assim, junto aos meus parabéns o meu emocionado "muito obrigado".

Essa formatura coincide no tempo com um dos maiores feitos da política externa brasileira, a eleição de um expoente da nossa diplomacia, da diplomacia da qual vocês agora fazem parte, o Embaixador Roberto Azevêdo para a OMC. Este é mais um motivo de júbilo. Ao cumprimentar a Presidenta Dilma Rousseff e o Ministro Antonio Patriota, associo-me à celebração desse triunfo. Como é alvissareiro que vocês estejam dando os primeiros passos na carreira sob a égide desse triunfo!

A escolha de Niemeyer como patrono da turma – o nome pelo qual desejam ser lembrados coletivamente – diz muito da visão de mundo que têm e que vai inspirar a maneira como exercerão a profissão que abraçaram. Niemeyer foi, acima de tudo, um grande ser humano; um homem em quem o dom de cultivar e criar o belo jamais ofuscou a aptidão de sentir, como se fossem suas, as dores dos humilhados e ofendidos, que ainda constituem uma grande parte da população do planeta.

Niemeyer encantou o mundo com suas formas ousadas, suas curvas imprevistas e improváveis de concreto-armado, com a leveza de suas obras-primas na Pampulha, em Brasília, na Argélia e nos grandes centros urbanos europeus.

Mas o olhar de Niemeyer sempre esteve posto no Brasil e na sua gente. E era para o Brasil que ansiava voltar, nos tempos de autoexílio ou a cada viagem que fazia. Os diplomatas, apesar de permanentemente ligados ao país pelo cordão umbilical da profissão, sentem-se um pouco exilados. De certa forma, é até bom que seja assim, para não sucumbirem às tentações do cosmopolitismo destituído de conexão com a realidade.

Uma das características mais marcantes do *ser humano* Oscar Niemeyer era a profunda solidariedade pelo seu semelhante, tanto por seus amigos, quanto por pessoas que acabara de conhecer, sobretudo as mais necessitadas. Não tenho dúvida que, ao prestarem tributo a esse grande brasileiro, vocês tiveram presente, entre outras, essa marca de sua personalidade.

A solidariedade com nações mais pobres tem sido uma dimensão importante da política externa dos governos Lula e Dilma, dentro dos limites que a missão precípua de defesa do interesse nacional impõe. É um dos elementos – certamente não o único – da política de nossa cooperação Sul-Sul.

Niemeyer não foi apenas um grande artista. Foi um criador arrojado, que revolucionou conceitos e a própria forma de fazer arquitetura. Nunca se submeteu aos ditames do utilitarismo e às críticas daqueles, que por detrás de uma pretensa simplicidade, escondiam mera falta de talento. Por isso – é ele próprio quem o diz – sua arquitetura é feita com "coragem e idealismo".

Coragem e idealismo são ingredientes indispensáveis de qualquer política (e não apenas no plano externo) que busca modificar a realidade e não simplesmente registrá-la. E também aí, vocês acertaram, ao exaltar essas virtudes frequentemente esquecidas em velhas receitas inspiradas por teorias supostamente realistas.

A instituição à qual vocês escolheram pertencer para servir ao Estado e à Nação brasileira – o Itamaraty – é objeto de admiração no Brasil e no mundo. Ao longo de quase meio século foram inúmeras as ocasiões em que ouvi expressões dessa admiração.

Diplomatas brasileiros são frequentemente convidados a servir em organizações internacionais e convocados a integrar ou presidir painéis e comissões que lidam com intricados assuntos, da saúde ao trabalho, da segurança internacional à economia. A muitos inclusive, para usar a expressão de Corneille, "a glória não esperou o número dos anos", jovens que eram, ainda no seu primeiro posto, ao serem convocados para tais tarefas.

Da mesma forma, os mais variados órgãos do Estado brasileiro (e não apenas do Executivo, mas também no Legislativo e Judiciário) têm recorrido aos quadros do Itamaraty, os quais sempre têm correspondido a essa distinção com trabalho competente e leal.

Nossa diplomacia tem revelado notável capacidade de conciliar a indispensável defesa do interesse nacional com a formulação de posições que atendam às aspirações de paz e de progresso de uma grande parte da humanidade. Que o temos feito de forma correta e eficaz explica, em parte ao menos, por que brasileiros vêm sendo eleitos para cargos tão importantes – e tão diversos – como a Direção Geral da OMC e a da FAO.

Defendemos os Direitos Humanos e o meio ambiente a partir de perspectivas que não privilegiam aspectos formais em detrimento das dimensões de justiça, de desenvolvimento e de respeito às soberanias nacionais. Apoiamos a competitividade agrícola sem esquecer a segurança alimentar. Ao realismo político soubemos juntar a confiança em soluções pacíficas e mediadas. Ao tradicional – e sempre válido – princípio da não intervenção associamos uma atitude de "não indiferença". Em face da responsabilidade de proteger, a Presidenta Dilma e o Ministro Patriota têm sustentado a "responsabilidade ao proteger".

Em uma sociedade democrática, a autoridade eleita pelo povo é a fonte última de legitimidade. Essa é uma verdade axiomática, que todos aqui reconhecem e que sequer necessita explicação.

Cabe à diplomacia traduzir em ações práticas, no cotidiano do fazer internacional, as orientações políticas emanadas do mais alto nível do Governo. A capacidade de executar bem essas orientações depende da qualidade dos seus quadros. Depende, também, em larga medida, de sua representatividade, em termos regionais, sociais, raciais e de gênero.

Diferentemente de certas visões caricaturais, a coragem e o idealismo, assim como a solidariedade – trinômio que eu associaria a Oscar Niemeyer –, são ingredientes indispensáveis da atividade que vocês vão desenvolver. No Brasil democrático, economicamente estável e socialmente mais justo, o trabalho diplomático do dia a dia e os valores humanistas tenderão cada vez mais a confluir no leito de um mesmo rio.

Nem sempre foi assim. Em momentos difíceis, felizmente já superados, de nossa vida política, muita coragem e idealismo foram necessários por parte daqueles que procuravam encontrar um caminho digno em face das injunções da realidade. Muito sangue correu – se não no sentido próprio, pelo menos no figurado – entre o "punho e a renda". Otimista inveterado que sou sobre os destinos do Brasil, tenho a convicção de que nada de parecido ocorrerá com vocês.

A turma Oscar Niemeyer ingressa no Itamaraty em um momento especialmente propício da história brasileira. Até há pouco, os condutores de nossa política externa pareciam haver traçado ao redor de si mesmos verdadeiros círculos de giz, que não ousavam ultrapassar.

Nos últimos dez anos, construindo sobre as mudanças ocorridas ao longo das duas décadas anteriores, nossa política externa tornou-se mais desassombrada. Pôs de lado teorias, que já nada tinham a ver com a realidade, nacional e internacional, sobre o "excedente de poder", de que careceríamos para agir com independência e altivez nos planos regional e global.

Foi com combinação de coragem, idealismo e solidariedade que fortalecemos a integração sul-americana, desconstruímos propostas hegemônicas de associação econômico-comercial como a

ALCA, lançamos iniciativas que nos aproximaram de outros países em desenvolvimento na América Latina e na África e contribuímos para que o mapa econômico e político do mundo começasse a ser redesenhado em um sentido mais multipolar e mais multilateral, propondo ou apoiando associações como o IBAS, os BRICS, a ASPA e o G20 da OMC.

Estou seguro de que a política externa ativa, altiva e soberana que o nosso país adotou e vem seguindo, sempre com capacidade inovadora, proporcionará alegrias no campo profissional, que justificarão plenamente, a seus próprios olhos, a escolha que fizeram.

Tive, nos últimos anos – e, para minha grande felicidade, continuo a ter –, a oportunidade de conviver com jovens diplomatas, não só da turma cuja formatura celebramos, mas também de outras, que a antecederam, especialmente as chamadas "turmas de cem", que, contrariamente ao que apregoavam os defensores de uma visão elitista, não só mantiveram o padrão de excelência dos quadros do Itamaraty, mas contribuíram para torná-lo mais representativo da nossa sociedade.

Muito aprendi com esses jovens, mulheres e homens extremamente bem preparados e possuidores de alta motivação. Muitas vezes me surpreendi com os conhecimentos e informações que demonstravam ter. Suas perguntas e inquietações forçaram-me a aprofundar raciocínios, confirmar convicções, refinar argumentos. Conheço a paixão que têm pelo Brasil e, em particular, pela política externa. Atrevo-me a dizer que, graças às mudanças da última década, apoiadas por sua vez em conquistas que as embasaram – a democracia, o respeito à pluralidade, a busca da igualdade – a geração de vocês poderá realizar o sonho stendhaliano de "fazer da sua paixão o seu ofício".

Em seu célebre ensaio autobiográfico "Minha Formação", Joaquim Nabuco profetizou que a escravidão permaneceria por muito tempo como a característica nacional do Brasil. E, de fato, esta marca/mancha/sombra ainda está aí, resistindo a ser apagada, símbolo de outras desigualdades, que só muito recentemente começaram a ser enfrentadas com vigor e determinação. Sem que elas sejam eliminadas, todo o progresso moral é limitado e muito do idealismo que professamos poderá parecer uma fachada para defender interesses menos nobres. Somente um país socialmente justo poderá ter a força moral para defender seus interesses com independência e altivez. Era o que já pensava o Patriarca José Bonifácio cujos duzentos e cinquenta anos de nascimento estamos comemorando.

Em contrapartida, uma nação dependente e sujeita a hegemonias externas de qualquer natureza não pode ser justa. Como advertiam pensadores clássicos, de Aristóteles a Maquiavel, não há cidadão livre quando a cidade não é livre. Contribuir para reforçar essa dialética positiva entre justiça e independência é parte da missão de vocês.

Parabéns às alunas e aos alunos, a seus pais e familiares! Parabéns ao Brasil por ganhar mais um grupo de jovens idealistas e dedicados, aptos a servir à Nação.

Muito obrigado!

Los desafios del escenario estratégico del siglo XXI para América del Sur

Conferência no Ministério da Defesa da Argentina.
Buenos Aires, 13 de setembro de 2013

Tengo que pedir disculpas por imponer a Ustedes mi terrible portuñol, pero que creo que es más fácil comprenderlo que mi no tan malo portugués. Para mi es un gran honor tener la oportunidad de hablar aquí en el Ministerio de Defensa a oficiales argentinos y también brasileños.

Empiezo con un comentario que quizá vale la pena resaltar: el Congreso brasileño finalizó la evaluación de tres documentos importantes, la *Política Nacional de Defensa*, de la *Estrategia Nacional de Defensa* y del *Libro Blanco de Defensa Nacional*. A los interesados, que quieran profundizar algunas de las ideas que voy a mencionar aquí, señalo este hecho. Todo está disponible en la internet.

Nosotros todos, militares, funcionarios civiles de la defensa y diplomáticos operamos en el sistema internacional. Se trata de un escenario extremamente complejo, en el que los cambios ocurren de forma ni siempre comprensible. Y además vivimos un período de transición del poder global.

¿En qué medida eso afecta el futuro de países como Argentina y Brasil? ¿Nos estamos moviendo hacia un mundo más o menos favorable para nosotros? ¿Qué debemos hacer para darle forma, en la medida de lo posible, de acuerdo a nuestros intereses? ¿Cómo puede la Defensa contribuir a eso?

Propongo una evaluación del sistema internacional en torno a la dinámica entre "tres dicotomías". La primera dicotomía es la dicotomía entre la unipolaridad y la multipolaridad. El fin de la Guerra Fría reformó la relación de fuerzas en el cuadro militar: emergió un centro de poder claramente dominante. La interpretación dominante era favorable. Se habló de una "unipolaridad benigna", con una u otra visión crítica, que hablaba de la "hiperpotencia". Bajo la inspiración de la superpotencia, los demás países preferirían relaciones de cooperación.

Los principales conflictos entre los Estados tendrían desaparecido o tenderían a desaparecer. Francis Fukuyama habló del "fin de la Historia". La gran disparidad de recursos económicos, políticos y militares entre la superpotencia y las otras potencias no era vista como una fuente de inestabilidad, sino que como una fuente de estabilidad en el sistema internacional. El 11 de Septiembre cambió la situación: la superpotencia adoptó un concepto estratégico ofensivo, que parte de una comprensión ampliada de la autodefensa y avanza en el campo de la "prevención" a cualquier amenaza.

La invasión de Irak sin tener en cuenta las normas multilaterales de las Naciones Unidas fue una expresión militar de la unipolaridad, que se revelaría factor de inestabilidad – y no de estabilidad. En lugar de una "unipolaridad benigna", tuvimos un "desequilibrio unipolar". Esto fue seguido por esfuerzos de algunos países que buscaban acentuar los elementos incipientes de la multipolaridad – la creación de nuevos polos de poder. La creación de nuevos centros de poder fue vista por muchos como un hecho positivo. La multipolaridad era y debería ser una garantía de la integridad de un sistema internacional basado en el Derecho.

A nivel regional, la percepción de que vivimos en un mundo de bloques ha llevado a algunos países, Brasil y Argentina, en particular, a fortalecer a América del Sur como una entidad política y económica. El avance de la integración de América del Sur, simbolizado por Unasur, fue un paso importante en esa dirección. Por otro lado, se pudo evitar que nos impusieran un proyecto, de naturaleza hegemónica, limitador de nuestro modelo de desarrollo, el ALCA.

En la Organización Mundial del Comercio, los países emergentes reunidos en el G20 Comercial (entre los cuales naturalmente Brasil y Argentina), con una fuerte participación de los países de América del Sur, impidieron un acuerdo largamente desfavorable en la Ronda de Doha. Eso ocurrió en Cancún en 2003. Los Estados Unidos y la Unión Europea, que controlaban las negociaciones en aquel entonces, deseaban impedir acuerdos que abriesen mercados a grandes exportadores de productos agrícolas, como Brasil y Argentina. En particular, se dejaba intacta la estructura de los subsidios agrícolas.

Incluso en el ámbito de las grandes decisiones macroeconómicas, algunos avances fueron posibles. La importancia creciente de países emergentes como Rusia, China, India, Brasil (BRICS) y de otros en desarrollo como Argentina, Indonesia y Turquía profundizó la tendencia a la multipolaridad. El G20 Financiero sustituyó al antiguo G8 como principal foro de discusión sobre la economía global. Sin embargo, la formación de un mundo multipolar sigue leja de consolidarse.

Una segunda dicotomía es la dicotomía entre el multilateralismo y el unilateralismo. La multipolaridad y el multilateralismo no deben confundirse: la primera se refiere a una situación en la que hay varios polos en un tablero, y el segundo dice respecto a la forma de colaboración entre los polos en favor de la gobernanza – con un énfasis en el Derecho y en las instituciones internacionales. La multipolaridad es un concepto descriptivo, y el multilateralismo es un concepto normativo. La primera se refiere a los hechos. El segundo, a valores.

Escribiendo en 1993, al identificar los cambios en el post-Guerra Fría, John Ruggie (ex Asesor de Kofi Annan) explicó que "La característica definitoria del multilateralismo es no sólo que coordina las políticas nacionales entre grupos de tres o más Estados, (...), sino que, además, lo hace basado en ciertos principios de ordenación de las relaciones entre los Estados". La etimología de la palabra "unilateral" puede contener una falacia que afecta su comprensión: la OTAN ahora tiene 28 estados, pero sigue actuando de forma unilateral, cuando lo hace sin una autorización del Consejo de Seguridad.

Paradójicamente, la unipolaridad cohabitó con un cierto grado de multilateralismo. En el Gobierno de George H. W. Bush, hubo una aparente valoración del Consejo de Seguridad, cuyos trabajos avanzaron. La acción contra Irak en 1990, ante la flagrante violación de la Carta por la invasión de Kuwait, obtuvo respaldo multilateral. No obstante, el encanto con el "fin de la Historia" luego se desvaneció. Algunos países empezaran a hacer valer sus posiciones con más independencia, especialmente los miembros permanentes (pero también algunos no permanentes) del Consejo de Seguridad.

El apoyo multilateral a posiciones de la superpotencia se volvió cada vez menos evidente.

Como consecuencia de estas diferencias, comenzaron a manifestarse tentaciones de acción unilateral de la superpotencia.

En 1998, los EE.UU. bombardearon unilateralmente a Irak y a Sudán, en algunos casos, con el apoyo de Gran-Bretaña. En 1999, la OTAN no esperó que terminasen las negociaciones sobre Kosovo en el Consejo de Seguridad y operó una acción unilateral. La culminación de esta tendencia fue la invasión de Irak en 2003, sin la autorización del Consejo de Seguridad y teniendo como base la doctrina de la acción preventiva, que no encuentra apoyo en las disposiciones de la Carta de la ONU.

Siempre que no obtuvieran autorización multilateral para acciones coercitivas, los EE.UU. y sus aliados invocaban una presunta "comunidad internacional" para legitimar sus acciones. Viví de cerca este proceso al final de la década de los 90. La propensión al unilateralismo sigue, incluso bajo la fachada del multilateralismo. Los argumentos morales se invocan cada vez más en el nombre de un "multilateralismo eficaz".

En 2011, la OTAN atacó a Libia bajo el pretexto de proteger a los civiles, pero en realidad actuó en favor de un cambio de régimen, que no estaba autorizado – piense lo que se piense sobre el régimen de Gadafi, fue una acción que extrapoló el mandato del Consejo de Seguridad. El ataque contra el consulado de EE.UU. en Benghazi en 2012, con la trágica muerte del embajador estadunidense, muestra como la acción militar no ha generado ni seguridad, ni estabilidad.

En los últimos debates sobre Siria, la idea de que un ataque de EE.UU. podría llevarse a cabo sin el consentimiento del Consejo de Seguridad fue tratado en varios países con gran naturalidad. Por ejemplo, un número de la prestigiosa revista *The Economist* (el de 31 de agosto de 2013) traía artículo bajo el titular "Policía global, le guste o no", en la cual justificaba la *rationale* de la acción unilateral.

En los últimos veinte años, hemos pasado de una situación en que se buscaba darle legitimidad multilateral a las acciones de fuerza conducidas bajo el paraguas de Naciones Unidas a una situación en que el unilateralismo es exaltado – no solo practicado, pero exaltado, lo que es más grave. Hay una gran crisis del multilateralismo, muy grave para nuestros países. Existe, por consiguiente, un paradojo: al mismo tiempo que se acentuaron los elementos de la multipolaridad, creció la tentación unilateral.

El mundo, que parecía a finales de 1990 absolutamente unipolar, comenzó a asistir a un ensayo de acciones autónomas de otros países, según crecían en términos económicos y políticos. Rusia y China se han vuelto más asertivos en relación con sus intereses y visiones del mundo. Otra señal fue la oposición de Francia y Alemania a la invasión de Irak en 2003.

Poco a poco, la idea de la multipolaridad comenzó a involucrar también a otros países emergentes como India, Brasil, Argentina y Sudáfrica. Estos países están interesados en promover un orden internacional que sea no sólo multipolar, sino que también basada en los principios del multilateralismo. Actúan con miras al fortalecimiento y la reforma de las organizaciones internacionales.

Para una multipolaridad efectiva, no es suficiente que existan países con peso significativo: es necesario que estén dispuestos a hacer valer este peso. Nos interesa un mundo donde el poder esté más difuso, donde haya más espacio para la negociación y para acciones genuinamente colectivas. Pero también nos interesa el multilateralismo, que ordena las interacciones, confiere previsibilidad y promueve la solución pacífica de las controversias.

La tercera dicotomía es entre cooperación y conflicto. Si bien el fin de la Guerra Fría eliminó la amenaza de una confrontación directa entre los dos polos, sería ingenuo suponer que la cooperación se haya afirmado ante el conflicto. El "fin de la Historia" no sucedió. Conflictos "periféricos", pero con gran impacto en todo el mundo – siguieron sin solución: el Medio Oriente – Irán, Siria, sur de Líbano,

Israel-Palestina – plantean cuestiones graves. En esos conflictos, es inegable la existencia de factores étnicos o religiosos.

Al mismo tiempo, se oye mucho sobre las amenazas asimétricas, el terrorismo, los crímenes transnacionales, el tráfico de drogas, a veces unidos entre ellos. Todo esto es relevante. Sin embargo, sería engañoso suponer que ese nuevo tipo de amenaza substituyó el conflicto entre Estados.

Como se desprende de la situación en Irak y Libia, la cuestión del acceso a los recursos naturales – a menudo oscurecida – sigue actual. Después del 11 de Septiembre, hubo una considerable incertidumbre con respecto a las fuentes de suministro de petróleo. En ese contexto, el conflicto entre Estados actual o potencial no solo persiste sino que puede acercarse a nuestros países. Que se observe la secuencia de eventos que involucró a Libia y a Malí, y potencialmente a los países de África Occidental y, por lo tanto, al Atlántico Sur. Por supuesto, esperamos que estas cuestiones se resuelvan diplomáticamente.

Sin embargo, tenemos que estar preparados para hacer frente a una situación en la que los conflictos han escapado a la regulación multilateral. Estas realidades plantean desafíos para el sector de la Defensa.

Veamos América del Sur. En este contexto, nuestro reto hoy es consolidar a América del Sur como un polo del mundo multipolar, defender el multilateralismo y la prevalencia de la paz sobre el conflicto. América del Sur, por su relativa situación de paz entre sus Estados y su fuerte afinidad en términos de identidad, dispone de condiciones muy favorables para ejercer ese papel. Debemos ser vigilantes ante conceptos erróneos que buscan relegar nuestros países a un rol subordinado en el sistema internacional.

Al final de la Guerra Fría, en las Américas, la potencia dominante intentó promover el concepto, de forma más o menos explícita, de que habría una cierta "división del trabajo" en las fuerzas de seguridad y defensa en las Américas: a la potencia principal le tocaría la defensa de capacidad militar y el tratamiento de los temas de paz y de guerra.

A las fuerzas armadas de los países latinoamericanos y sudamericanos, les quedaría centrarse principalmente en la lucha contra la delincuencia, especialmente en los delitos transnacionales y el narcotráfico. El fortalecimiento de las capacidades de defensa de América del Sur frente a las amenazas externas no sería necesario y, al peor, sería ilegítimo porque motivaría una presunta "carrera armamentista" entre nuestros países.

Muchos de nuestros países nunca han aceptado este punto de vista. Pero este debate sigue vivo, con algún grado de diferencia, en el ámbito de la JID, de la OEA y de la Conferencia de Ministros de Defensa de las Américas. Esta concepción reduccionista no corresponde a la realidad plural de América del Sur. América del Sur tiene un papel que ejercer en el orden mundial, contribuyendo como una fuerza para la paz y la justicia, además del pleno cumplimiento de las normas internacionales.

Somos no sólo una región pacífica, somos proveedores de paz. En nuestra visión estratégica, la Unasur debe progresivamente ser uno de los centros políticos del mundo. Nos toca cuidar la plena soberanía y la integridad territorial de nuestros países. Pero también es el deseo de Unasur promover el respecto a las normas internacionales y el fortalecimiento del multilateralismo, como se reiteró en la reciente Cumbre presidencial de Paramaribo. La integración en defensa es una dimensión fundamental a fin de hacer esa contribución en una realidad.

Con la creación del Consejo de Defensa Suramericano, ha sido posible hacer de América del Sur una zona donde la guerra es impensable. Karl Deutsch, el politicólogo norteamericano le dio a este tipo de organización regional el nombre de "comunidad de seguridad".

Ya tenemos, en la relación entre dos países de América del Sur, un ejemplo reconocido en todo el mundo de este tipo de comunidad: Brasil y Argentina. A partir de la década de 1980, creamos mecanismos innovadores de fomento de la confianza, incluso en la esfera nuclear, mientras se profundizó la integración económica y comercial. Brasil y Argentina son uno de los pilares de una "comunidad de paz y seguridad" que se está formando en América del Sur.

Los resultados de la acción del Consejo de Defensa en los últimos cinco años desde su creación son palpables. El CDS pudo contribuir para reducir la tensión acerca de diferencias entre países de nuestra región y para fomentar la paz. Pocas personas tienen duda de que, hoy en día, los problemas o las diferencias de percepción entre nuestros países se resolverán sobre la base de la diplomacia y del diálogo. Durante la VII Cumbre de la Unasur, las Jefas y los Jefes de Estado y de Gobierno abogaron por el desarrollo de una propuesta de lineamientos estratégicos para la construcción, de forma gradual y flexible, de una visión común de la defensa regional.

La Declaración Conjunta destaca el rol del CDS para desarrollar un pensamiento estratégico regional y, en este contexto, subraya la iniciativa de crear una Escuela Sudamericana de Defensa. La Escuela está concebida – yo cito la resolución – "como un centro de estudios superiores para la coordinación y creación de redes entre las iniciativas nacionales de los países miembros para la formación de civiles y militares en materia de defensa y seguridad nacional".

El Centro de Estudios Estratégicos de Defensa, aquí en Buenos Aires, es uno de los nodos de esta red. Otro nodo existente es el Curso Superior de Defensa Suramericano, que se celebra en Brasil.

La Escuela de Defensa Suramericana comprenderá un conjunto de iniciativas, en varios centros de reflexión suramericano aprobados por el Consejo.

Los avances recientes en la CDS sobre varios otros temas revelan el gran potencial abierto a la integración. El Registro de Gastos de Defensa es un mecanismo de transparencia que permite una mejor comprensión de la defensa de cada uno de los países miembros de la Unasur. Se realizan el curso de defensa para funcionarios civiles, el seminario sobre ciencia y tecnología, el seminario sobre la protección de los recursos naturales, el seminario sobre la integración de las mujeres en el ámbito de la defensa (y me complació mucho oír hoy los esfuerzos ya hechos aquí en Argentina en ese sector), entre otras acciones, promueven la comprensión mutua, facilitan el diálogo y fomentan la formación de una visión común.

Desde el punto de vista de la cooperación tecnológica e industrial, hago hincapié en la colaboración que hemos dado al proyecto del Avión de Entrenamiento Básico Suramericano (Unasur-I) – una iniciativa argentina que Brasil ha apoyado con entusiasmo y que esperamos pueda contar con la participación de muchos de nuestros países, en una manera u otra. Estamos desarrollando también el Sistema Sudamericano de Monitoreo y Vigilancia de Áreas Especiales, que combina las capacidades en las áreas como meteorología, protección del medioambiente, protección de reservas indígenas, defensa de las zonas fronterizas y de minerales estratégicos.

Son ejemplos concretos de cooperación entre nuestros países, sin que sea necesario, como en el pasado, recorrer a otras potencias o colocarnos bajo el manto de organizaciones donde prevalezcan intereses ajenos. Además de los proyectos que son específicos de la Unasur, también hemos aumentado nuestra cooperación bilateral.

Una vez más, Brasil y Argentina dan ejemplos valiosos. Venimos cooperando en el proyecto del avión carguero KC -390. Nuestras Armadas realizan el ejercicio naval Fraterno. Realizan otros también en el ámbito del Exército y de la Fuerza Aérea. Recibimos la indispensable y generosa cooperación argentina en nuestras actividades antárticas.

Hemos mantenido un diálogo estratégico al más alto nivel, incluyendo los ministros, viceministros y los Estados-Mayores conjuntos. Es muy importante que nuestros ministerios, que son relativamente jóvenes (el de Brasil ciertamente lo é), comprendan como cada un resolvió cuestiones de interoperabilidad y comandos conjuntos para ciertas operaciones.

Estamos delante de amenazas nuevas, impulsadas por tremendo progreso tecnológico, direccionado a fines incompatibles con un mundo más pacífico y democrático.

De acuerdo con recientes revelaciones, América del Sur aparece como una región sujeta a operaciones de espionaje masivo. Tenemos que reflexionar sobre cómo cooperar para hacer frente a estas nuevas formas de ataque e intrusión a nuestra soberanía.

Contamos con un nuevo mandato de los Presidentes: la Declaración de Paramaribo establece que, junto con el Cosiplan, los países de los CDS deben profundizar "sus proyectos respectivos en materia de defensa cibernética y la interconexión de sus redes de fibra óptica en nuestros países con el fin de hacer más seguras nuestras telecomunicaciones, promover el desarrollo de la tecnología regional y la inclusión digital".

Debemos hacer esfuerzos para promover proyectos conjuntos en la defensa cibernética. Pero es necesario que también nos preguntemos acerca de las causas de ese gran interés en esos datos de nuestra realidad. El tema de las interceptaciones digitales apunta a un tema de vital importancia: la cuestión de la protección de los recursos naturales. En una región con un inmenso patrimonio natural como es América del Sur, la defensa contra ese tipo de monitoreo es una parte indispensable del ejercicio de la soberanía nacional y de la gestión económica.

El CDS debe profundizar el debate sobre el tema de la protección de los recursos naturales. La competencia por estos recursos puede llegar a afectar a los países de América del Sur, tanto en forma de incursiones directas cuanto como los efectos colaterales de los conflictos entre terceros. Expertos de diferentes fuentes han destacado el enorme aumento de la demanda de alimentos, agua y energía en las próximas dos décadas y, al mismo tiempo, el potencial de conflicto.

Dice Michael Klare, un experto en el área,

> *la economía mundial hoy en día no puede crecer y prosperar sin una oferta creciente de numerosos recursos crítico, pero la adquisición de esos materiales representa una amenaza creciente para la seguridad y la estabilidad de la sociedad humana y (...) una vez que el acceso a una amplia gama de recursos naturales es esencial para la preservación de la vitalidad económica, todas las naciones tienen un fuerte interés en la lucha por el control de las fuentes de suministro que quedan.*

Si recordamos los debates de las últimas décadas, por lo menos tres tipos de crisis ya son visibles en los noticieros: una crisis alimentaria, una crisis ambiental y una crisis energética. De hecho, América del Sur es una potencia en estas tres áreas. Representa el 12 % de la superficie terrestre, en la que tiene el 25% del total de la tierra donde se cultivan los alimentos; el 25% del agua dulce del mundo; el 40% de la biodiversidad del planeta; reservas de más de 120 millones de barriles de petróleo; y enormes reservas de recursos minerales.

El Consejo de Defensa Suramericano tiene la tarea de evaluar las amenazas a la soberanía de los países de la región a la luz de la valoración de estos activos a nivel global. Eso incluye las amenazas que provienen del uso distorsivo de las nuevas tecnologías digitales. Se debe recordar que existe una relación entre hechos aparentemente distantes, como la competencia por los recursos y el creciente monitoreo de datos.

La coordinación entre nuestros países es importante para aumentar la eficacia de las medidas de disuasión y también para profundizar la confianza que ya existe entre los países de América del Sur.

Entre nosotros, la cooperación es la mejor disuasión. Para que podamos defendernos de las amenazas externas, tenemos que estar bien equipados. Y debemos, de una vez por todas, eliminar la idea de que esto representa una carrera armamentista en la región.

Por eso, es vital la continua creación de confianza. Es importante dejar claro que esos equipos y los entrenamientos correspondientes son esenciales para la protección de nuestros recursos. El CDS, aunque no se constituya como alianza de defensa, a ejemplo de la OTAN, es el principal foro a través del cual nuestros países podrán articular una doctrina común de "cooperación disuasoria".

Es necesario fortalecer al CDS, no sólo con instituciones como la Escuela de Defensa Suramericana, sino que también por medio de mecanismos que permitan un contacto más constante entre nuestras Fuerzas Armadas y entre nuestros establecimientos de defensa, sobretudo entre nuestros oficiales de Estado-Mayor. En este sentido, creo que es hora de pensar en la creación de una Comisión de Asesoría Militar que funcione permanentemente junto a la Secretaria General de la Unasur. Dicha Comisión, subordinada a los ministros y a las autoridades civiles, serviría como foro de análisis, intercambio de ideas y de nuestra visión conjunta. Corresponde a los sudamericanos cuidar de la defensa de América del Sur. La defensa no es delegable.

***

Quisiera terminar con una breve reflexión sobre la relación entre defensa y democracia. Nuestros países han experimentado un largo y doloroso proceso de transición política. Hoy día vivimos democracias plenas.

En ellas, la autoridad civil sobre las Fuerzas Armadas es axiomática y no puede ser cuestionada en ningún caso. Asimismo, es esencial valorar el papel de los militares como profesionales abnegados que dedican sus vidas a la defensa de nuestras Patrias y otras tareas vitales para el bienestar de nuestro pueblo.

Hablé aquí de varias dicotomías que caracterizan el mundo de hoy. Termino con una reflexión sobre una dialéctica positiva entre defensa robusta y fortaleza democrática. Reforzar esa dialéctica, en mi opinión, es una de las principales misiones de los ministerios de Defensa de nuestros países.

Muchas gracias.

Segurança internacional:
novos desafios para o Brasil

*Aula Magna no Instituto de Relações Internacionais
da Pontifícia Universidade Católica do Rio de Janeiro.
Rio de Janeiro, 11 de outubro de 2013*

    É uma grande alegria para mim estar entre os jovens. Isso é um fator de inspiração para que o pensamento não se esclerose. É também uma honra proferir esta Aula Magna em um dos principais centros de Relações Internacionais não só do Brasil, mas da América do Sul. Ao lado de outras instituições, como a Universidade de Brasília, o Instituto de Relações Internacionais da Pontifícia Universidade Católica do Rio de Janeiro (IRI/PUC-Rio) teve um papel de destaque na criação e consolidação deste campo disciplinar no Brasil. O Instituto é reconhecido pela produção de conhecimento de qualidade sobre nossa inserção internacional e também pelo estímulo à reflexão crítica sobre o panorama mundial.

***

    Vivemos uma época pontuada por incógnitas e paradoxos. Uma ampla redistribuição do poder mundial, de efeitos em princípio positivos, convive com tendências preocupantes de desestabilização. Dois fatos que vieram a público na semana passada sugerem as dificuldades que alguns desses processos colocam para certas categorias com as quais estamos acostumados a pensar o mundo.

Na segunda-feira, dia 30 de setembro de 2013, um escritor alemão de origem búlgara, que se encontrava em Salvador da Bahia, foi impedido de embarcar em um voo com destino a Miami. Embora seu visto estivesse aparentemente em ordem, ele teve que retornar diretamente para a Alemanha. Na ausência de maiores explicações, essa decisão foi atribuída ao fato de haver ele organizado, há algumas semanas, um abaixo-assinado contra o monitoramento de dados de cidadãos alemães pela Agência Nacional de Segurança dos Estados Unidos.

Um dia antes desse episódio, o Ministro da Defesa britânico declarou que "a Grã-Bretanha construirá uma capacidade específica de contra-ataque no espaço cibernético e, se necessário, de ataque no espaço cibernético, no marco de um amplo espectro de capacidades militares". Essa afirmação foi considerada, pelo *Financial Times*, a primeira vez que uma grande potência faz um pronunciamento público e formal nesse sentido.

Embora os dois fatos sejam bastante distintos, a linha que separa o monitoramento de dados e a guerra cibernética é tênue. De acordo com as informações disponíveis, o número de ocorrências de interceptação eletrônica e telefônica alcança a casa das dezenas, ou centenas, de bilhões. Já as ocorrências conhecidas de ataque cibernético, como os que se abateram sobre a Estônia em 2007 e sobre o programa de enriquecimento nuclear iraniano entre 2009 e 2010, são muito menos numerosas (ao que se saiba).

O monitoramento de dados e a guerra cibernética têm em comum o emprego de instrumentos de altíssima tecnologia para atividades que importam em graves violações de soberania. Quando o objeto do monitoramento vai além da mera observação e visa a tomada de conhecimentos tecnológicos, a fronteira entre a espionagem e a guerra fica ainda mais difícil de ser determinada. Conceitualmente, não haveria diferença, salvo talvez no que diz respeito a danos imediatos, entre um ato de espionagem, de busca de informações econômicas e tecnológicas, e um ataque tradicional para a obtenção de um recurso econômico.

O monitoramento e a guerra cibernética podem alvejar tanto países tidos como hostis ou como ameaças imediatas quanto países amigos e aliados. Já sabemos que esse foi o caso na interceptação de dados. Não se pode excluir que o mesmo ocorra com ataques cibernéticos, provenientes de qualquer quadrante. Essas duas atividades ilustram em tons muito fortes alguns dos novos desafios da segurança internacional.

Não estou falando de algo abstrato. Recentemente, nossos cidadãos, nossas empresas, nossa rede de postos diplomáticos e mesmo a Presidência da República foram alvos de intrusão. E a justificativa de combate ao terrorismo, oferecida para a coleta de informações, é rigorosamente infundada e descabida. Em vista disso, e da ausência de explicações e compromissos adequados, a Presidenta Dilma Rousseff adiou sua visita de Estado a Washington.

A reação do Brasil teve também uma dimensão multilateral. Cito as palavras da Presidenta na abertura da 68ª Assembleia Geral das Nações Unidas, no mês passado: "Este é o momento de criarmos as condições para evitar que o espaço cibernético seja instrumentalizado como arma de guerra, por meio da espionagem, da sabotagem, dos ataques contra sistemas e infraestrutura de outros países".

O desafio aqui não é apenas político, mas também analítico – daí a importância da participação da universidade nessa reflexão. A cibernética tem sido tratada por muitos autores como uma nova dimensão da guerra, para além das dimensões terrestre, naval, aérea e espacial. Também se fala na cibernética como um vasto espaço sem fronteiras, comparável ao mar: um domínio onde não se podem traçar limites fixos, que serve como rota de transporte e como depósito de recursos. A informação seria o principal recurso transportado e depositado na dimensão cibernética.

Como em outras áreas, caso por exemplo do meio ambiente, este tem sido um campo propício para a tese de que os Estados perderiam espaço para atores privados ou não governamentais. É preciso tomar como um grão de sal, porém, as teses que anteveem um declínio do Estado e a ascensão de atores não estatais no campo cibernético. Nos episódios recentes a que aludi, foram ações de Estado que despertaram preocupações em todos nós.

Os armamentos cibernéticos podem ser usados para multiplicar a destrutividade de armamentos convencionais ou para facilitar o seu uso durante um conflito. A infraestrutura crítica de um país pode ser afetada de muitas formas pelos ataques cibernéticos, desde áreas sensíveis da soberania nacional até áreas que podem desorganizar a vida da sociedade, como os sistemas bancário, meteorológico, elétrico ou hospitalar. Embora seja uma ameaça cronologicamente nova, a guerra cibernética parece incorporar-se com rapidez à antiga lógica do sistema de Estados.

David Rothkopf, editor da revista *Foreign Policy*, já sugeriu estarmos entrando em uma nova época de conflito, que chama em inglês de *Cool War*, em oposição à Guerra Fria, ou *Cold War*. Segundo ele, a *Cool War* tem dois sentidos. Por um lado, é menos "fria" do que a Guerra Fria, pois os ataques cibernéticos podem ser desfechados constantemente contra os Estados-alvo, sem que essa ação ofensiva resulte necessariamente na eclosão de uma guerra convencional. Por outro, essa guerra é *cool*, ou "descolada", no sentido que os jovens usam o termo, pois emprega equipamentos de última geração e material humano também de última geração.

A esse propósito, é possível traçar um paralelo entre os armamentos cibernéticos e os veículos aéreos não tripulados, conhecidos em inglês como *drones*: ambos são equipamentos de altíssima tecnologia, que geram poucos riscos humanos e políticos para o atacante; e ambos são passíveis de serem empregados com certo grau de sigilo. Na verdade, os *drones* potencializam uma ameaça que já existia com os bombardeios a grandes altitudes, ditos "de precisão". (Um exemplo que se notabilizou durante a Guerra do Kosovo, no final dos anos 1990, foi um ataque que se destinava a destruir um comboio militar sérvio, mas que, na verdade, vitimou uma caravana de cidadãos kosovares, que a OTAN se havia proposto a proteger.)

Essa assimetria tecnológica em favor dos países desenvolvidos nesses novos domínios militares enfraquece as restrições políticas ao emprego da força e incentiva a impunidade dos agressores. Nos dias de hoje, um dos principais fatores de desestímulo à guerra é receber os corpos embrulhados dos seus concidadãos (os *body bags*). Quando se faz uma guerra à distância, esse desestímulo natural contra o emprego da força tende a desaparecer, ou pelo menos a diminuir muito. A banalização da violência por parte dos detentores dos armamentos de ponta é uma ameaça a se temer.

Esse seria o sentido mais apropriado – e também o mais inquietante – que se poderia dar à expressão "guerra assimétrica", frequentemente empregada na literatura especializada – de forma altamente seletiva – para designar as ameaças priorizadas pelos países desenvolvidos, provenientes de grupos terroristas, pirataria e crimes transnacionais. Em tudo isso há uma ideia de que o conflito entre os Estados seria algo do passado.

No caso específico dos ataques cibernéticos, caberia uma indagação (que faço com espírito acadêmico): não seria este o momento para se pensar em um tratado universal de proibição do "primeiro uso" de armamentos cibernéticos por qualquer país, isto é, um tratado de *no first use*? Aqueles que estão familiarizados com a problemática nuclear sabem que há muito tempo existe essa proposta de se chegar a um acordo sobre o não primeiro uso das armas nucleares. Se nada for feito, o risco que corremos, diante da escalada contínua de arsenais ofensivos é que, em algum momento, venha a ser proposto um tratado que congele as disparidades do poder militar cibernético, nos moldes do que ocorreu com o Tratado de Não Proliferação Nuclear (que distingue entre os *haves* e os *have-nots*).

Do ponto de vista da estabilidade internacional, o monitoramento de dados e a guerra cibernética representam graves fatores de desestabilização. Os desafios colocados pela intrusão revelam o emprego de tecnologias militares *novas* para a perseguição de objetivos estratégicos *antigos* pelas principais potências.

Essa dinâmica de competição exacerba padrões de conflito e tem repercussão para o conjunto do sistema internacional. Os casos do escritor búlgaro-alemão que embarcava para a América do Norte e do cidadão brasileiro David Miranda, detido durante passagem pela Grã-Bretanha, atestam o recrudescimento das barreiras ao livre fluxo de pessoas e os abusos contra a liberdade cometidos em nome da segurança nacional. E a criação de aparatos globais de intrusão e ataque reforça o poderio estratégico das principais potências e acirra a política de poder.

***

Esses novos fatores de instabilidade da segurança internacional juntam-se a outros, presentes há mais tempo no panorama global, como a existência de grandes estoques de armamentos nucleares, as disputas de natureza econômica, como a competição por recursos naturais.

Em seu conjunto – que não me proporei a inventariar –, são esses os motivos de inquietação que contrastam com o auspicioso processo de redistribuição do poder mundial, que mencionei *en passant*, a multipolaridade.

Talvez a principal incógnita desse processo refira-se à possibilidade de que ele conduza a uma ordem multipolar em que a nota dominante seja a cooperação. Ou, em outras palavras, uma multipolaridade submetida a regras efetivamente multilaterais.

Este é, desde logo, um valor pelo qual devemos trabalhar.

A despeito da visão otimista sobre a prevalência da cooperação sobre o conflito na política internacional, que emergiu ao final da Guerra Fria, o conflito segue sendo uma característica do relacionamento entre os países. Como o demonstra a sombra da conflagração interestatal lançada sobre o ambiente até então neutro da cibernética (ao menos na aparência), o conflito não só é persistente como pode ter consequências tangíveis para o bem--estar e a segurança da população.

Essa visão *realista* (no sentido acadêmico da palavra) deve ser bem compreendida. Martin Wight encerra seu clássico livro *Power politics* com uma frase lapidar: "O realismo pode vir a ser algo muito bom: tudo depende de significar o abandono de ideais elevados ou de expectativas ingênuas". Um realismo que não perca o contato com o idealismo é apropriado para a reflexão sobre os dilemas de nossa presença em um mundo em transição.

Todos conhecem bem o fato de que o esgotamento da ordem bipolar da Guerra Fria gerou o que foi chamado por uns de "momento unipolar", e por outros de "ilusão unipolar". No início do século XXI, e especialmente na esteira dos atentados de 11 de setembro, a unipolaridade conheceu seu auge.

Ao contrário do que pretenderam alguns de seus ideólogos, a primazia da superpotência remanescente não gerou estabilidade no sistema. Como a invasão do Iraque em 2003 demonstraria, a extrema concentração de poder – que levou um Ministro do Exterior da França, ainda nos anos 1990, a criar o neologismo "hiperpotência" – era fonte de instabilidade em nível global. Até porque era um incentivo ao uso fácil da força.

O estímulo aos elementos incipientes da multipolaridade foi a resposta que o Brasil e outros países procuraram oferecer aos riscos do desequilíbrio unipolar. A oposição clara à guerra do Iraque e a defesa da integridade do sistema multilateral das Nações Unidas refletiam, sobretudo, no nosso caso, a preocupação com aspectos éticos e de defesa do direito internacional. Não deixou de conter, também, elementos da busca de um melhor equilíbrio do poder mundial.

Daí um esforço de articulação com alguns países que tinham posição igual ou parecida com a nossa nesse tema tão central para a paz e a segurança. Tão logo assumiu o governo, em 2003, o Presidente Lula associou-se aos Presidentes Jacques Chirac, da França, e Gerhard Schröder, da Alemanha, dois líderes da oposição à guerra. Eu mesmo, como Chanceler, procurei unir minha voz à de outros Ministros, como Igor Ivanov, da Rússia, Joschka Fischer, da Alemanha, e Dominique de Villepin, da França, todos críticos da ação unilateral contra o Iraque. (Nossas posições com a China nesse caso não divergiam, mas a China tinha uma atitude mais voltada para seu interesse mais próximo – até então, pelo menos. Sua atitude, por isso, era menos propositiva que a Alemanha, a França e a Rússia.)

Em outras áreas, como o comércio internacional, os países em desenvolvimento buscaram trabalhar pela redução das desigualdades. Por meio de uma coalizão de países em desenvolvimento criada pelo Brasil – o G20 –, defendemos com vigor a liberalização do comércio agrícola no marco da Rodada de

Doha da Organização Mundial do Comércio e impedimos que um acordo ditado pelos interesses exclusivos dos Estados Unidos e da União Europeia fosse imposto aos demais. Na esteira da reunião ministerial de Cancun, de agosto de 2003, países como Índia, Brasil e, mais recentemente, a China passaram a dividir a mesa de negociação com as duas superpotências do comércio.

Criou-se, assim, uma espécie de multipolaridade nas negociações comerciais. Embora as negociações da Rodada de Doha ainda não tenham podido ser concluídas, estou seguro de que o resultado final de qualquer acordo global de comércio não poderá mais ser atingido sem que os interesses dos países em desenvolvimento sejam levados em conta, como ocorria no passado. Vi recentemente, no noticiário, que o compromisso de eliminação total dos subsídios à exportação, que o G20 obteve na reunião ministerial de Hong Kong, em novembro de 2005, ainda é uma baliza nas negociações sobre o futuro da Rodada de Doha.

Desejo destacar duas iniciativas em que países emergentes cooperam diretamente em favor de um mundo mais multipolar, e creio que essas iniciativas têm muito a ver com as preocupações do Instituto de Relações Internacionais. A mais visível delas é o agrupamento BRICS, composto por Brasil, Rússia, Índia, China e África do Sul.

Como é sabido por todos, os BRICS – na época, ainda sem a África do Sul – foram reunidos pela primeira vez em uma nova sigla por um economista do Goldman Sachs em 2001. A passagem de uma sigla do mercado financeiro para um grupo político que busca um papel central na construção de um mundo menos sujeito à hegemonia não é um fato banal. Para aqueles que gostam de filosofia, eu dizia que ele deixou de ser um grupo "em si" e tornou-se um grupo "para si".

Não é óbvio mobilizar as estruturas políticas ou burocráticas de países do peso e da estatura de Brasil, Rússia, Índia e China (os membros originais) em torno de novas iniciativas. No caso do então BRIC, o primeiro gesto foi do Ministro russo Sergei Lavrov, que me propôs que articulássemos um encontro à margem da Assembleia Geral de 2006. Esse encontro, realizado em uma sala acanhada do prédio da ONU, foi um primeiro ensaio, já que o representante chinês se limitou a ler uma declaração. Quanto ao indiano, não era o titular da pasta do Exterior. Quem compareceu foi o Ministro da Defesa, Pranab Mukherjee, que mais tarde se tornaria, sucessivamente, Ministro do Exterior, da Fazenda e Presidente, mas que, à época, não se engajou profundamente na discussão.

No ano seguinte, 2007, ofereci um almoço de trabalho na residência da então Representante Permanente do Brasil junto às Nações Unidas, Embaixadora Maria Luiza Viotti. Foi aí que os ministros tomaram a decisão, sujeita a consultas posteriores, de realizar uma reunião em um dos países-membros do grupo, o que obviamente elevaria o seu perfil.

A primeira reunião de chanceleres ocorreu em Ecaterimburgo, em 2008. No ano seguinte, 2009, realizou-se, também na Rússia, a primeira cúpula presidencial. Esta foi seguida, em 2010, pela cúpula presidencial em Brasília. A partir daí, as reuniões vêm ocorrendo anualmente.

Ao longo desse processo, os assuntos abordados multiplicaram-se e aprofundaram-se, passando a envolver, entre outros, temas sobre economia, energia e clima. Os comunicados conjuntos dos BRICS contêm importantes formulações também sobre temas relativos à paz e à segurança, e referem-se também concretamente a situações de crises, como as da Síria, Líbia e Palestina, que não podem ser desconhecidas pelas demais potências. É de se notar também que, a partir de 2008, os BRICS passaram a coordenar-se de forma muito efetiva no âmbito do G20 Financeiro.

A despeito de diferenças pontuais importantes (a mais notável delas se refere à reforma do Conselho de Segurança), a consolidação dos BRICS representou o fim da época em que duas ou três potências ocidentais, membros permanentes do Conselho, podiam reunir-se em uma sala, acertar sua posição e então fazer declarações em nome da "comunidade internacional". Hoje creio que isso é mais difícil tanto na área econômica, quanto na política.

Na econômica, eu mesmo vivi um episódio curioso, porque, quando começaram essas articulações sobre o G20 Financeiro, eu fiz uma palestra na Sciences Po e disse que o G8 estava morto. Fui criticadíssimo por todos os jornais nacionais. Três ou quatro meses depois, o Presidente dos Estados Unidos disse com palavras talvez mais suaves a mesma coisa, ao afirmar que o G20 tinha se tornado o principal órgão da governança econômico-financeira do mundo.

Tão visíveis quanto as iniciativas dos BRICS, entretanto, são seus críticos. De um lado, costumam argumentar que a heterogeneidade de seus membros dificulta o empreendimento de ações conjuntas. Essa heterogeneidade realmente existe em vários aspectos: dois são membros permanentes do Conselho de Segurança, os outros três são aspirantes a essa condição; alguns têm armas nucleares, outros as recusaram explicitamente. Mas também existem afinidades e, sobretudo, interesses comuns. A recente decisão de criação de um banco de desenvolvimento do grupo parece-me eloquente a esse respeito. Também têm sido importantes as discussões em outras áreas, por exemplo sobre o uso de moedas nacionais em comércio. É preciso lembrar também que, embora com composição um pouco diferente (sem a Rússia), um grupo semelhante, o BASIC, tem um papel decisivo nas negociações sobre o clima.

De outro lado, além dos críticos que apontam para a heterogeneidade dos BRICS e dizem que ele não pode funcionar, há os críticos que acreditam que o grupo funciona, mas de forma negativa. Esses críticos costumam apontar o grupo, com certo alarmismo, como um eixo de oposição ao Ocidente. Não avaliam bem as situações em que os interesses de um país ligam-se ao interesse mais amplo de proteção do sistema. Foi esse, por exemplo, na minha opinião, o caso do papel construtivo desempenhado pela Rússia ao propor a eliminação do estoque de armas químicas da Síria e afastar os riscos de um ataque unilateral imediato àquele país.

O trabalho pelo reequilíbrio do poder mundial não se faz com a renúncia a ideais caros ao Brasil. O Fórum de Diálogo IBAS é a melhor prova disso. (Não falarei aqui sobre a integração da América do Sul, que é objeto de um esforço crucial nesse sentido.) O IBAS é uma aliança entre Índia, Brasil e África do Sul, fundada na identidade democrática, multicultural, multiétnica e multirracial desses três grandes países do mundo em desenvolvimento. Começou a ser articulado já no dia 2 de janeiro de 2003, durante um encontro que mantive com a então Ministra do Exterior da África do Sul, Nkosazana Zuma. Seis meses depois, em junho daquele ano, nossos três países formalizaram sua aliança com a Declaração de Brasília.

Os países do IBAS caracterizam-se pela capacidade de combinar a defesa firme do princípio da não intervenção com a sensibilidade para o apelo universal dos direitos humanos, nos mais variados temas (direitos civis e políticos, sociais, culturais etc.). Isso se deve à experiência histórica de cada um deles na luta contra o colonialismo, o autoritarismo e o *apartheid*. Essa singularidade do IBAS é uma das razões pelas quais cuidei sempre, em meu tempo na chefia do Itamaraty, de preservar a identidade do IBAS em relação à identidade dos BRICS.

Logo que foi criado o IBAS, houve grande interesse da Rússia e da China (e também da União Europeia) de manter um diálogo com esse grupo. Naquela época, ainda chamávamos o IBAS de G3, e havia a ideia de transformá-lo em um G4 (com a Rússia) ou um G5 (com Rússia e China). O IBAS ganhou muita legitimidade, embora menos proeminência na mídia. A criação dos BRICS foi, em certo sentido, a entrada da Rússia e da China no IBAS. Por isso mesmo o esforço de manter a identidade do IBAS.

Desde sua criação, nossas sociedades vêm entabulando um diálogo sustentado em várias áreas. O capital negociador do IBAS pode ser especialmente útil em situações de transição democrática como algumas das que hoje assistimos, e em outras situações de crise no mundo. Costumo citar, como exemplo disso, o fato de que os países do IBAS foram os únicos países em desenvolvimento não islâmicos convidados para a Conferência de Annapolis de 2007 sobre a paz no Oriente Médio. Os próprios Estados Unidos tiveram a percepção sobre esse potencial negociador dos três países e, evidentemente, não os convidaram sem o apoio da Palestina e o consentimento de Israel.

O equilíbrio entre a vertente mais pragmática do BRICS e o vetor humanista do IBAS é indispensável. E – falando de um ponto de vista acadêmico – ajuda a aproximar o realismo do idealismo, à maneira de Martin Wight.

***

A criação de uma multipolaridade com o sustentáculo político-jurídico do multilateralismo é o objetivo último de grupos como o IBAS e o BRICS. Um multilateralismo sem o esteio da multipolaridade pode ser puramente ilusório e limitar-se a refletir, no plano normativo, uma situação de "desequilíbrio unipolar". Foi o que se viu no início dos anos 1990.

O risco de uma multipolaridade sem a âncora multilateral tem sido ilustrado nos últimos anos pelo desrespeito aos princípios da carta da ONU no encaminhamento das crises da Líbia e da Síria. No primeiro caso, o mandato de estabelecimento de uma zona de exclusão aérea para proteção da população civil líbia foi invocado para justificar, em última instância, a derrubada do regime. No caso da Síria, as ameaças de ataque militar unilateral, de consequências imprevisíveis, só não se concretizaram por um misto de circunstâncias parlamentares e diplomáticas.

A multipolaridade se presta, às vezes, a concepções "enviesadas" de multilateralismo. Um professor da Sciences Po forneceu exemplo de uma delas, em artigo publicado – curiosamente – no começo deste mês no *Moscow Times*. De acordo com o raciocínio de Zaki Laïdi: "Quanto maior o número de países com o poder de bloquear ou vetar iniciativas internacionais, tanto mais difícil se torna o multilateralismo – e menos motivados os países dominantes a cooperar".

Essa passagem evoca, de certa forma, o conceito, corrente nos anos 1990, de "multilateralismo afirmativo". Este consistia, em traços gerais, na legitimação multilateral praticamente automática, pelo Conselho de Segurança, de iniciativas quer da superpotência, quer de alguns de seus aliados e por ela endossadas.

Hoje, esse automatismo parece cada vez mais difícil. Diante dessa dificuldade, há aqueles que argumentam que a existência de consenso entre alguns membros do Conselho de Segurança poderia justificar uma ação unilateral por uma "coalizão dos dispostos" (*coalition of the willing*). Um *scholar* norte-americano de Relações Internacionais, Ian Hurd, defendeu há pouco, nas páginas do *New York Times*, essa atitude, a propósito do bombardeio à Síria, argumentando que a intervenção humanitária, mesmo que unilateral, seria não só legítima, mas também legal, tendo em vista uma suposta evolução do direito internacional na matéria.

De modo menos radical, mas com efeitos similares, o Ministro do Exterior francês, Laurent Fabius, propôs, citando o Presidente François Hollande, uma fórmula pela qual o consenso de três membros permanentes – aliado, naturalmente, à maioria dos votos – seria suficiente para desencadear uma ação. Sugeriu, para tanto, um "código de conduta" pelo qual os membros permanentes do Conselho de Segurança renunciariam ao uso do veto em situações de morticínio em massa. Fabius teve, ao menos, o bom senso de excluir dessa proposta situações em que "interesses nacionais vitais" de um dos cinco membros permanentes estivessem envolvidos. Claro que, ao mesmo tempo que revela bom senso, revela o interesse próprio desse país-membro permanente do Conselho de Segurança de não ver os seus interesses afetados ainda que se dê uma situação trágica, como a que ele mencionou.

Não sou avesso a interpretações "criativas" da Carta da ONU. Eu mesmo propus algo que iria na linha da flexibilização do veto. Mas, nesses casos que mencionei, o que importa destacar são as resistências ainda existentes, nos dois lados do Atlântico Norte, à concepção de uma ordem multipolar assentada em uma governança global eficaz e reformada.

Essas reflexões não são estranhas aos desafios colocados pelas novas tecnologias à soberania nacional dos Estados. Sem o lastro de centros independentes nas relações internacionais, será muito difícil articular iniciativas de normatização do emprego das tecnologias de telecomunicação e informação, de nítido uso dual. Uma multipolaridade com o sustentáculo multilateral tem muitos méritos em si mesmo. Um deles é que propiciaria melhores condições para que as novas tecnologias militares de intrusão sejam objeto de regulação internacional, sem as assimetrias do passado.

***

Estamos acostumados a pensar o Brasil como um país pacífico. E, de fato, é motivo de orgulho que, à exceção da Segunda Guerra Mundial, na qual fomos levados a participar por atos de agressão direta, só tenhamos ido à guerra há quase 150 anos. Mas ser um país pacífico não significa ser um país passivo, para o qual tudo serve e qualquer coisa está bem. O Brasil tem uma vocação de defender com vigor seus interesses, mas tem também uma vocação de ser um país provedor de paz. Isso é algo mais que ser um país pacífico.

Prover a paz significa adotar uma postura ativa frente às grandes questões internacionais, e estar disposto a, dentro das possibilidades, contribuir concretamente para a solução das controvérsias. Uma ordem internacional baseada em uma melhor distribuição do poder entre diferentes países e regiões será mais aberta à nossa influência em favor da paz.

Esta é a visão que tem inspirado a inserção internacional do Brasil nos últimos dez anos. E é também minha visão pessoal – que, estou ciente, contrasta com outras visões a respeito da inserção internacional do Brasil.

Poderia identificar ao menos duas outras perspectivas. A primeira é o isolacionismo, uma tendência sempre forte em um país de dimensões continentais, afastado de outras grandes massas territoriais do planeta, onde se situa a maioria das situações de conflito. Essa perspectiva de que "não é conosco", "não é da nossa conta", nos levaria, em última instância, a uma atitude de desinteresse em relação às grandes questões da vida internacional. Eu mesmo, como Embaixador na ONU, comentando a presidência de um comitê sobre o Kosovo que coube ao Brasil exercer, recebi, de Brasília, a seguinte observação: "Mas o Kosovo é muito longe do Brasil; a antiga Iugoslávia é muito longe do Brasil".

E eu me lembrei, a propósito – se me permitem uma excursão literária –, de um livro de John dos Passos, *Manhattan Transfer*, que me impressionou muito. O livro se passa em torno do início da Primeira Guerra Mundial. Um dos seus capítulos começa assim: "Sarajevo. A palavra ficou engasgada na sua garganta". Sarajevo era uma palavra totalmente desconhecida, mas estava impressa em uma manchete de jornal e marcava o começo da Grande Guerra. Obviamente, os problemas do Kosovo, nos anos 1990, não conduziram a nada similar, mas imaginar que esses problemas estão distantes do Brasil é ignorar a natureza global do mundo em que vivemos hoje. E ignorar a história mais remota, caso da Primeira Guerra Mundial, que não chegou propriamente às nossas costas, mas envolveu o país economicamente.

A segunda perspectiva sobre a inserção internacional do Brasil é a da autolimitação, segundo a qual a presença externa do Brasil deve observar os limites traçados por outras potências. O país não poderia, ou não deveria, almejar participar da política global, a não ser marginalmente. Esta perspectiva, que tenho chamado de um "círculo de giz" que nós traçamos ao nosso próprio redor, traduz-se em algumas ideias bastante difundidas.

Uma delas é o conceito de "potências médias", que em certo momento teve o sentido positivo de acentuar certo grau de proatividade, mas que pode ser empregado em um sentido restritivo das possibilidades de atuação de um país com nossas dimensões e características.

Outra é a doutrina da ausência de excedente de poder, proposta originalmente no contexto dos anos 1980, e que seguiu sendo empregada, em contexto histórico diverso, para justificar uma postura acanhada ou mesmo omissa no tabuleiro político internacional. Essa perspectiva da ausência de excedente de poder invoca vários tipos de argumentos, inclusive a existência de desigualdades sociais internas, que impediriam uma atuação internacional mais ativa. Esse argumento desconhece que, por um lado, muitas dessas desigualdades estão sendo enfrentadas com sucesso, e que, por outro, algumas das soluções para os problemas do nosso desenvolvimento passam por uma atitude ativa de defesa de nossos interesses pela criação de uma multipolaridade em fóruns como a OMC, o FMI etc.

A doutrina do excedente de poder assume também formas mais sutis: é o caso daqueles que ressaltam a insuficiência dos meios militares, o chamado "poder robusto", e sugerem que o Brasil concentre sua projeção externa no chamado "poder brando". Esta, entretanto, é uma falsa contradição.

A ideia de que o Brasil deva adotar uma política externa independente e uma política de defesa robusta encontra antecedentes respeitáveis. Nenhum mais representativo do que o Barão do Rio Branco. Há 105 anos, em 1908, ele defendia o fim do ciclo de intervenções e inimizades do Brasil com os Estados vizinhos, e dizia:

> *O seu interesse político [do Brasil] está em outra parte. É para um ciclo maior que ele é atraído (...) entretendo com esses Estados [vizinhos] uma cordial simpatia, o Brasil entrou resolutamente na esfera das grandes amizades internacionais, a que tem direito pela aspiração de sua cultura, pelo prestígio de sua grandeza territorial e pela força de sua população.*

Dois anos antes, em 1906, o Barão já lembrava que a postura pacífica do Brasil devia ser respaldada por capacidades adequadas de defesa militar: "Nosso amor à paz não é motivo para que permaneçamos no estado de fraqueza militar (...) Temos de prover pela nossa segurança, de velar pela nossa dignidade e pela garantia dos nossos direitos que às vezes só a força pode dar".

Em outras palavras, o Barão do Rio Branco acreditava no Brasil, e não apenas como uma potência média ou uma potência sem excedentes de poder. Ele queria inserir o Brasil no mundo, e um dos objetivos explicitados da política de paz e de diálogo na América do Sul era justamente poder ter a liberdade para movimentar-se no tabuleiro mundial. Participar desse "ciclo maior" implicava estar pronto para defender os próprios interesses e compreender que ser pacífico não significa ser desarmado – tampouco passivo.

Hoje, é possível reunir essas diretrizes na ideia de uma *grande estratégia* brasileira, que combina política externa e política de defesa com o objetivo de prover a paz. Do ponto de vista da política externa – e aqui falo naturalmente de minha experiência –, prover a paz significa acompanhar, promover e, quando possível, contribuir para o equacionamento pacífico de controvérsias.

Foi o caso, por exemplo, quando o Brasil e a Turquia negociaram, por solicitação, entre outros, do Presidente Barack Obama, um acordo de construção de confiança com o Irã em maio de 2010. Embora os Estados Unidos tenham depois – por motivos outros, que não me cabe questionar, mas aos quais os objetivos de política interna não eram estranhos – se voltado contra a negociação e trabalhado para que ela não prosperasse, o sucesso que esses dois países emergentes tiveram em obter um acordo com o Irã – que nenhuma outra potência havia logrado – demonstrou a efetividade que novos atores podem emprestar ao anacrônico processo político do Conselho de Segurança (mesmo no formato dos cinco membros permanentes mais a Alemanha, o P5+1).

Longe de ser um fracasso, o acordo tem sido frequentemente citado – inclusive por uma ex-assessora direta da Secretária Hillary Clinton (que foi contra o acordo), a professora de Princeton

Anne-Marie Slaughter – como uma referência útil para a solução dessa controvérsia. Notei, aliás, com agrado que um pesquisador brasileiro tenha percebido a semelhança estrutural entre a Declaração de Teerã, patrocinada por Brasil e Turquia, e as atuais tratativas levadas a cabo pelos Estados Unidos junto ao Irã.

Temos uma presença significativa em operações de paz, no Haiti, no Líbano, e hoje um general brasileiro comanda a Monusco, a maior missão de paz da ONU, na República Democrática do Congo. Esta tem sido uma dimensão importante que reúne política externa e política de defesa, em perfeita sintonia.

Do ponto de vista mais estrito da defesa, o Brasil é um provedor de paz por meio da cooperação em nosso entorno estratégico e com outros países emergentes. A América do Sul é nossa área primordial de cooperação, onde buscamos construir confiança, desenvolver projetos industriais conjuntos e estimular uma identidade regional de defesa, tanto no âmbito da Unasul quanto bilateralmente. Para que o Brasil se projete no "ciclo maior" da política mundial, de que falava Rio Branco, deve estar cercado por um cinturão de paz e boa vontade na América do Sul.

Tomei conhecimento, por isso, com muita satisfação do livro organizado pelo professor Kai Kenkel, com participação da professora Monica Herz, sobre a cooperação especificamente sul-americana na área de missões de paz. E gostaria de dizer que o Brasil está estudando participar da "Brigada Cruz del Sur", uma grande iniciativa criada por Chile e Argentina, que poderia se tornar uma "Brigada ABC" – núcleo, quem sabe, de uma futura "Brigada da Unasul".

Outra área prioritária para a política de defesa é o Atlântico Sul, onde cooperamos com nossos vizinhos da orla ocidental da África por meio da Zona de Paz e Cooperação do Atlântico Sul (Zopacas), e de uma rede crescente de acordos bilaterais. Não estamos falando de algo abstrato: estamos falando da participação concreta do Ministério da Defesa em uma área que até recentemente era quase exclusivamente tratada apenas pela diplomacia. Nesta próxima semana, por exemplo, abre-se em Salvador da Bahia um seminário sobre vigilância marítima organizado pela Marinha brasileira, em cooperação sobretudo com o Itamaraty, naturalmente voltado para os países-membros da Zopacas.

O Atlântico Sul tem uma história e uma dinâmica próprias. Não nos convém importar rivalidades que foram típicas do Atlântico Norte ou que justificaram a formação de alianças militares. Tanto mais que a principal dessas alianças – a OTAN – tem extrapolado o seu mandato original, seja no que se refere à área de cobertura geopolítica, seja no tipo de ação que empreende, passando da legítima defesa (que era sua motivação original) para operações que seriam na verdade de segurança coletiva. Estas, por sua vez, vêm tendo seu sentido ampliado, com a invocação da "responsabilidade de proteger".

É interessante notar, a esse respeito, que o próprio tratado que estabeleceu a OTAN reconhece a "responsabilidade primária" do Conselho de Segurança em matéria de paz e segurança internacional. Assim, ações unilaterais como o bombardeio da Sérvia, em 1999, seriam, nos termos da própria carta da organização, ilegais.

Queremos o Atlântico Sul sempre livre da introdução de armas nucleares e outras armas de destruição em massa e da presença de organizações militares estrangeiras. Temos trabalhado estreitamente com nossos vizinhos de além-mar para incrementarmos nossas capacidades conjuntas de vigilância e exercermos as responsabilidades que temos na proteção do Atlântico Sul. Tem sido crescente o número de convites para que o Brasil participe de ações conjuntas relativas ao Golfo da Guiné, além de outras tradicionais, como a Manobra Naval Ibsamar, do IBAS.

A política de defesa também provê a paz ao estar pronta para dissuadir forças hostis que possam pretender ameaçar ou agredir nossa soberania. Para esse fim, o Brasil está levando a cabo uma série de programas, inclusive nas áreas estratégicas do submarino de propulsão nuclear e da defesa cibernética, com o objetivo de criar as capacidades necessárias para desestimular a interferência em sua soberania.

A necessidade de fortalecimento de nossas defesas cibernéticas (como também a do espaço aéreo, e outros) dispensa maiores comentários. Mas vale enfatizar que só teremos segurança nesse campo se desenvolvermos tecnologias nacionais, tanto em hardware quanto em software, suscetíveis de evitar a existência dos chamados *backdoors*.

No que tange ao programa de submarinos, nunca é demais recordar que se trata de um navio com a propulsão nuclear, em absoluto acordo com nossas obrigações de não proliferação, a começar pela proibição de uso da energia nuclear para fins militar inscrita na Constituição Federal. Por isso mesmo, o nosso Acordo Quadripartite com a Agência Internacional de Energia Atômica menciona explicitamente a propulsão nuclear como um uso legítimo.

Esse programa representará um salto apreciável – e indispensável – em nossa capacidade de vigiar e proteger nossas vastíssimas águas jurisdicionais e as riquezas que elas encerram. Muitas das resistências ao nosso submarino nuclear provêm daqueles que não desejam que o Brasil dê este salto, e, sob variados pretextos, defendem que a nossa Marinha limite-se a ser uma frota de navios-patrulhas. Esse tipo de navio é, obviamente, essencial. Mas não é suficiente para enfrentarmos as ameaças de hoje e do futuro, tanto as assimétricas, quanto as tradicionais. Isto é, tanto a pirataria, o tráfico de drogas etc., quanto a possibilidade de que mesmo rivalidades entre terceiros possam chegar às nossas costas, como ocorreu na Segunda Guerra Mundial.

***

Uma defesa robusta significa termos Forças Armadas aprestadas, modernas e integradas. Significa também termos homens e mulheres altamente qualificados, inclusive com conhecimentos tecnológicos de ponta.

Ao contrário de cem anos atrás, tempo do Barão do Rio Branco, quando o Brasil comprava do exterior praticamente todos seus principais equipamentos de defesa sem a capacidade de nacionalizar sua produção, hoje o desenvolvimento de capacidades autônomas na indústria de defesa é um objetivo fundamental de nossa política. A *Estratégia Nacional de Defesa*, cuja segunda edição foi lançada no ano passado e agora acaba de ser apreciada pelo Congresso Nacional, define três áreas prioritárias desse esforço: a nuclear, a cibernética e a espacial.

A consolidação e a expansão de nossa base industrial de defesa são uma das prioridades do governo da Presidenta Dilma. Uma das suas peças legislativas mais importantes foi a Lei 12.598, de março de 2012, que criou os conceitos de Produto Estratégico de Defesa e de Empresa Estratégica de Defesa. Eles permitirão privilegiar de maneira correta as empresas nacionais nesse campo.

A autonomia absoluta neste campo, como em outros, é obviamente inatingível. A cooperação, bem-concebida e realizada, pode nos permitir saltos. Já falei da cooperação com os vizinhos. A diversificação de parcerias externas é indispensável para o êxito desse esforço. Por isso é importante para o Brasil ter o submarino em cooperação com um país, ter a defesa antiaérea em cooperação com outro, e assim por diante.

O esforço de desenvolvimento de nossas capacidades de defesa é a contraparte necessária das ações externas em prol de um mundo mais equilibrado e multilateral. É esse o sentido de uma *grande estratégia* que conjuga política de defesa e política externa com o objetivo de prover a paz.

Formatura da Turma de 2013 da AMAN

Palavras por ocasião da formatura da Turma de 2013 da Academia Militar de Agulhas Negras. Rezende, 30 de novembro de 2013

Eu queria, em primeiro lugar, dizer que é um grande prazer e uma grande honra voltar à Academia Militar das Agulhas Negras para uma cerimônia tão importante quanto essa. E quero também saudar os pais, mães, familiares, namoradas, amigos e amigas dos aspirantes que hoje se formam na Academia.

É uma ocasião muito especial em muitos sentidos, mas, sobretudo, porque esses jovens que estão diante de nós terminam hoje uma etapa muito importante da sua formação. Uma formação que não se encerra aqui. Nós sabemos muito bem que, nas carreiras de Estado, na carreira militar, essa formação é contínua.

Mas hoje é uma etapa muito importante, porque aqui os senhores aprenderam não apenas matérias técnicas, aspectos importantes das matérias militares, mas aprenderam também a cultivar valores de cidadania, de lealdade, de solidariedade, tudo dentro do espírito de hierarquia e disciplina, que é o que garante a boa organização das forças militares.

E é isso que os faz preparados para grandes desafios. Ainda bem, porque não são pequenos os desafios que os nossos jovens aspirantes – hoje oficiais – enfrentarão. Até porque, o Brasil de hoje não é o Brasil de trinta, quarenta, cinquenta anos atrás.

O Brasil de hoje é um país cuja posição no mundo cresce, é respeitado, é requisitado a participar em várias situações complexas, como no Haiti, no Líbano e muitas outras. Os senhores terão de estar preparados para isso, do ponto de vista militar, da mesma maneira que nossos políticos e nossos diplomatas têm que estar preparados para isso, do ponto de vista do relacionamento político.

Por um lado, nós temos uma grande vantagem em relação ao passado. O Brasil é plenamente democrático, tudo se discute, tudo é objeto de debate, e isso amplia nosso campo de ação intelectual. Por outro lado, gozamos de paz absoluta na nossa região. Como demonstra a presença aqui de estudantes de vários países latino-americanos, vivemos em uma região de paz, uma região de cooperação, uma região onde a cooperação é a maior dissuasão.

Mas nós vivemos também em um mundo complexo, um mundo cheio de incertezas. Um mundo onde temos que estar atentos para as possíveis ameaças à nossa soberania. Seja em busca de recursos naturais, seja em função de outras situações quaisquer.

E isso vai requerer dos senhores não só esse sentimento de patriotismo, tão bem exaltado aqui, mas também um constante aprimoramento, porque os desafios são novos. Não se trata mais só daquelas armas tradicionais, que continuam sendo importantes, evidentemente, mas de áreas totalmente novas, como a cibernética, em que temos que aprender a lidar com fatores até há pouco desconhecidos.

Isso vai exigir dos senhores competência técnica, competência intelectual, além da capacidade de comando e da liderança, tão importantes no desempenho das tarefas militares. Essa carreira que vocês escolheram é uma carreira de muito sacrifício, uma carreira de devoção ao Estado.

Eu também vim de uma carreira de Estado. Vista de longe, as pessoas às vezes só veem o brilho, o lado bonito – que existe realmente. E felizmente. Mas também é sacrifício. Sacrifício para as famílias, as crianças que têm de mudar de colégio, as esposas e os esposos que têm de adaptar-se a situações novas, a cidades novas, muitas vezes até em outros países.

Isso exige um permanente sentido de devoção à causa que foi inicialmente escolhida, a defesa da Pátria, defesa das nossas instituições democráticas. Mas não é só isso. Não é só a defesa contra o inimigo.

O nosso Exército e as demais forças têm executado, por exemplo, uma tarefa muito importante no Brasil; uma tarefa verdadeiramente civilizatória. Há muitos lugares aonde vai o Exército, vai a Aeronáutica e não vai mais ninguém. Há locais em que a presença do Exército é a própria presença do Estado brasileiro. Em alguns lugares, é até mais do que isso. É a presença da sociedade brasileira.

Há lugares em que só as Forças Armadas estão presentes, só o Exército está presente. Então, o Exército cumpre a tarefa de levar o Brasil aonde o Brasil ainda não está totalmente incorporado, totalmente presente, embora ali esteja do ponto de vista formal.

Quero lembrar que, nessas tarefas, obviamente vocês seguirão o exemplo de Caxias, o exemplo de Osório, mas também seguirão o exemplo de Rondon e de outros heróis. Militares como Rondon não são necessariamente sempre guerreiros, mas nem por isso deixam de ser grandes heróis na formação da nossa civilização.

Esse sentido que têm as Forças Armadas e, muito particularmente, o Exército, de organização, de disciplina, de trabalhar profissionalmente pelo país, é fundamental para o Brasil. E é fundamental a gratificação pessoal de cada um de vocês e para cada um dos membros de suas famílias, que continuarão orgulhando-se da escolha que fizeram, como se orgulham hoje. Eu queria dizer-lhes que essa importância é reconhecida pelo Governo.

Eu posso falar de muitos exemplos. Como Ministro das Relações Exteriores, tive o privilégio de conviver com muitos que estão aqui hoje, inclusive o comandante desta Escola no Haiti. Lá eu pude ver o esforço do Exército brasileiro, trabalhando não só para manter a paz e a segurança naquele país, mas para ajudar a construí-lo, trabalhando pelo desenvolvimento do país, da mesma forma que faz no Brasil.

Isso, aliás, é algo que singulariza o papel do Brasil nas operações de paz das Nações Unidas – e por isso nós somos tão requisitados. Essa competência é reconhecida também internamente.

Se me permitem, gostaria de citar três exemplos muito recentes, e todos três ocorridos no Governo da Presidenta Dilma Rousseff. Três cargos importantíssimos foram confiados a profissionais saídos desta Academia: o de Diretor-Geral do DNIT, ao General Jorge Fraxe; no Esporte, na Autoridade Olímpica, um cargo de nível ministerial, ao General Fernando; e a Secretaria Nacional de Defesa Civil, chefiada também por outro general, o General Adriano, conhecido de todos desta grande Instituição que é o Exército brasileiro.

Eu queria dizer a vocês o seguinte: nosso hino fala em paz no futuro e glória no passado. O Hino Nacional – e a atenção foi-me chamada para isso por um ministro de um outro país sul-americano –, diz que o Brasil é pacífico em todos os aspectos (aliás, nosso principal general é conhecido como o Pacificador).

Isso quer dizer que nós não buscamos guerra, nós não procuramos conquistas. Mas arrisco-me a dizer que nós podemos também falar em glória no passado e glória também no futuro. Glória no sentido da construção de um Brasil cada vez mais próspero, mais pacífico, mais independente, mais justo e mais democrático.

Essa é a tarefa que vocês têm diante de si. Conquistem-na com vontade.

Parabéns a todos, parabéns aos familiares, e sejam muito felizes!

Grande estratégia e poder naval em um mundo em fluxo

Palestra por ocasião do centenário da Escola de Guerra Naval. Rio de Janeiro, 24 de fevereiro de 2014

No dia 2 de janeiro, um atentado a bomba em Beirute feriu sessenta pessoas e tirou a vida de pelo menos cinco, entre elas a da cidadã brasileira Malak Zahwe. A jovem Malak, nascida em Foz do Iguaçu, morava com a família no Líbano e estava fazendo compras com sua madrasta em uma loja quando a explosão ocorreu. O atentado enlutou o Líbano mas também o Brasil.

Uma grande comunidade libanesa vive entre nós, e um número crescente de brasileiros reside no Líbano. Temos uma ligação próxima e direta com aquele país. Como nos recordou o bárbaro atentado de janeiro, essa ligação é, acima de tudo, uma ligação humana. Situações trágicas como essa reforçam, no Brasil, a compreensão de que somos parte da sociedade global e que temos um papel a desempenhar nela.

A indiferença frente aos desafios com que nos deparamos no estrangeiro não é mais cabível – se é que algum dia o foi. Basta lembrar como disputas aparentemente distantes, como a questão dos Sudetos tchecos ou a remilitarização da Renânia terminariam por arrastar-nos à Segunda Guerra Mundial. Atitudes isolacionistas, que ainda encontram advogados, revelam não apenas insensibilidade, mas também alta dose de irrealismo.

Temos um interesse claro na paz mundial, e devemos contribuir para preservá-la. Para esse fim, o Brasil deve adotar uma *grande estratégia* que conjugue política externa e política de defesa. Além da proteção de seus interesses, dever fundamental, o Brasil tem também a vocação de ser um país "provedor da paz". Naturalmente, a diplomacia é a primeira linha de defesa dos nossos interesses. Mas ela deve ter sempre o respaldo permanente da política de defesa.

Muito se fala do poder brando nos dias de hoje, desde que Joseph Nye, professor de Harvard e ex-Secretário Assistente de Defesa, cunhou o termo. Trata-se de conceito inovador, que se aplica a muitas características do Brasil. Mas nenhum país afirma-se no mundo somente pela atração de sua cultura e de seus hábitos. Por isso, ao mesmo tempo em que cultivamos e exercitamos o nosso poder brando, tratamos de robustecê-lo. Nosso poder brando (*soft power*), expresso na capacidade de cooperar de forma mutuamente benéfica com outros países, será reforçado por nosso poder robusto (*hard power*), capaz de dissuadir ameaças e de tornar realidade a colaboração com nossos vizinhos e parceiros em matéria de defesa.

A presença de uma fragata da Marinha do Brasil na componente marítima da Força Interina das Nações Unidas no Líbano, a Unifil, é uma ilustração de como o emprego de instrumentos militares pode reforçar a ação diplomática na busca da paz. Em certos casos, esse emprego chega a ser mesmo o principal instrumento dessa ação, como pude constatar não só no Líbano, mas também no Haiti. Apesar das grandes dificuldades que o Líbano vem enfrentando – dificuldades que nos comoveram no trágico atentado do mês passado –, temos hoje a certeza de estarmos cumprindo nossa responsabilidade para com essa nação amiga.

Até há pouco mais de uma década, seria talvez vista como altamente improvável a participação de um navio de guerra brasileiro em operações no Mar Mediterrâneo, um dos mais tradicionais tabuleiros da geopolítica mundial, objeto do primeiro grande tratado teórico sobre a guerra, de autoria do general e historiador grego, Tucídides. Hoje, porém, mesmo críticos do envolvimento brasileiro em questões que seriam distantes, como as do Oriente Médio, não parecem duvidar da importância de nossa contribuição à Unifil. Essa evolução não deixou de guardar relação com os impactos também muito diretos da guerra de 2006 entre Israel e Líbano, na qual sete brasileiros morreram e três mil compatriotas foram evacuados por via aérea para o Brasil, em uma operação coordenada pelo Itamaraty e que contou com o decisivo apoio de nossa Força Aérea.

Nossa participação no Líbano sublinha a importância de refletirmos sobre nossos desafios e de definirmos nossos interesses. Não nos assombramos mais com "círculos de giz", frequentemente traçados do estrangeiro e aceitos por setores de visão curta de nossa opinião pública, que pretendem demarcar os limites da nossa ação. Temos que pensar com autonomia sobre nosso papel no mundo.

A concepção de uma *grande estratégia* autenticamente brasileira resultará de um amplo diálogo público acerca de nossos desafios e prioridades, que já vem ocorrendo e que envolve o Governo, o Congresso, a academia, a imprensa, os setores produtivos e a sociedade de modo geral. A publicação em 2013 do *Livro Branco* e de edições revistas da *Política Nacional de Defesa* e da *Estratégia Nacional de Defesa* é parte desse diálogo. As instituições acadêmicas de excelência, civis e militares, desempenharão, naturalmente, um papel crucial nesse esforço.

Não creio que pudesse haver melhor ensejo para tecer essas considerações do que a comemoração do centenário da Escola de

Guerra Naval, uma das mais antigas e ilustres instituições de ensino de pós-graduação de nosso país. Abordarei, por isso mesmo, alguns desafios e prioridades de nossa *grande estratégia*, procurando dar ênfase ao importante papel que ela reserva para nosso poder naval.

Talvez o traço mais nítido da realidade internacional nos últimos anos seja sua fluidez. Ao mesmo tempo, certas características dessa realidade continuam a existir com todo o vigor. Não há que se deixar enganar por teorias de que, em condições de globalização econômica, os Estados nacionais teriam perdido importância e a soberania se teria tornado obsoleta. Vivemos um tempo de mudanças rápidas, profundas, e que guardam contudo certas ambivalências.

A evolução recente do sistema internacional está intimamente associada a um processo global já discernível no horizonte estratégico: a redistribuição do poder mundial e a alteração da relação entre a superpotência remanescente da Guerra Fria, os Estados Unidos, e as outras potências que com ela cooperam e, ao mesmo tempo, competem. É fundamental que busquemos compreender o significado desse processo para, então, examinarmos algumas dinâmicas internacionais.

Na esteira da crise financeira global de 2008, tomou corpo nos Estados Unidos um amplo debate acerca do suposto declínio de sua posição relativa no mundo. Eu mesmo, quando estive em Harvard por um mês, depois de ter deixado a Pasta das Relações Exteriores, pude assistir a várias discussões e debates em que esse tema do declínio relativo (ou não) dos Estados Unidos era um tema central para os próprios acadêmicos norte-americanos.

Um dos textos desse debate propõe que, após o fim da bipolaridade da Guerra Fria, que opunha as duas superpotências, e da unipolaridade que se seguiu a ela, teríamos passado a viver em um "mundo não polar", em que inexiste um ator hegemônico.

Os Estados mais poderosos nesse contexto deveriam capitanear a confecção de normas globais, reunindo pequenos grupos de atores estatais e por vezes não estatais.

Outra tese fala justamente na incapacidade das coalizões de Estados em gerir a ordem global. O antigo grupo das sete grandes economias industrializadas, o G7, evoluiu rumo ao G8, com a incorporação da Rússia, e daí ao G20, que incluiu as economias emergentes. Alguns autores passaram a achar que, com a gradual dissipação do excedente de poder da superpotência, estariam dadas as condições para um chamado "G-Zero", no qual nem os Estados Unidos poderiam liderar, nem os demais países estariam dispostos a seguir.

Como o poder não é nunca um dado absoluto, e sempre um conceito relativo, a outra face dessa tese é a de que não são os Estados Unidos que estão em declínio, mas outras potências, sobretudo a China, que estão em ascensão. Há amplo consenso de que estaria em curso uma desconcentração do poder nos campos político, econômico e cultural. (E vemos mesmo que, no campo científico e tecnológico, avanços notáveis têm sido feito por alguns países ditos em desenvolvimento; bastaria notar a recente presença na Lua de um artefato chinês, e o fato de a Índia estar enviando, pela primeira vez, um foguete a Marte – tudo isso é motivo de reflexão para nós, no Brasil, que já estivemos emparelhados ou até à frente de alguns desses países.)

Portanto, essa multipolaridade tem-se feito ver nesses vários campos. Entretanto, no campo militar a unipolaridade continua a prevalecer. Basta lembrar que os gastos com defesa nos Estados Unidos superam a soma das despesas nessa rubrica de todos os demais países. Ainda assim, devido a fatores psicológicos e sociais variados, sobretudo o crescimento da aversão às mortes de compatriotas, as margens para a projeção de poder em outras regiões viram-se em parte reduzidas. A exceção é constituída por situações em que a segurança do próprio povo norte-americano foi percebida como diretamente ameaçada, como ocorreu no 11 de Setembro.

Nesse "mundo pós-americano", as instituições internacionais criadas ao final da Segunda Guerra seriam mantidas. Um dos argumentos para que isso ocorra aponta para o fato de que, com a provável superação dos Estados Unidos pela China como a maior economia do mundo nos próximos anos, seria conveniente para os próprios Estados Unidos abandonarem a lógica do excepcionalismo e observarem de forma mais estrita as normas de instituições multilaterais, como as Nações Unidas.

De qualquer forma, essa tendência também traria benefícios para os demais países, ao assegurar certo grau de estabilidade às relações internacionais. Esses benefícios, entretanto, só serão plenos, no caso das nações emergentes, caso a tendência se faça acompanhar de reformas efetivas do processo decisório dessas instituições, a começar pelo Conselho de Segurança da ONU.

Finalmente, outra tese que cabe mencionar diz respeito ao diagnóstico de que o envolvimento político e militar da superpotência em múltiplos conflitos e crises ao redor do globo, consequência da lógica de hegemonia global resultante do fim da Guerra Fria, drenaria recursos que seriam melhor direcionados para a economia interna do país. Ao mesmo tempo, um envolvimento desse tipo contribuiria para fortalecer ainda mais o aparato de segurança doméstica, com possibilidade de interferência com as liberdades individuais de seus cidadãos. Não por acaso, as revelações sobre as atividades da NSA geraram indignação nos Estados Unidos e em outros países, por motivos diversos, bem entendidos. Um menor envolvimento implicaria, por sua vez, uma revisão dos compromissos com vários aliados e, de forma geral, o desengajamento de uma série de teatros de operação.

Um ponto comum a essas teses, todas elas publicadas no âmbito do debate norte-americano, é o reconhecimento de uma tendência de redução, discreta mas com efeitos sensíveis, de algumas das assimetrias que separam a superpotência dos demais Estados. Não há consenso, todavia, sobre quais sejam os efeitos dessa tendência. Seja como for, a redistribuição do poder no mundo gera dúvidas de duas naturezas: a primeira tem a ver com a manutenção do engajamento político-militar da superpotência em diferentes regiões do globo; a segunda tem a ver com as condições para que as regras de convivência internacional continuem a ter eficácia em condições não hegemônicas.

O exame de algumas dessas teses declinistas reforçaria a leitura de que a redistribuição do poder mundial é fenômeno complexo, de alcance ainda imprevisível. Por ora, não é possível dizer se o novo ordenamento pós-unipolar se consolidará como uma multipolaridade, isto é, uma distribuição do poder mundial entre um certo número de Estados, em relativo equilíbrio, ou tomará a direção, para nós preocupante, de uma nova bipolaridade, desta vez entre os Estados Unidos e a China.

Olhando o mundo do nosso ângulo e, com o indispensável realismo, parece certo afirmar que ainda persistirá por algum tempo, senão a realidade unipolar, ao menos uma *mentalidade unipolar*. Um exemplo disso foi dado há pouco por um analista de relações internacionais do Brasil, que, a propósito da recente recuperação da economia norte-americana, disse vislumbrar para os próximos anos um cenário de incontestável hegemonia dos Estados Unidos.

O aspecto mais preocupante dessa "mentalidade unipolar" é que ela não é puramente descritiva ou analítica, mas traz embutido um elemento prescritivo do tipo "temos que aceitar a realidade e nos adaptar a ela". Em outras palavras: caberia ao Brasil continuar a desempenhar um papel secundário no cenário global, submetendo-se à estratégia da potência dominante e buscando, no máximo, extrair vantagens de uma associação subalterna.

Igualmente perigosa é a equiparação entre hegemonia e estabilidade. Na visão "hegemonista", a estabilidade seria garantida por uma certa "dominação benigna". Como a década passada demonstrou, a tese de que a hegemonia gera estabilidade é falaciosa. A invasão do Iraque e a subsequente desestabilização da precária ordem do Oriente Médio, em sentido contrário aos interesses da própria superpotência, inclusive com a expansão do terrorismo, são testemunho eloquente de que a hegemonia gera insegurança.

Tucídides, em sua magistral narrativa da guerra entre os povos helênicos, compreendia perfeitamente esse ponto. Logo no começo da *História da Guerra do Peloponeso*, o grande general e historiador ateniense explicava que a origem do conflito foi o alarme gerado em Esparta pelo excessivo acúmulo de poder em Atenas. Em outra parte da obra, Tucídides faz um esclarecimento de importância transcendente sobre o assunto e válido até os dias de hoje. Cito: "Não culpo aqueles que desejam dominar, mas sim aqueles que se submetem muito rapidamente. É tão próprio da natureza do homem dominar aqueles que se submetem a ele, quanto o é resistir àqueles que o atacam".

Essas palavras aplicam-se com muita propriedade quando se busca explicar a oposição de vários Estados ao ataque ao Iraque em 2003. Nesse caso, a essas motivações, somava-se ainda a preocupação com a integridade do sistema normativo da Carta das Nações Unidas, o qual proscreve o uso da força sem a autorização prévia e explícita do Conselho de Segurança. A perspectiva histórica lança uma luz adicional à razão por que o Brasil passou a trabalhar incansavelmente, a partir da posse do Presidente Lula – embora o fizesse também no passado, mas eu posso falar mais do período em que eu chefiei a diplomacia –, para estimular os incipientes elementos da multipolaridade do mundo contemporâneo. (Desnecessário dizer que motivações econômicas, culturais e humanas também estiveram presentes, em graus diversos, nesses esforços.)

Por que, para o Brasil, a multipolaridade é mais benigna do que a unipolaridade e a bipolaridade? Já falei um pouco sobre a unipolaridade e a hegemonia; a bipolaridade teria que ensejar novos raciocínios, que não faço aqui, mas não é difícil voltar ao tempo da Guerra Fria e ver as dificuldades de toda ordem que ela colocava para os países.

O objetivo de estimular a multipolaridade foi buscado em diferentes frentes, como a alta prioridade atribuída à integração da América do Sul; o pleito pela democratização das instâncias decisórias das Nações Unidas e, em especial, de seu Conselho de Segurança; a busca de maior justiça nas negociações comerciais, tanto na Organização Mundial do Comércio quanto na proposta de uma área de livre comércio hemisférica; e a articulação com novos parceiros do mundo em desenvolvimento, como os membros do IBAS e dos BRICS, mas também em países árabes e africanos.

Quero dizer que a Marinha é seguramente parte desse esforço, em manobras como o Ibsamar, com a Índia e a África do Sul, em sua presença no Líbano, no caso dos países árabes, e em sua intensa cooperação (cada vez mais intensa) com os países africanos, a que me referirei à frente, sem falar em sua participação na integração sul-americana.

O Governo da Presidenta Dilma Rousseff manteve essas diretrizes e segue empenhado na construção de uma multipolaridade caracterizada pela nota predominante da cooperação. A multipolaridade, baseada em normas multilateralmente aceitas, oferece as condições mais permissivas para que o Brasil defina com autonomia os seus interesses e leve a efeito uma *grande estratégia* que inclua a dimensão de ser não apenas um país pacífico, mas um país provedor de paz.

Atravessamos um período de transição entre a mentalidade unipolar, o risco da bipolaridade e a promessa da multipolaridade. É contra esse pano de fundo que poderemos examinar quatro das áreas dinâmicas da evolução internacional recente. Em cada uma delas, o macroprocesso de redistribuição do poder mundial é um dos fatores que move a transformação. O declínio da unipolaridade, que também pode ser compreendido como a ascensão de novas potências, gera incertezas quanto à continuação do engajamento da superpotência em diferentes partes do mundo e quanto à eficácia das regras de convívio internacional. São essas as duas importantes variáveis para a compreensão do que está em jogo em diversas situações de potencial conflito.

A primeira dessas situações refere-se às disputas sobre territórios marítimos ricos em recursos naturais na Ásia, em que diferentes Estados pleiteiam a extensão de suas jurisdições sobre espaços que se superpõem. Temos assistido a uma competição que envolve potências regionais, como a China, o Japão, a Coreia do Sul, as Filipinas, o Vietnã e a Índia, e potências extrarregionais, como os Estados Unidos. Alguns dos desacordos entre elas remontam à Segunda Guerra Mundial. Outros dizem respeito ao alcance da política de "desenvolvimento pacífico" da China.

A evolução recente nessa área indica, em primeiro lugar, um esforço do Governo norte-americano em reorientar seu engajamento político-militar, no chamado "pivô para a Ásia". Muito antes de revelar um declínio, a presença norte-americana parece estar em vias de ser incrementada nessa região, com o correspondente reforço de um sistema de alianças bilaterais e demonstra a complexidade dessas situações, que ora parecem demonstrar-nos um declínio relativo, ora, em certas regiões, parecem revelar uma maior presença da superpotência.

Em um editorial recente, o *Wall Street Journal* apoiava as medidas do governo japonês na direção de maior flexibilidade no emprego de sua força militar e cobrava a formação de uma aliança de democracias na Ásia para contrabalançar – são palavras do editorial – a ascensão chinesa. (É talvez digno de nota que, durante a Guerra Fria, o princípio democrático nem sempre tenha sido suficiente para aproximar, na Ásia, democracias como os Estados Unidos e a Índia.) Houve mesmo um analista norte-americano que, partindo do pressuposto de que no futuro poderemos assistir a guerras restritas ao âmbito naval, sem afetar significativamente as populações civis em terra, discorreu sobre as supostas vantagens de uma escalada de tensões no Mar do Sul da China.

A ausência ou insuficiência na Ásia de mecanismos de criação de confiança, promoção de transparência e definição de regras comuns de conduta é um fato ponderável na análise da evolução futura daquela região. Aqui se coloca também a questão do direito do mar. A anuência universal aos princípios consagrados na Convenção das Nações Unidas sobre o Direito do Mar tem interesse direto para o Brasil. A iniciativa do Governo Obama de obter a ratificação da Convenção da Jamaica merece aplausos do Brasil. Representaria um reforço do sistema multilateral e um bem-vindo afastamento, nessa área, da lógica do excepcionalismo. Infelizmente, até o momento a iniciativa não logrou êxito.

A segunda área de grande dinamismo – não necessariamente em sentido positivo – na realidade contemporânea é o Oriente Médio. Despontaram, nos últimos anos, inquietações acerca do futuro do *status quo* territorial criado pelo famoso Acordo Sykes-Picot, entre a França e a Grã-Bretanha, prevendo o fim do Império Otomano já no final da Primeira Guerra. A possibilidade de que o mapa do Oriente Médio, tal como o conhecemos, deixe de existir é vista com apreensão.

Na África, o entendimento aceito pela União Africana de que as fronteiras coloniais seriam preservadas tem sido, em geral, respeitado. Não existe, no Oriente Médio, consenso equivalente. Daí a preocupação com possíveis movimentos secessionistas ou com a desintegração pura e simples de certos Estados, com tudo o que isso implica de surgimento de movimentos terroristas ou outros movimentos contestatórios da paz mundial.

A explicação das raízes desses conflitos não se presta a simplificações. Fatores de ordem estratégica mesclam-se com interesses por acesso a recursos naturais e acentuam clivagens étnicas ou religiosas. A Síria tem sido um microcosmo dessas tensões. Até agora, o engajamento militar direto dos países ocidentais pôde ser evitado, apesar de muita retórica intervencionista unilateral, e aliás não só dos países ocidentais. O acordo patrocinado pela Rússia e apoiado pelos Estados Unidos em setembro de 2013, que prevê a destruição do arsenal químico sírio foi um sinal encorajador do espaço aberto à diplomacia. É comum ouvir-se, no caso da Síria, o conhecido refrão de que não há solução militar para o conflito. Ao mesmo tempo, o comportamento das potências, armando um ou outro lado da guerra civil, contrasta com essa propalada convicção pacifista – e isso é verdade de todos os lados do conflito.

A desestabilização causada na Líbia e em todo o Norte da África pela intervenção militar anglo-franco-americana contra o regime Gadafi, em 2011, deve ser recordada. Embora a interferência externa no conflito sírio não tenha alcançado, por enquanto, proporções similares, é preciso registrar que a conflagração naquele país já transbordou para países vizinhos, como ficou claro no atentado em Beirute que vitimou nossa compatriota Malak Zahwe. Crises como a da Síria exigem uma postura de não intervenção, de respeito às regras da ONU e de trabalho conjunto com todas as partes interessadas que possam ter uma influência, inclusive – no caso – o Irã.

O que quero indicar é que, ao contrário do que muitas vezes vemos ser defendido, a intervenção estrangeira é um remédio que costuma atacar o paciente, e não a doença. A situação do Iraque pós--2003, ameaçado por conflitos étnico-religiosos e pela proliferação de grupos terroristas, apesar dos esforços do governo de Bagdá, tem sido uma triste demonstração disso.

Uma terceira situação que demonstra essa fluidez crescente na realidade internacional contemporânea é constituída pelos vastos espaços localizados fora ou nos limites da jurisdição nacional dos Estados soberanos, caso das profundezas oceânicas, das altas latitudes e do espaço sideral. Tenho em mente, especificamente, os leitos marinhos, dotados de riquezas ainda por conhecer. Essas áreas não estão livres de pretensões de controle hegemônico (e quando eu digo hegemônico não falo aqui de uma única superpotência) em detrimento de direitos de Estados costeiros ou da exploração segundo regras multilaterais de conduta.

A abertura de novas rotas e as possibilidades de exploração no Ártico deram ímpeto à discussão do assunto. Um editorial do *Financial Times* observou, sobre aquela região, que, "por enquanto, a contenda por recursos permanece polida. Mas isso pode não durar, se as descobertas passarem à frente das regras do jogo". Esse risco não se limita ao Ártico. Michael Klare, um especialista na área energética, usando tons mais fortes, afirma que a luta dos Estados-nação por recursos tende a acirrar-se. Diz ele: "aqueles que mantiverem o acesso a suprimentos adequados de materiais críticos prosperarão, enquanto os que não puderem fazê-lo passarão por grandes dificuldades e entrarão em declínio. A competição entre as várias potências será, portanto, implacável, impiedosa e cruel".

Esse prognóstico torna-se mais inquietante quando se sabe da perspectiva real de que, em poucos anos, alcancem-se as condições tecnológicas para a mineração nos fundos marinhos. Os avanços já realizados na exploração do petróleo a grandes profundidades, área em que exercemos liderança, compõem esse quadro. Cito aqui a avaliação de um estudioso russo, Andrey Baklanov, para não ficar apenas com os norte-americanos:

> *A rivalidade pelo controle sobre os mares e as plataformas continentais nunca foi interrompida. A partir dos anos 1980, mecanismos legais internacionais como a Autoridade Internacional dos Fundos Marinhos (ISBA e etc.) começaram a ser usadas no contexto dessa rivalidade. Contudo, uma nova situação começa a tomar forma nessa área hoje, pois países começam a se aproximar do ponto em que o desenvolvimento tecnológico lhes permitirá explorar em larga escala esses espaços. Por isso, se os países não lograrem completar os esforços de definir (...) normas legais internacionais, comuns a todos, para os usos econômicos desses 'novos espaços', um conflito de monta pode ser deflagrado (...) após 2018 ou 2020. O escopo das atividades (...) para estabelecer uma 'cabeça de praia' nessa confrontação aumentará significativamente no futuro próximo, alterando o vetor da corrida armamentista e a alocação dos gastos de defesa entre as forças armadas (...) A ênfase passará a ser dada (...) para o desenvolvimento e teste de novos tipos de armas para uso na luta pelos mares e pelas altas latitudes.*

Longe de mim um discurso belicista; apenas quero chamar a atenção para o fato de que existem essas ameaças, que nós devemos estar preparados para enfrentá-las, e que esse preparo para enfrentá-las é a melhor maneira de contribuir para um mundo estável e pacífico. Mesmo que haja algum exagero nessas previsões, não há que descuidar do tema. As enormes reservas de petróleo que o Brasil detém na camada do pré-sal no Atlântico Sul, em águas jurisdicionais brasileiras, mas também o potencial de exploração da crosta cobaltífera na Elevação do Rio Grande, em área adjacente à nossa jurisdição, nos torna um Estado diretamente interessado no bom ordenamento do tema. O mesmo pode ser dito de nossa presença pacífica na Antártida. A observância e desenvolvimento das normas de conduta consagradas pela Convenção do Mar e da ISBA serão elementos decisivos para que a dinâmica nesse campo mantenha-se pacífica.

A quarta e última área a que gostaria de fazer referência é a da cibernética. A tendência principal aí parece ser também a do engajamento com fins econômicos e militares por parte das grandes potências. Por estar ainda em seus princípios, a guerra cibernética ainda não é um fenômeno plenamente conhecido. Indaga-se já, porém, em analogia com as concepções vigentes à época da Primeira Guerra Mundial, se não se está criando um "culto da ofensiva cibernética".

Essa impressão é reforçada por iniciativas como a tomada, no fim do ano passado, pelo Reino Unido, no sentido de desenvolver capacidades de ataque no campo cibernético. A abordagem franca do tema pelo Ministro britânico causou grande repercussão. Mas – justiça seja feita – certamente o Reino Unido não é o único a tomar este caminho. Apenas, talvez, seu Ministro tenha sido mais cândido (no sentido anglo-saxão do termo) do que costumam ser os ministros da Defesa.

O caso do vírus Stuxnet, que atacou o programa nuclear do Irã, deve ser estudado com cuidado, ainda mais quando se conhece a tendência, em certos círculos, de estender o conceito e o alcance da não proliferação para o de "contraproliferação". Países como o Brasil não podem ficar indiferentes aos sinais de que essas linhas de pensamento venham a prevalecer.

Segundo Thomas Ricks, novas tecnologias de guerra como a cibernética, mas também os veículos aéreos não tripulados, apagarão as distinções tradicionais entre "guerra" e "paz", "militar" e "civil", "estrangeiro" e "doméstico" e "nacional" e "internacional". Segundo ele, "com mais e mais Estados desenvolvendo tecnologias que lhes permite 'alcançar o interior' de outros Estados com riscos imediatos relativamente pequenos [para o Estado atacante], a natureza e o significado da soberania está sendo transformado". (É interessante notar que essas observações sobre a cibernética de certa forma desmentem uma afirmação que fiz antes em relação à guerra tradicional em termos de aversão a vítimas havia tornado ataques menos prováveis. A cibernética inverteria, de novo, essa lógica.)

As revelações de interceptação eletrônica e telefônica no Brasil por parte de serviços de espionagem ocidentais dão testemunho de como a soberania está, de fato, sujeita a novas formas de intrusão, que nos cabe repelir, no plano diplomático, das quais temos que nos proteger, no campo da defesa. Os esforços capitaneados por Brasil e Alemanha de estabelecer um quadro normativo global que proteja a privacidade dos cidadãos e a segurança dos Estados inserem-se nesse contexto.

Também é preciso ter presente o nexo que associa a competição por recursos naturais às intrusões eletrônicas em nossa soberania. Não é à toa que a Petrobras e o nosso Ministério de Minas e Energia foram alvos da espionagem digital. E, certamente, neste caso, as explicações que associam a coleta indiscriminada de dados com o combate ao terrorismo não têm nenhum fundamento.

Mais amplamente, o que vai surgindo no horizonte é a possibilidade de que se instaure um estado de beligerância permanente entre países adversários, até porque as fronteiras entre a espionagem e a guerra não são definidas com precisão. Não quero afirmar que isso vá ocorrer, mas há um risco de que isso ocorra. Para David Rothkopf, editor da revista *Foreign Policy*, trata-se de um novo tipo de guerra, que chama em inglês de *Cool War*, por oposição à *Cold War*. Ao passo que na Guerra Fria a destruição mútua assegurada pelas armas nucleares evitava que as superpotências se atacassem, nessa nova guerra, um pouco mais 'quente' que a anterior, cada contendor poderia ser capaz de "atacar constantemente, sem desencadear uma guerra aberta".

Em que pese à grande dianteira desfrutada nesse ramo pelos Estados Unidos e por alguns outros países, esta é uma área ainda altamente em fluxo, cuja configuração final está longe de ser alcançada. Tenho comentado que seria interessante refletirmos sobre a necessidade de um tratado que proscreva o "primeiro uso" de armas cibernéticas – ou no linguajar das negociações de desarmamento nuclear, um tratado de *no first use*. Não ignoro as complexidades da verificação de um tratado desse tipo, mas teríamos que as enfrentar.

Este pode ser um elemento de estabilização, sem prejuízo do desenvolvimento de capacidades dissuasórias. Esse ponto de vista é corroborado pelos autores de um artigo acerca do "culto da ofensiva cibernética", para quem – e cito – "a lição mais importante que os pesquisadores aprenderam no balanço tradicional de ataque e defesa – e agora na segurança cibernética – é que a melhor defesa [não é o ataque, mas sim] uma boa defesa. Independentemente de quem tenha a vantagem, qualquer passo que aumente as capacidades da defesa tornam mais difícil a ofensiva, e limita os incentivos iniciais para ataques".

O denominador comum das tensões territoriais na Ásia, dos riscos de fragmentação no Oriente Médio, da rivalidade nos fundos marinhos e da militarização do espaço cibernético, entre várias outras áreas em fluidas do sistema internacional, é o potencial de se alastrarem globalmente, inevitavelmente afetando o Brasil no processo. Alguns desses fatores de tensão estão, naturalmente, mais distantes de nós, enquanto outros inspiram cuidados mais imediatos. Todos têm, contudo, repercussão sistêmica, e podem ser fatores de vulnerabilidade para os interesses brasileiros. Têm, ademais, implicações diretas ou indiretas para nosso poder naval.

Eles nos recordam da importância de que levemos a bom termo o pleito, no âmbito das Nações Unidas, de extensão de nossa plataforma continental, de modo a assegurar nossos legítimos direitos no Atlântico Sul. Esses novos focos de potencial conflito fazem-nos pensar na importância de que as regras de exploração dos fundos marinhos sejam fortalecidas, ao mesmo tempo em que devemos estar vigilantes contra sua militarização.

Recordam-nos ainda do papel das instituições tecnológicas militares de excelência, como o Centro de Análise de Sistemas Navais – que foi chefiado pelo Almirante Garnier, hoje Diretor da Escola de Guerra Naval –, e da necessidade de fortalecer os sistemas de comando de nossas Forças contra ataques cibernéticos. Devemos fazê-lo de forma coordenada, respeitando as diretrizes da *Estratégia Nacional de Defesa* e buscando libertar--nos de vulnerabilidades inerentes aos *softwares* proprietários e aos equipamentos de origem não nacional. Obviamente, não poderemos produzir no Brasil tudo de que precisamos, mas temos que compensar as eventuais dependências remanescentes com medidas do tipo de criptografia que minimizem a penetrabilidade de nossos sistemas. A cooperação que se vem desenvolvendo entre a Marinha e órgãos como o Serpro e a Finep (por exemplo no caso dos roteadores) aponta na direção certa.

No momento em que completa seu centenário, a Escola de Guerra Naval vê-se diante de um amplo conjunto de tarefas para suas próximas décadas. Caberá à EGN contribuir para a reflexão sobre os desafios da *grande estratégia* brasileira e, em especial, sobre os desafios presentes e futuros para o poder naval. Temos que ser capazes de refletir sobre nossa circunstância e de conceber estratégias para nos proteger frente a essas e a outras fontes de tensão internacional. A melhor diretriz para esse esforço é a autonomia, no pensamento e na ação.

Quero fazer referência a um notável professor desta Escola, o Vice-Almirante Armando Amorim Ferreira Vidigal. Em seu estudo sobre a *Evolução do pensamento estratégico naval brasileiro*, o Almirante comenta o que qualificou como uma nova forma de conceber e orientar as ações do Brasil no campo naval. Rejeitando a ideia de subordinação do Brasil a quaisquer esferas de influências, ele constatava a tomada de consciência sobre a necessidade de que o Brasil "orienta[sse] as suas ações mais à luz dos interesses nacionais específicos e menos sob o influxo de conceitos genéricos como os de defesa coletiva do hemisfério".

Desde o fim da Guerra Fria, muitos outros conceitos genéricos foram-nos apresentados. Recordo, por exemplo, a ideia, difundida nos anos 1990, de uma certa divisão de trabalho hemisférica, em que as forças armadas latino-americanas se dedicariam mais ao combate à criminalidade e ao tráfico de drogas, deixando a cargo da superpotência os assuntos próprios da paz e da guerra. Mais recentemente, o projeto de construir um submarino de propulsão nuclear – projeto que temos sustentado com vigor – para defender nossos interesses na Amazônia Azul tem ensejado discussões desinformadas ou despropositadas, que minimizam a importância de instrumentos de negação do uso mar. Há poucas semanas, um pesquisador do Council on Hemispheric Affairs pôs em dúvida a necessidade de que tenhamos um navio-aeródromo. De acordo com ele, a necessidade de mantermos o *São Paulo* seria – e cito – "altamente discutível", pois seria "duvidoso que o país enfrente qualquer ameaça significativa de segurança, como uma guerra com outra nação, no futuro próximo". Em outras palavras, caberia à nossa Marinha o papel de guarda costeira.

Como esses breves exemplos indicam, são frequentes as tentativas de desviar-nos da consideração do interesse nacional. Obviamente, tais conceitos não são fruto de análise acadêmica desinteressada, mas indicam cursos de ação que deixariam inalterada ou, pior, agravariam nossa dependência.

O adequado equilíbrio do poder mundial é a condição fundamental da paz. Esse é o preceito elementar da *grande estratégia* do Brasil, que combina poder brando e poder robusto na busca de prover a paz. Cumpre-nos estar adequadamente capacitados para defender nosso território, nossa população e nossos interesses.

E este é um firme compromisso do Governo da Presidenta Dilma Rousseff, que está atento às necessidades humanas e materiais das Forças, embora estejamos conscientes de que muito resta por fazer. O avanço no programa de submarinos da Marinha (o PROSUB), a criação do centro de defesa cibernética do Exército (o CDCiber) e a aquisição das novas aeronaves de combate da Força Aérea (o Projeto F-X2) são marcos históricos da modernização da Defesa do Brasil. O mesmo deve ser dito da reorganização do parque industrial de defesa brasileiro, coordenada pelo Ministério da Defesa, com ênfase no incentivo à indústria nacional e, em certa medida, à sul-americana. O objetivo dessas e de muitas outras medidas é garantir ao Brasil a posse, com domínio tecnológico, das capacidades necessárias para dissuadir no mar, em terra e no ar ameaças e agressões que possa vir a sofrer a qualquer tempo e originadas em qualquer quadrante.

Para defender, não basta dissuadir. É preciso também cooperar. Esse é o principal objetivo da política de defesa no entorno estratégico brasileiro. Com os vizinhos da América do Sul, vamos aprofundando a confiança, a transparência e a visão comum dos objetivos de defesa, bilateralmente e por meio do Conselho Sul-Americano de Defesa, que acaba de realizar uma nova reunião no Suriname. A defesa da América do Sul é uma responsabilidade dos sul-americanos. É importante que a Marinha aprofunde e estenda a cooperação tradicional que já tem com suas congêneres sul--americanas e latino-americanas. Devemos levar essa cooperação a novas áreas, como as da indústria e da alta tecnologia, bem como a países que, até há pouco, não estavam, por assim dizer, no nosso radar, como a Guiana, o Suriname e as nações do Caribe.

Também são dignas de elogio a cooperação que temos prestado à formação da guarda costeira e à capacidade naval de Cabo Verde e a assessoria que a Marinha está dando à União Africana, no que diz respeito à segurança marítima. Com os vizinhos do além-mar, na orla ocidental da África, vamos trabalhando em temas de interesse comum e fortalecendo a compreensão de nossa responsabilidade conjunta pelo Atlântico Sul. Felicito a Marinha por ter sido pioneira na cooperação com a Namíbia e por fazer-se presente nas discussões e exercícios relativos à segurança no Golfo da Guiné. E não é apenas por solidariedade, mas por interesse direto do Brasil, porque por lá passa boa parte do nosso suprimento de petróleo. Por meio da Zopacas, unimos esforços para que nosso oceano seja uma zona de paz e cooperação, livre de armas nucleares e de todo tipo de rivalidades estranhas ao nosso entorno. E mais uma vez congratulo-me com a Marinha do Brasil pela realização do seminário da Zopacas sobre vigilância marítima e busca e salvamento, em Salvador, em outubro do ano passado.

O entendimento realista das necessidades de defesa do Brasil no mundo tem precursores insignes. Foi com grande presciência que Rui Barbosa, em obra de 1896, ponderou que "a paz é a cláusula essencial do nosso progresso. Mas (...) a primeira condição da paz é a respeitabilidade, e a da respeitabilidade a força (...) A oliveira é cultura efêmera nas costas de um país indefeso". Seu pensamento continua a servir de bússola em um mundo em transformação e cheio de incertezas. Nosso grande estadista, que também era um pacifista, como demonstrou na Conferência da Haia, compreendia que uma Marinha moderna e adestrada era indispensável à paz e ao progresso do nosso país. Em suas palavras, "O mar, que na paz nos enriquece, na guerra nos ameaça". Por isso, Rui Barbosa concluía seu texto com uma grave advertência: "O oceano impõe deveres". (Devo dizer que também os rios, no nosso caso.)

Estou seguro de que a Escola de Guerra Naval se desincumbirá daqueles deveres que lhe caberão em seu próximo século.

Brasil e Moçambique, parceiros na defesa

Palestra no Instituto Superior de Estudos de Defesa. Maputo, 20 de março de 2014

É para mim uma imensa satisfação estar de novo em Maputo, a convite do Ministro Mondlane – com quem mantive proveitosa reunião esta manhã –, e falar para um público tão qualificado como o deste Instituto Superior de Estudos de Defesa.

A criação deste Instituto traduz um propósito do Governo moçambicano que nós brasileiros também compartilhamos: o desenvolvimento de um pensamento estratégico nacional autônomo. Nossos países devem fortalecer cada vez mais sua capacidade de reflexão sobre a realidade internacional e sobre os desafios para a defesa de suas soberanias.

Um pensamento autônomo é indispensável para uma postura soberana no mundo. Se colocarmos as questões certas sobre a realidade, ainda assim podemos errar. Mas quando colocamos as questões erradas, não há hipótese de acertarmos.

Hoje, quero dar-lhes uma visão brasileira de algumas das grandes tendências da política mundial e dizer-lhes da importância que parcerias estratégicas como esta entre Brasil e Moçambique têm para um mundo mais seguro.

A realidade internacional contemporânea tem sido profundamente impactada por três crises de alcance global: a crise energética, a crise alimentar e a crise ambiental. Essas crises são fatores de instabilidade que geram efeitos – por vezes sobrepostos – em diferentes regiões e continentes do globo.

Talvez o palco mais conhecido da crise energética seja o Oriente Médio. A competição pelo acesso às fontes de energia não renovável, como o petróleo, está na raiz de alguns dos mais sensíveis conflitos daquela região. O mesmo poderia ser dito sobre a disputa milenar naquela região pelas fontes de água doce. (A nossa Embaixadora Ligia Scherer, que foi representante do Brasil na Palestina, conhece bem essa situação.)

A volatilidade dos preços de alimentos, por sua vez, contribui para a instabilidade crônica que afeta países em diferentes partes do globo. Recordo-me de como, no ano de 2007, tanto o Haiti, no Caribe, quanto São Tomé e Príncipe, no Golfo da Guiné, foram vítimas da instabilidade política devido à insatisfação popular pela carestia dos alimentos. Paradoxalmente, em pelo menos um desses casos, o Haiti, o país tinha sido encorajado a deixar de produzir o alimento que agora lhe fazia falta. No caso de São Tomé, a mudança da dieta alimentar produziu situação semelhante.

As mudanças do clima também têm sido um fator de tensões, em função de seus efeitos sobre a ocupação do espaço pelo homem ou de produção econômica. Algumas análises já têm apontado, por exemplo, o risco de que, com o degelo em curso no Ártico, a competição pelo controle de recursos e de rotas de transporte marítimo naquela região se acirre. Claro que o Ártico parece muito longe de nós, mas ele pode – sobretudo se envolver grandes potências – afetar rotas marítimas próximas de nós.

A *Política Nacional de Defesa* do Brasil leva em conta a possibilidade de intensificação das disputas pelas fontes de água doce, alimentos e energia. A instabilidade que as crises energética, alimentar e ambiental vêm causando (tanto no nível nacional quanto no plano regional e mundial) não tem passado despercebida das grandes potências.

Gostaria de mencionar, a esse respeito, um relatório publicado há pouco mais de um ano pelo Conselho de Inteligência Nacional dos Estados Unidos, intitulado *Tendências globais 2030: mundos alternativos*. Esse documento indica, entre outras megatendências dos próximos quinze anos, a transformação dos padrões demográficos causada pela intensificação da urbanização e o crescimento da demanda por energia, alimentos e água.

Naturalmente, esses processos não deixam de estar relacionados entre si. Cito textualmente as estimativas deste relatório:

> *O crescente nexo entre alimentos, água e energia – combinado com a mudança climática – terá efeitos de longo alcance sobre o desenvolvimento global nos próximos 15 a 20 anos. Em uma mudança tectônica, a demanda por esses recursos crescerá substancialmente devido a um aumento da população global de 7,1 bilhões hoje para 8,3 bilhões em 2030 (...) Uma classe média em expansão e populações acrescidas em centros urbanos aumentarão as pressões sobre recursos críticos – especialmente alimentos e água (...) A demanda por alimentos, água e energia aumentará, respectivamente, cerca 35%, 40% e 50% (...) A mudança climática vai piorar o perfil de disponibilidade desses recursos críticos (...) Não será possível lidar com os problemas afetos a uma* commodity *sem impactar a oferta e a demanda pelas demais.*

O Livro Branco de Defesa e Segurança Nacional da França, publicado em julho do ano passado, contém uma avaliação similar. Cito:

> *Várias décadas de crescimento sustentado em escala global têm como contrapartida uma pressão cada vez mais forte sobre os recursos e um impacto cada vez menos controlável sobre o ambiente. As tensões que resultam daí se concentram sobre o acesso à água, à terra e aos produtos agrícolas, às matérias primas minerais e energéticas, inclusive os materiais estratégicos, e sobre o controle das rotas usadas para seu transporte.*

Também no ano passado, uma alta autoridade militar russa foi até mais longe, discutindo a importância dos recursos naturais no panorama que se estende até o ano de 2030. Não é preciso concordar com teorias da inevitabilidade das guerras para reconhecer, nessas diferentes avaliações, o peso crescente da disputa por recursos no horizonte estratégico das próximas décadas.

Temos que pensar autonomamente sobre os desafios que essa realidade coloca para a defesa de nossos países. Isso significa que temos que tratar com cautela teorias segundo as quais o fim da Guerra Fria representou a superação do conflito nas relações internacionais.

É claro que a agenda internacional expandiu-se, e de fato hoje enfrentamos uma ampla gama de desafios novos. Mas as antigas ameaças continuam a importar em graves riscos à humanidade, como é o caso do apego das grandes potências às armas nucleares. E mesmo novas ameaças como o aquecimento global têm, como vimos, implicações de ordem estratégica ou geopolítica.

Os riscos colocados pelas novas e velhas ameaças que mencionei são agravados pelas imperfeições nas instituições internacionais criadas para, nos termos da Carta da ONU, "preservar as gerações vindouras do flagelo da guerra". O Conselho de Segurança das Nações Unidas é o órgão ao qual a comunidade internacional confiou a responsabilidade primária pela salvaguarda da paz mundial.

A Carta da ONU estabelece a proibição do uso da força, com duas exceções ligadas a circunstâncias muito estritas. A primeira circunstância refere-se às situações de legítima defesa, em que o Estado pode tomar medidas para se defender, com respeito ao princípio da proporcionalidade, de uma agressão, até que o Conselho de Segurança possa decidir sobre o caso. A segunda circunstância diz respeito aos casos em que o Conselho delibere autorizar aos Estados-membros da ONU agir em defesa da paz e da segurança internacionais.

Essas normas multilaterais sobre a limitação do uso da força são o fundamento da ordem internacional, e sua preservação deve ser um objetivo estratégico de nossos países. No entanto, a eficácia das ações do Conselho de Segurança tem sido reduzida por pelo menos dois fatores. Por um lado, a composição anacrônica do órgão, que ainda reflete as realidades do mundo em que a ONU foi criada, em 1945 (especialmente em sua categoria de membros permanentes); por outro, a preocupante tendência de certos países de recorrer à força militar unilateralmente, isto é, sem a autorização do Conselho de Segurança das Nações Unidas.

Um exemplo foi a invasão unilateral do Iraque em 2003. Outro exemplo, mais sutil, foi a extrapolação do mandato de uso da força contido em uma resolução do Conselho para a ação na Líbia em 2011. Ao passo que o objetivo original da resolução era o estabelecimento de uma zona de exclusão aérea para a proteção de civis líbios, a coalizão liderada pela OTAN que se encarregou da intervenção logo demonstrou que seu verdadeiro intuito era derrubar o regime político de Trípoli. Qualquer julgamento que se faça daquele regime, tratou-se do encobrimento de uma ação unilateral sob o manto de uma decisão multilateral.

E, ligando esses fatos com o que disse no início, é evidente o significado desses dois países para a ordem geoeconômica mundial, em especial para a garantia do suprimento de petróleo. A possibilidade de que os conflitos internacionais continuem a não ser adequadamente canalizados pelas normas multilaterais da ONU, como ocorreu no caso do Iraque e da Líbia, é um grave fator de incerteza no plano internacional.

Não podemos desconsiderar o risco de que futuras disputas por recursos naturais não sejam amparados pelas referências institucionais e normativas e que possam ser equacionadas pacificamente, com base na negociação e no Direito Internacional. Não se trata de defender uma visão belicista, que meu país certamente rejeita, mas simplesmente de ser realista a respeito da persistência da possibilidade de conflitos no mundo pós-Guerra Fria.

Outro risco que enfrentamos é a tendência de expansão de alianças militares nascidas na Guerra Fria. A situação na Ucrânia é o mais vivo exemplo contemporâneo dessa possibilidade, sem entrar no mérito de quem tem razão no caso. Observo entre parênteses que a instabilidade naquele país não deixa de refletir, também, as dificuldades geradas pela estratégia de expansão da Organização do Tratado do Atlântico Norte.

Uma das vozes a expressar reservas quanto à ideia de incorporação da Ucrânia à OTAN foi a do ex-Secretário de Estado norte-americano Henry Kissinger, em artigo recente. Outra manifestação sobre o tema foi a de Stephen Walt, professor na Harvard Kennedy School. Para ele, a atuação dos Estados Unidos e da Europa na Ucrânia – e eu cito

> *não parece ter considerado a possibilidade de que a Rússia veria essa ação como uma ameaça aos seus interesses vitais e responderia de modo forte e implacável. Essa é a mais recente em (...) uma longa lista que inclui a invasão do Iraque em 2003 (...) e as intervenções na Somália, na Líbia e em vários outros países.*

Esse quadro global que procurei descrever é agravado por um novo vetor de violação da soberania: a intrusão eletrônica. As revelações de interceptação eletrônica em larga escala no Brasil e em outros países, inclusive em aliados dos Estados Unidos na OTAN, causou indignação mundial. Sabemos que o emprego dessas tecnologias de intrusão está a serviço de vários objetivos, e não necessariamente apenas do combate ao terrorismo, conforme se alegou.

No caso do Brasil, há um vínculo direto entre a espionagem e o interesse estrangeiro pela exploração de recursos naturais. Mais de um analista tem chamado atenção para como as novas tecnologias de intrusão, como a interceptação, as armas cibernéticas e mesmo os veículos aéreos não tripulados impactam a noção tradicional de soberania.

Os ataques e as violações – silenciosos, por vezes – no interior das estruturas de governo dos Estados passam a ser uma possibilidade concreta e permanente. Acrescente-se a isso o fato de que as novas tecnologias de intrusão reduzem o custo humano do emprego da violência por parte dos Estados agressores, o que não deixa de ser um estímulo a esta violência, com total impunidade. A ausência de um marco normativo multilateral que regule a conduta dos Estados nessa área eleva a imprevisibilidade gerada na política mundial pelas tendências unilaterais que notei.

Tenho dito que o primeiro passo é um compromisso jurídico dos Estados possuidores de armas cibernéticas com o "não primeiro uso". Sem isso, corre-se o risco de uma nova corrida armamentista – nesse novo campo da tecnologia militar que é a cibernética.

O aumento das tensões ligadas às crises energética, alimentar e ambiental torna especialmente preocupante a situação de enfraquecimento crônico das regras multilaterais que regulam o uso da força entre os Estados. Os novos métodos de violação da soberania, por sua vez, expandem os instrumentos de força à disposição dos Estados poderosos e agregam um componente adicional de instabilidade às relações internacionais. Sob vários aspectos, ademais, dependendo da forma como for empregada, a arma cibernética é uma verdadeira arma de destruição em massa, com efeitos humanos e materiais semelhantes àquelas.

Esse quadro de incertezas e crescente insegurança é motivo de sérias preocupações para as nações em desenvolvimento como Moçambique e Brasil, para as quais a paz é a condição primeira da prosperidade. Nas últimas décadas, populações de diferentes países e regiões têm expressado suas aspirações de autonomia política, de progresso socioeconômico e de um mundo mais justo e igualitário.

Há hoje uma compreensão cada vez mais ampla de que essas aspirações só podem ser alcançadas por meio da redistribuição do poder global, que após o fim da Guerra Fria ficou concentrado ao redor de um único polo. Por isso, ao longo dos últimos dez ou quinze anos, temos assistido a esforços de reforma da ordem global, de modo a torna-la mais representativa das realidades do século XXI.

Esse movimento político foi reforçado pelos altos níveis de crescimento alcançados por algumas economias do mundo em desenvolvimento. A ascensão do Sul na política global aponta na direção de um mundo multipolar, isto é, caracterizado pela existência de vários centros de poder, não só na América do Norte ou na Europa, mas também na América do Sul, na África e na Ásia.

A boa distribuição do poder entre os Estados é o fator mais conducente ao respeito de todos eles aos princípios e normas que lastreiam a estabilidade e a segurança internacionais. A integração entre Estados pequenos, médios ou mesmo grandes, de nível de desenvolvimento similar, é outro fator que contribuirá a uma verdadeira multipolaridade. Organizações como a União Africana e a Unasul são exemplos dessas integrações. A SADC e o Mercosul espelham a mesma tendência.

A multipolaridade diz respeito a uma configuração concreta, que apenas começa a despontar, da realidade internacional. O multilateralismo diz respeito a um ideal, uma forma desejada de ordenamento das relações entre os Estados, baseado em normas construídas pela negociação igualitária e respeitadas por todos os países.

E um mundo multipolar oferece as melhores condições para o funcionamento da ordem multilateral inscrita na Carta da ONU. A multipolaridade reforça o multilateralismo, porque distribui melhor o poder.

Por isso o Brasil – assim como muitos outros países – tem se empenhado para estimular os elementos incipientes da multipolaridade. A aproximação entre os países e regiões em desenvolvimento é um dos principais objetivos desse movimento.

O marco da convergência entre a África e a América do Sul é o ano de 2006, quando ocorreu, na Nigéria, a primeira cimeira presidencial birregional. Naquela ocasião, o Presidente Lula evocou a visão de uma "nova geografia política e econômica mundial". Sua visão era a de que – e eu cito suas palavras – "podemos aprender muito uns com os outros. Sempre tivemos os olhos voltados para o Norte. E, muitas vezes, não percebemos que as respostas para os nossos problemas poderiam ser encontradas no diálogo com nossos pares (...) O que nos trouxe a Abuja foi o desejo de unir africanos e sul-americanos para fazer ouvir nossa voz".

Desde então, as cimeiras têm ocorrido regularmente, refletindo o estreitamento de laços culturais, políticos e econômicos entre nossos dois continentes. Além disso, foi motivo de grande honra que o Brasil, na pessoa da Presidenta Dilma, tenha sido um dos países convidados para a comemoração do Jubileu de Ouro da União Africana, em maio do ano passado.

Naquela ocasião, a Presidenta Dilma afirmou:

> *O Brasil vê o continente africano como irmão e vizinho próximo. Temos semelhanças e afinidades profundas. Mais da metade dos quase 200 milhões de brasileiros se reconhece com afrodescendentes. E esta descendência é um dos veios mais ricos que conforma a nação brasileira. Temos muito orgulho das nossas raízes africanas. Sim, o povo africano está no cerne da construção da nossa nação e explica muito o que somos e tudo aquilo que nós temos certeza que nos tornaremos.*

Para além do nível mais geral da aproximação entre a América do Sul e a África, as relações entre o Brasil e Moçambique remontam ao início da vida independente deste país. Superada a postura ambígua que os primeiros governos militares do Brasil tiveram para com a luta pela independência das ex-colônias portuguesas, o Brasil apoiou a emancipação moçambicana e acompanhou com atenção os trágicos acontecimentos da guerra civil.

Posso dar um testemunho até pessoal desse acercamento, porque participei dele como diplomata em mais de uma ocasião. Já em 1978, quando eu cuidava da divisão de difusão cultural do Ministério das Relações Exteriores, ajudei a realizar um festival de cinema brasileiro em Maputo, iniciativa de nosso primeiro Embaixador aqui – um grande entusiasta da relação Brasil--Moçambique –, o Embaixador Ítalo Zappa. Em 1989, eu estava chefiando o Departamento Cultural do Ministério e tomei a iniciativa de destinar os parcos recursos que tínhamos para a criação do Centro Cultural do Brasil em Maputo.

Entre 1993 e 1994, quando eu já era Ministro das Relações Exteriores (no Governo do Presidente Itamar Franco), o Brasil contribuiu com capacetes azuis para a Onumoz, a missão da

ONU. Na época, tive o prazer de estar aqui para despedir as tropas da Onumoz. Nesse mesmo período, Moçambique foi um dos primeiríssimos países a apoiar a candidatura do Brasil a um assento permanente no Conselho de Segurança, apoio que tem sido dado até hoje por países da CPLP. Somos ainda hoje muito gratos por essa grande manifestação de confiança.

Poucos anos depois, em 1996, impulsionados por figuras como José Aparecido e Joaquim Chissano, os países lusófonos decidiram criar sua Comunidade, a CPLP, que vem contribuindo para aumentar o conhecimento mútuo entre nossas sociedades e para projetar nossa língua. Nossas relações tiveram um novo ímpeto – creio eu – com a posse do Presidente Lula, em 2003. Como Chanceler do Governo Lula, meu primeiro destino na África foi Moçambique.

Não vou recapitular aqui tudo o que realizamos, mas quero recordar a instalação da fábrica de medicamentos antirretrovirais da Fundação Oswaldo Cruz aqui em Moçambique, um símbolo eloquente do que a cooperação entre nossos dois países pode alcançar em todos os campos.

Como estamos em um instituto de estudos de defesa, permito-me mencionar uma passagem de Maquiavel, no livro *Discursos sobre a primeira década de Tito Lívio*. Naquela obra, o grande pensador de Florença adverte: um príncipe deve ter suas forças sempre preparadas, ainda que elas sejam inferiores às do adversário, pois apenas assim ele se faz respeitar. Nas palavras de Maquiavel, "um príncipe nunca deve perder sua dignidade".

Esse raciocínio, que Maquiavel aplicava para os governantes das cidades-estado da Itália do século XVI, continua válido para os Estados do século XXI. Para os países em desenvolvimento, a paz é a condição primeira da prosperidade. Não podemos esquecer-nos de que a condição primeira da paz é a respeitabilidade.

Ao contrário do que proclamam aquelas teorias sobre o declínio do conflito ou a obsolescência da guerra nas relações internacionais, o que uma rápida avaliação do panorama internacional indica é a necessidade de que os países em desenvolvimento estejam prontos para defender seu patrimônio.

Isso é especialmente verdadeiro para países como o Moçambique e Brasil, detentores de vastas riquezas naturais. Não podemos descartar a hipótese de que as disputas ligadas a energia, a alimentos e ao ambiente, originados em outros quadrantes nos possam de alguma forma afetar.

Temos que estar prontos para proteger nossa soberania em um mundo no qual o conflito, as ações armadas unilaterais e (mais recentemente) as novas modalidades de intrusão são fatores ponderáveis. Por um lado, isso significa ser capaz de dissuadir ameaças ou agressões pela posse de meios adequados de defesa. Por outro lado, a proteção da soberania exige a cooperação com os parceiros, principalmente os de porte igual ou comparável, em prol de um mundo mais seguro, tanto no tocante às velhas ameaças quanto às novas. Não queremos substituir velhas dominações por novas hegemonias.

Temos problemas similares, para os quais podemos buscar soluções comuns. É o caso, por exemplo, da pirataria, fato que tem ocorrido tanto na orla índica quanto na atlântica, mais precisamente no Golfo da Guiné. Para o Brasil, a América do Sul, o Atlântico Sul e a África são áreas prioritárias da cooperação em defesa. Na África, mais especificamente, nossos vínculos mais próximos são com os países da orla atlântica e com Moçambique, mas chegam também à Tanzânia, onde estamos envolvidos na busca de petróleo.

A Moçambique, vínculos linguísticos, étnicos e culturais nos unem firmemente. Com os países costeiros do Atlântico Sul, compartimos a responsabilidade de zelar para que esse oceano permaneça livre de armas nucleares, da presença militar estrangeira e de rivalidades estranhas a ele.

É este o sentido da Zopacas, a Zona de Paz e Cooperação do Atlântico Sul, estabelecida pela Assembleia Geral da ONU em 1986 e que teve sua mais recente reunião de ministros das Relações Exteriores e da Defesa em Montevidéu em janeiro de 2013.

Estou seguro de que os ideais pacíficos e cooperativos que inspiram os países costeiros do Atlântico Sul são compartilhados por Moçambique. Penso até que, do ponto de vista estratégico – que excede o meramente geográfico –, Moçambique pode ser visto como um país de interesse direto no Atlântico Sul.

O Brasil recebeu com muito interesse o convite para contribuir com a Estratégia Marítima da União Africana. Muitos outros interesses ligam Brasil e Moçambique na área de defesa. Nosso diálogo sobre temas de Exército, Marinha e Aeronáutica é essencial para identificarmos desafios e possibilidades. E é isso que exploramos com minha reunião hoje com o Ministro Filipe Mondlane.

A cooperação entre nossas duas nações, inclusive na área de defesa, é parte integrante dos esforços para o redesenho da geografia política e econômica do mundo. Um mundo mais multipolar e mais multilateral significará não apenas um mundo mais seguro, mas também um mundo em que nossos países poderão realizar plenamente seu potencial de desenvolvimento. Alcançá-lo exigirá independência e firmeza de propósitos.

Concluo esta visita a Maputo seguro de que o Brasil tem em Moçambique um parceiro para essa empreitada.

The cornerstones of Brazil's defense policy

Texto do discurso na sessão conjunta do Colégio Sueco de Defesa Nacional e do Instituto Sueco de Assuntos Internacionais. Estocolmo, 4 de abril de 2014

I wish to thank the National Defense College and the Institute of International Affairs for inviting me to this joint session. This is my first visit to Stockholm in my capacity as Defense Minister.

The relationship between Brazil and Sweden has never been as promising as it is today. Back in 2009, our Governments decided to establish a Strategic Partnership. The very fruitful meetings I held in Stockholm today confirmed our common resolve to inaugurate a Strategic Partnership in Military Aviation, but also in other fields related to Defense.

Earlier, Minister Karin Enström and myself signed a Framework Agreement on Defense Cooperation. This set the basis for a long-term association between Brazil and Sweden in the area of defense, with important industrial and technological dimensions. As our countries draw closer on defense issues, it is also appropriate that our political-strategic dialogue rises to a new level. In this spirit, I wish to share with you some thoughts on how Brazil looks at the international security landscape and the role played in it by strategic partnerships such as the one between Brazil and Sweden.

Let me speak a little bit about Brazil. In recent years Brazil has experienced great changes politically, economically and socially. Democracy was reestablished in 1985, after twenty-one years of authoritarian rule. Democratic principles and practices have been consistently strengthened and deepened. People's yearning for freedom, justice and solidarity was enshrined in our Constitution promulgated in 1988.

Another essential step was the resumption of sustainable economic growth. Hyperinflation was overcome; foreign debt was paid; Brazil became a net creditor. In 2012, Brazil became the world's sixth largest economy. If you take today's exchange rate you will see Brazil as the 7th, but we hope this will change and will become de 6th again.

Our exports comprise a great variety of goods, which include mineral and agricultural products, and high technology items such as civilian and military aircraft. Even when we speak of agriculture, we have to take into account that our agricultural products are nearly foodstuff in the same sense that coffee used to be 50 years ago, when I started my life in diplomacy. Our agricultural products derive their competitiveness not only from favorable natural conditions but also from intense research conducted locally. EMBRAPA, which is a Brazilian company that develops most of this research, is most certainly the more productive institution in research in tropical agriculture worldwide. For instance, soybeans that were considered to be unadaptable to tropical lands, it was considered a tempered product. Now Brazil is the second larger exporter of soybeans. It is not the largest because the US exports are benefited by government subsides, which is not our case.

Since I am Minister of Defense, you will understand if I put particular emphasis on Embraer's light attack plane, the Super Tucano, which has been bought by many countries throughout the world. It was recently selected by the U.S. Air Force for counterinsurgency operations in Afghanistan and it has been bought by many countries large and small in Latin America, Africa and another places. We are also developing a new transport and refueling plane, KC 390, meant to replace the old Hercules, which is coming to the end of its life cycle. Other countries as Argentina, Portugal and the Czech Republic are involved in this project. Other countries have exposed their interest in it.

In the last decade, Brazil accumulated significant amount of foreign reserves, which have helped our country to navigate in the midst of the financial crisis sparked by the Lehman Brothers crash. Five years into the international crisis, the Brazilian economy has shown resilience and keeps growing, even if more slowly under restrictive global conditions. One important aspect of this trend is given by the fact that employment been kept at record levels.

Political and economic progress has enabled Brazil to systematically tackle its greatest historical challenge: social inequality. Indeed, until a decade ago, no matter how other indicators behaved, the Gini coefficient (which measures income disparity) always worsened.

This tendency has been reversed. Remarkable improvements in the living conditions have been made in the last ten years. Efforts to eradicate extreme poverty have produced concrete results. Forty million people (one fifth of Brazil's population) have risen out of poverty since 2003.

A huge income-transfer program known as the "Bolsa Família" (Family Stipendium) has directly benefitted 14 million low-income families. I am not exaggerating when I say that this program became a worldwide reference in the endeavor towards poverty reduction. Programs like this have been initiated by President Lula, on the basis of previous achievements, and have been further developed by President Dilma Rousseff, in the area of housing, electricity and family agriculture. Indeed, the motto of President Rousseff's administration is very telling. It says – 'a rich country is a country without poverty'.

Brazil's international strategy – in both foreign policy and defense policy – has a clear priority: the integration of South America. The core of economic integration in South America is Mercosur, a customs union between Argentina, Brazil, Paraguay, Uruguay, and, since 2012, Venezuela. Bolivia and Ecuador are also expected to join it.

On the political level – which does not exclude the social and economic dimensions –, Brazil has championed the creation of Unasur, the Union of South American States. I would like to stress one aspect. I do not know how many of you are conversant with the debates about South American integration and different trade policies and so on, but very often, we see a kind of opposition between Mercosur and the so-called Pacific Alliance, which would be more open to trade. Let me just remark in this regard: Mercosur has free trade agreements with all the countries that are part of the Pacific Alliance, so in a way we have done that even before this debate had started.

No doubt these agreements can be deepened, of course. But this was the economic basis on which we created Unasur, in order to avoid that it would be more of a rhetorical effort than an integration effort. All twelve South American countries are members of this new institution, born in Brasília in 2008. The South American Defense Council, an integral part of Unasur, has been instrumental in the management of crises, such as the one between Colombia and Venezuela in 2009.

Unasur's credibility stems from the principles on which it is based: prohibition of the use of force, peaceful solution of crises, full respect for members' sovereignty, territorial integrity and respect for democratic institutions and, last but not least, no extra-regional interference.

Together with our neighbors, Brazil has worked to established new inter-regional dialogue mechanisms. Summits of Heads of States and Governments of South American and African countries, called "ASA", and South American and Arab countries, called "ASPA", became regular features of our diplomatic calendar. Brazil has also engaged in a range of associations aimed at new forms of cooperation and alternative perspectives in world affairs.

In 2003, Brazil joined India and South Africa to create the IBSA Dialogue Forum. IBSA members are like-minded democracies based on multicultural and multiethnic societies from the developing world, all of which have experienced important political transitions towards greater democracy. The IBSA Forum has engaged itself in a variety of initiatives relative to South-South cooperation, to the benefit of either poorer or vulnerable nations such as Haiti, Guinea Bissau and Palestine. IBSA countries have been invited to take part in major conferences on Middle Eastern affairs, such as the Annapolis Conference of 2007 and the Geneva II Conference earlier this year. Cooperation between IBSA countries has been progressively extended to the defense area, including naval exercises, known as Ibsamar.

In 2008, Brazil, Russia, India, China and (at a later stage) South Africa formed the BRICS, a group of leading emerging economies seeking changes in global governance, especially in the economic and financial fields. In this respect, of course, it was not us who invented the acronym BRICS. Everybody knows that this comes from Jim O'Neill of the Goldman Sachs. But if you allow me to go into (poor) philosophical terms, I would say that what might be considered as a reality in itself became a reality for itself. So that is what the BRICS became.

In line with its pursuit of greater plurality in the global economy, the BRICS group is now in the process of establishing its own Development Bank. In economic and financial matters, a clear sign of change came with the establishment of the G20 group of Leaders, which for all practical purposes took over responsibility for global economic stability from the now nearly extinct G8. In matters relating to world trade, Brazil and India took the lead in a coalition of developing countries, the G20 (not to be confused with the Financial G20), with great impact on trade negotiations.

Emphasis on South-South cooperation does not exclude mutually beneficial relations with our developed partners. In 2007, Brazil established a strategic partnership with the European Union, at the invitation of Brussels, I must say. Strategic partnerships were also established with individual countries in Europe, such as France (in 2006) and Sweden (in 2009).

While some success was obtained in the reframing of the global economic architecture, the international security framework remains out of touch with 21st century reality. Ten years ago, Brazil, India, Japan and Germany formed the G4, to carry forward long-overdue reform in the membership and working methods of the UN Security Council. In our view, these four countries, together with two African nations, should be admitted as new permanent members, albeit possibly without the veto power. The veto, by the way, should in time wither away or be restricted to very special situations.

Efforts at reforming the Security Council have not as yet borne fruit, to the detriment of that body's legitimacy and efficacy. This is not a self-serving statement by an aspiring country. This is a fact acknowledged by a growing number of specialists in both the developed and the developing world. The paralysis of the Council in major crises as well as the all-too-frequent recourse to unilateral action over the past fifteen years underscores the need for an overhaul of the collective security system. The vitality of UN norms governing the use of force is an objective of strategic significance for Brazil (I believe also for Sweden, by the way).

Brazil is widely recognized as a peaceful country. We have lived in peace with our neighbors for close to 150 years. And we have ten neighbors. We have forsworn nuclear weapons. These aspects are themselves relevant contributions to peace.

But we have also shown our willingness to discharge our duties as a peace-providing country. Brazilian blue helmets are on the ground helping to foster peace and stability in such faraway places like Haiti and Lebanon.

Brazilian troops have been in Haiti since 2004, where they constitute the largest contingent in the UN mission. Brazilian generals have succeeded each other in the command of Minustah – the UN Mission in Haiti –, which has helped restore peace, security and the rule of law in that sister nation of Latin America. It was also very instrumental after the terrible earthquake that struck that country in 2010. Our biggest challenged now in Haiti is to transform this peace and security mission into one that promoted social and economic development, without which stability will never be totally guaranteed.

In Lebanon, Brazilian frigates have served as flagships of the naval task force of Unifil. Not many people know, even in Brazil, that we are present in that form in this traditional theater. This naval force, in turn, has been headed by succeeding Brazilian admirals. An important aspect to point out, and I think again that very few people know this outside Brazil, is that we have twice as many Lebanese in Brazil as in Lebanon. So this shows the importance of our strong relation.

In Africa, a Brazilian Army General is now commanding Monusco, the UN Mission in the Democratic Republic of the Congo. Monusco is the largest UN peacekeeping force, and the one with the most robust mandate. We are very proud of what General Santos Cruz has achieved so far.

Peacekeeping is not the only activity we have been involved in which is related to peace. In 2010, Brazil and Turkey, serving as non-permanent members at the UN Security Council, jointly sought a peaceful solution to the question of the Iranian nuclear program. Contrary to the very specific indications we received at the highest level, the agreement Brazil and Turkey ultimately brokered with Iran (the Tehran Declaration of May 2010), was not given a chance in the Security Council, which opted instead for further sanctions against Iran.

Brazil warmly welcomes the fact that the five permanent members of the Council plus Germany reached a provisional agreement with Iran late last year. We strongly hope it can become a permanent one. Attempts have been made to compare the terms of this provisional agreement with those of the Tehran Declaration of 2010. To my mind, this is a very difficult exercise, given the changes in forms and circumstances. But I think it is fair to say that the Turkish-Brazilian initiative had a role in showing to skeptics that the negotiating path was a viable one.

I am very happy to recognize the positive attitude of Sweden, specially of the Foreign Minister Carl Bildt, towards the efforts conducted by Brazil and Turkey. In early 2013, Brazil, Sweden and

Turkey joined together in a new coalition, the Trilateral Solidarity for Building Peace. These three countries decided to coordinate positions on such diverse issues as Palestine and internet freedom. It is my firm belief that like-minded countries such as ours, coming together from different regions and different situations, can work in favor of innovative partnerships that strengthen the cause of peace.

In the late years of the Cold War, a Brazilian Foreign Minister famously said that Brazil was the only really non-aligned country, since it did not align its positions with anyone, not even with the Non-Aligned Movement. This was not only a clever statement meant to provoke conservative minds. It was also a prescient remark.

The world we live in today is no longer divided into opposing blocks. Hence, it does not impose predefined allegiances. Today, the refusal of automatic alignment can help build a multipolar world order. When the Berlin Wall fell, bipolarity turned into unipolarity for a brief moment. The existence of a 'lone superpower' was a defining feature of international relations of the 1990s.

But unipolarity might well be thought as an 'interlude' between the old bipolar world and an emerging multipolar order. As many have said then, and I think it would be appropriate now with the historical hindsight to say, that was a unipolar moment which is no longer there. One need not subscribe to questionable 'declinist' theses, very popular in the United States, to see that the international system has been marked by the emergence of new trends and actors.

One fundamental question posed by this development can be summarized as follows: 'whether world peace will depend on an order inspired on and guaranteed by a single hegemonic power, or result from more complex and yet more democratic and equitable arrangements, encompassing a greater diversity of power centers and, consequently, a greater plurality of ideas'. Brazil is convinced that a multipolar world – i.e. one in which power is reasonably distributed among countries and regions – is the one that is most conducive to international stability, peace and development.

We see our partnership with Sweden, partly, under this light. A fair distribution of power encourages states to agree on a framework of multilateral principles. Multipolarity and multilateralism are different concepts, but they are mutually reinforcing. They should be the pillars of a peaceful world order, which creates better conditions for national development. Multipolarity opens new horizons and creates new opportunities for cooperation between and among countries.

Were we still living under a strict bipolar or unipolar world order, one might wonder whether Brazil and Sweden would have established a strategic partnership such as the one we are building – I personally doubt it.

But multipolarity has not yet come of age. We still live in a world that bears the marks of unipolarity. And there are even those who say that a new kind of bipolarity may characterize the next decades of the 21st century. We learned from the hard lessons of the Cold War to favor an open and plural world order. Experience shows that bipolarity narrows policy space, both domestically and internationally. Likewise, the idea that a unipolar order encourages a peaceful and rule-based order does not, in my opinion, stand the test history.

Suffice it to recall that in 2003 Iraq was invaded by a so-called 'coalition of the willing', without authorization of the UN Security Council. That 'coalition of the willing' was thus an euphemism for unilateralism. Since I am in the land of Alfred Nobel – even if I know that the Nobel Prize for Peace is given in Oslo – let me also recall, that the Organization for the Prohibition of Chemical Weapons was deliberately set aside in that episode.

The OPCW, then headed by a national of Brazil (Ambassador Bustani), was well-positioned to prove that the arguments invoked for waging the war against Iraq were inaccurate. So did also a very distinguished Swedish, my friend Hans Blix. But the OPCW was not heard, and its Director-General was dismissed in the most arbitrary fashion. A decade later, the OPCW was awarded the Nobel Peace Prize. This is a good signal.

Three years ago, the conflict in Libya led the Security Council to authorize the establishment of a no-fly-zone to avert a possible massacre of the civilian population, in principle a very laudable objective. However, the Security Council mandate was unduly interpreted as a license to topple the regime in Tripoli. The targeting of command and control became an excuse for a search and kill exercise aimed at the country's leader. No matter what we think about him, that went far beyond what the Security Council authorized.

Facts like those generated doubts about the real goals of so-called humanitarian intervention, which are at the root of the much-criticized inaction by the Council in the Syrian crisis. It is a matter of concern that military alliances could be used, under the pretense of collective action, to promote unilateral objectives.

This question is not unrelated to the debate regarding the expanded role some advocate for NATO, for instance. This is none of my business, but I am just theorizing here a little bit, based on what I read. In some cases, such an expansion may prove a risky exercise. It is no wonder that such a hard-skinned realist as former US Secretary of State Henry Kissinger suggested, in a recent article, that a cautious approach should be taken with regard to the expansion of the alliances' membership. Interestingly enough, the father of the doctrine of containment of the Soviet Union, George Kennan, had second thoughts about NATO expansion. In 1997, Kennan wrote that this would be 'the most fateful error of American policy in the entire post-Cold War era. Such a decision may be expected to inflame the nationalistic, anti-Western and militaristic tendencies [of a certain power]; (...) to restore the atmosphere of the Cold War to East-West relations'.

As I said, as far as it concerns Europe, this may be very remote for us (although everything affects everything in a globalized world). But of course, when you think of North Africa, and how it can affect Libya and then proceed to Mali, and then to Guinea Bissau, and then it comes near the South Atlantic and then near to areas of our direct concern. And what I am saying about NATO I would say about any military alliance, by the way.

Instability caused by unilateralism and geopolitical rivalry is magnified by new technologies that violate state sovereignty. Electronic espionage and cyberwarfare pose serious challenges to international order. The editor-at-large of *Foreign Policy* magazine, David Rothkopf, has coined the expression Cool War, as opposed to the Cold War, to refer to this new reality. Rothkopf considers this new type of warfare to be 'cool' not only due to the cutting edge technologies deployed, but also because it is a little ´warmer´ than the Cold War. According to Rothkopf, this 'Cool War seems likely to involve almost constant offensive measures that, while falling short of actual warfare, regularly seek to damage or weaken rivals or gain an edge through violations of sovereignty and penetration of defenses'.

One should add that technological asymmetries between the strong and the weak, as well as a low human toll on the side of the offense, create incentives for aggressive measures which are implemented with impunity (such as the case, for instance, of attacks with drones).

The recent disclosure of massive electronic espionage against several countries, including Brazil, shed light on a hitherto unimaginable scale of violation of state sovereignty. These practices were at first justified by the claim that surveillance was solely aimed at terrorism. But further disclosures on eavesdropping of the personal communications of heads of state and government of friendly nations totally disproved that argument. The fact that Brazil's leading energy company was also the target of espionage was equally disturbing. It did not go unnoticed.

Speaking at the UN General Assembly soon afterwards, President Rousseff called illegal electronic surveillance 'unacceptable'. Brazil, she said, 'knows how to protect itself. We reject, fight and do not harbor terrorist groups'. President Rousseff called upon the United Nations to 'play a leading role in the effort to regulate the conduct of states with regard to these technologies'. As is well known, Brazil and Germany, with the help of many others, have since then been leading this effort in the United Nations. In a recent speech before the German Parliament last January, Chancellor Angela Merkel pointed out that 'When we proceed as if the ends justify the means, when we do everything that is technologically possible, we damage trust; we sow mistrust. In the end there is less, not more, security'.

As we transition from the current world order towards a new one, the resilience of unipolarity intertwines with the indications of multipolarity and even with the possibilities of bipolarity. This is a complex reality that breeds uncertainty. Other factors as diverse as climate change and resource scarcity can be added to this picture. Should unilateralism prevail over multilateralism, the United Nations may find itself unable to solve conflicts arising out of multiple sources of tension.

From the point of view of Defense, it would be imprudent not to consider the possibility of a breakdown in collective security, or individual acts of aggression. In other words, much as we loathe the idea of war, we cannot exclude it from our preoccupations.

Brazil firmly believes that being peaceful is not the same as being defenseless. And Brazil is also convinced that our defense cannot be, in anyway, outsourced. That is why our peaceful foreign policy must be supported by a more robust defense policy.

Deterrence is a main element of our defense policy. We must build capacities that appropriately raise the costs of aggression. We must also be able to protect ourselves against side-effects from conflicts between third parties. Let me recall in this regard that Brazil was dragged into war in 1942, after Nazi U-boats attacked several of its merchant vessels in the South Atlantic.

But our defense policy also places high value on cooperation. We have very close ties in matters concerning defense with every one of our neighbors. Brazil is an active member of the South American Defense Council (CDS), whose creation within the frame of Unasur it promoted vigorously. In the CDS, we seek to promote confidence-building and transparency. We are also committed to developing a South American vision of defense. We are in the process of establishing a South American Defense School, respecting the pluralistic nature of the membership of Unasur. Joint projects related to the Defense industry are under way.

These are important steps towards strengthening a "peace and security community" in our region. And I just recalled what Karl Deutsch, the famous political scientist, used to say – that a security community is one in which war becomes unthinkable as a mean of solving problems. That's what we see in South America.

Such a community will certainly contribute to a more peaceful and stable world order, based on multipolarity.

Brazil has been working closely also with its African neighbors across the Atlantic to strengthen the Zone of Peace and Cooperation of the South Atlantic. Our shared goal, as expressed in the UN resolution that created this mechanism, is to help the South Atlantic to stay free from nuclear weapons and other weapons of mass destruction, as well as from rivalries which are foreign to it. The South Atlantic has a very different dynamic from the North Atlantic, which was unfortunately historically marked by conflict. This is why instead of being a military alliance, the South Atlantic is a Zone of Peace and Cooperation. And we want to keep it that way.

Brazil also conducts bilaterally a number of joint exercises, especially in naval area, and are helping to train the coast guards and navies of countries like Cape Verde and Namibia. We are just in the process – this is not an Atlantic but an Indian Ocean country – of donate three training airplanes to Mozambique.

Apart from cooperation with partners from its strategic environment, Brazil has a range of defense relationships in the developed world and with emerging countries. Brazil's *National Defense Strategy* states that a fundamental principle of our defense policy is the link between the modernization of the Armed Forces and national economic development. This is reflected in the *Strategy*'s focus on the strengthening of Brazil's defense industry and on our constant efforts to ensure that our acquisitions of defense material involve transfer of technology, on the widest possible scale. And indeed with several countries, developed as wells as developing, Brazil has establishing partnerships based on this principle.

Brazil and Sweden now face a historic opportunity: the two countries can build a truly strategic defense partnership in jet fighters and beyond. Sweden is a highly developed economy and Brazil is rising to a new level of economic and social development. More than mere complementarities, our partnership can create real dynamism. We are two democracies with a strong focus on social welfare domestically and an equally strong disposition to act in favor of peace on the world stage.

That is why I am so optimistic about the potentialities of the strategic partnership between Brazil and Sweden.

Thank you very much.

O Brasil na Antártida

Discurso na sessão solene de abertura da 37ª Reunião Consultiva do Tratado da Antártida. Brasília, 28 de abril de 2014

É com muito prazer que me associo ao Ministro das Relações Exteriores, Embaixador Figueiredo, e à Ministra do Meio Ambiente, Izabella Teixeira, para dar-lhes as boas-vindas à 37ª Reunião Consultiva do Tratado da Antártida. Transmito a satisfação do Ministério da Defesa e, em especial, da Marinha do Brasil, com a realização desta reunião em Brasília.

O Brasil tem um engajamento sólido e permanente na Antártida. Há mais de três décadas, uma expedição capitaneada pela Marinha tornou realidade sua aspiração de contribuir com os esforços de compreensão do continente austral. Em 1983, o Brasil inaugurou a Estação Antártica Comandante Ferraz e foi admitido como Membro Consultivo do Tratado da Antártida.

Desde então, e em consonância com o Tratado da Antártida e com o Protocolo de Madri, a presença brasileira naquele continente tem-se orientado pela busca da compreensão dos fenômenos naturais daquele continente e de sua repercussão sobre o planeta, em particular sobre o território nacional e a região em que estamos mais diretamente inseridos: a América do Sul.

As atividades do Programa Antártico Brasileiro são coordenadas por um órgão colegiado, a Comissão Interministerial para os Recursos do Mar, presidido pelo Comandante da Marinha, e realizam-se por intermédio de vários Ministérios e órgãos de pesquisa. Esse conjunto de instituições, que perfaz o Sistema Antártico Brasileiro, tem, ainda, o amparo da Frente Parlamentar de Apoio ao Programa Antártico Brasileiro.

Graças à ação conjugada desses atores, o Programa tem produzido importantes resultados: expressiva produção científica; formação de novas gerações de pesquisadores antárticos; aquisição de experiência operacional em ambiente glacial e de clima adverso; e desenvolvimento de complexa atividade logística em área remota. Para além da ampla gama de cientistas e universitários brasileiros presentes na Antártida, a própria Marinha do Brasil tem participado de importantes pesquisas, por exemplo, sobre a interação oceano--atmosfera e para o desenvolvimento de tecnologias de construção em locais remotos.

A cooperação internacional é um fator decisivo para o sucesso da exploração da Antártida. Em paralelo à sustentação da presença brasileira naquele continente, a nossa Marinha tem prestado apoio logístico a um conjunto de países. Igualmente, temos nos beneficiado da cooperação de vários de nossos parceiros.

Destaco, em especial, o apoio prestado ao Brasil pela Argentina e pelo Chile quando do incêndio que destruiu a Estação Comandante Ferraz. Na esteira daquela tragédia, que vitimou dois bravos tenentes da Marinha, o Brasil redobrou seu comprometimento com a causa antártica.

Procuramos remediar as perdas materiais, manter as atividades programadas e evitar a descontinuidade das pesquisas científicas. Em conformidade com os dispositivos relevantes do Tratado da Antártida, pudemos mitigar o impacto ambiental causado pelo acidente.

Desenvolvemos, no verão austral de 2012/2013, a maior operação logística já realizada pelo Brasil na Antártida. Os restos da antiga Estação foram desmontados e retirados do continente. Uma área de quase 3 km2 foi limpa, com assistência de equipes de controle ambiental. Um conjunto de módulos antárticos emergenciais para abrigar o grupo base da Estação e pesquisadores foi construído. Tratamos agora de pôr em marcha, no mais curto prazo, a construção da nova Estação Comandante Ferraz, cujas características foram definidas em consulta à comunidade científica e ambiental. E continuamos com nossas pesquisas científicas, com a colaboração de nossos vizinhos e por meio de nossos navios antárticos.

A concertação entre países presentes na Antártida estende-se para outras áreas. Tendo em vista as rigorosas condições climáticas no continente e o aumento do trânsito de navios na região, a cooperação na área de segurança marítima tem merecido crescente atenção. Saudamos o trabalho desenvolvido pelos centros de coordenação de resgate da Argentina, Austrália, África do Sul, Chile e Nova Zelândia no tocante às atividades de busca e salvamento (SAR).

A cooperação pacífica e amistosa desenvolvida por nossos países na Antártida é um exemplo inspirador para as relações internacionais em outras partes do mundo. Meu país atribui grande importância ao desarmamento nuclear. Por isso, avaliamos bem o imenso avanço representado pela proscrição de testes nucleares contida no Tratado da Antártida.

O Brasil, em articulação com os demais países sul-americanos e africanos banhados pelo oceano Atlântico Sul, tem trabalhado pelo fortalecimento da Zona de Paz e Cooperação do Atlântico Sul. Um de seus objetivos fundamentais é assegurar um Atlântico Sul livre de armas nucleares e de outras armas de destruição em massa.

O estabelecimento da Zona de Paz e Cooperação do Atlântico Sul contribui para uma Antártida livre de tais armamentos.

Desejo a todos uma reunião produtiva e dias agradáveis na capital do Brasil.

Muito obrigado.

A COOPERAÇÃO LUSÓFONA EM DEFESA

Intervenção na XV Reunião de Ministros de Defesa da Comunidade dos Países de Língua Portuguesa. Lisboa, 26 de maio de 2014

Gostaria de agradecer ao Ministro José Pedro Aguiar-Branco, em nome de quem cumprimento todos os nossos colegas aqui presentes. Quero dar também uma palavra de agradecimento também ao Ministro Mondlane, pela presidência de Moçambique.

E dizer que é uma honra estar aqui com todos e especialmente com o Primeiro-Ministro Xanana Gusmão, grande herói da independência de Timor Leste, cuja vida nós acompanhamos com muita admiração e respeito. A timidez dele não consegue esconder a importância do seu histórico.

Eu queria dizer que nós damos grande importância a este Foro, à CPLP, especificamente na área de Defesa. Ele tem algumas características únicas. Uma delas é a pluralidade, não só geográfica – nós temos aqui quatro continentes diferentes –, mas também de *backgrounds* culturais, ainda que também muita coisa nos una, sobretudo a língua, que é a forma de comunicação humana, e que, portanto, é um fator fundamental de entendimento entre homens e mulheres no mundo inteiro.

Dentro desse contexto, a nossa visão da CPLP é sobretudo uma visão de cooperação, em que se preservam as especificidades de cada país e de cada região em que cada país está inserido.

Essas regiões têm características próprias: vários países africanos fazem parte de organizações de tipo variável, algumas com uma dimensão militar; Portugal evidentemente faz parte de uma grande organização militar de caráter defensivo; e o Brasil agora faz parte também de um outro foro, de caráter não defensivo, mas cooperativo, que cada vez mais cresce em importância dentro de nosso relacionamento, que é o Conselho de Defesa Sul-Americano da Unasul.

Então nós temos aqui o grande desafio de promover a cooperação entre países de regiões tão distantes, de trazer para essa cooperação as experiências que cada um adquire, de trazer as vivências e os desafios – alguns comuns, outros particulares – para a mesa de debates e, ao mesmo tempo, de sermos capazes de entender que cada um tem a sua especificidade e a sua visão de mundo, consideradas todas as afinidades que nos unem.

Portanto, eu diria que a nossa visão tem que ser baseada sobretudo na ideia da cooperação. Eu digo isso porque creio que não seria útil nós dispendermos energia em coisas que não teremos condições de realizar, por um motivo ou por outro. Obviamente, seria praticamente impossível falarmos em uma defesa comum entre os países da CPLP, o que não nos impede de cooperar e de chegarmos às conclusões de como cooperar para a defesa de cada um dos países da CPLP.

Eu queria juntar-me também ao que já foi dito aqui sobre as eleições de Guiné-Bissau. Guiné-Bissau, entre todos os nossos irmãos, talvez seja o país mais necessitado. É difícil – já visitei muitos países do mundo em várias situações – visitar um país que tenha tanta necessidade de contribuição e de apoio internacional, sobretudo de apoio desinteressado e verdadeiramente humano, como o que pode ser dado pelos países da CPLP. Ao mesmo tempo, é um país que luta internamente para criar as condições para receber esse auxílio. Eu não estou falando em abstrato, porque eu sei que um dos elementos fundamentais para o desenvolvimento e a estabilidade da Guiné-Bissau é a reforma do setor de Defesa, especificamente do setor militar.

Sei que todos os países aqui estão empenhados em contribuir para isso. O Brasil inclui-se nesse quadro. Antes do último golpe de Estado lá, já havíamos feito inclusive planos muito concretos para ajudar não só na formação policial – coisa que chegamos a fazer até certo ponto –, mas também na formação das próprias Forças Armadas – e estamos totalmente dispostos a fazê-lo, assim que as condições permitam. Eu acho que é muito importante que haja um acompanhamento direto da Secretaria da CPLP sobre a evolução da situação da Guiné-Bissau, até para nos dizer se as condições para essa cooperação na reforma do setor de defesa – que é fundamental – estão dadas.

Eu não vou alinhar aqui as grandes linhas do trabalho que nós temos feito juntamente com outros países, com a compreensão de que tudo isso é um esforço comum.

Mas não é possível deixar de destacar os exercícios Felino – o último realizou-se no Brasil – e brevemente haverá um exercício na carta – como dizem os militares – que será no Timor; esse seminário de grande importância na área marítima; enfim, todas essas ações da CPLP.

Pensando em seminários, e mesmo levando em conta as diferenças de nível tecnológico entre os países – e essa é uma tarefa que talvez o centro de estudos estratégicos possa levar adiante –, seria talvez interessante discutirmos os desafios da guerra cibernética, isso é algo para o que nossos países talvez não tenham despertado suficientemente. Isso é um problema não só para a superpotência, como estamos vendo nos jornais todos os dias, mas que tem a ver também com a defesa dos recursos naturais, e não só naturais, mas também humanos e tecnológicos.

Isso talvez seja especialmente relevante para os países africanos. A defesa dos recursos naturais depende muito de nossa capacidade de defesa em relação a intrusões e ataques cibernéticos. Talvez pudéssemos dedicar um pouco de atenção a isso no nível de seminários e discussões, sem ter a pretensão de passarmos a uma defesa comum nesse campo.

O Brasil tem participado muito intensamente – eu não vou enumerar – de vários projetos de cooperação bilateral com todos os países aqui presentes. Recentemente, tivemos inclusive uma participação no auxílio à formação da polícia do Timor Leste.

Com todos os países aqui presentes sem exceção nós temos uma cooperação intensa. Com Portugal, ela já é tradicional, mas com os demais países pretendemos também aprofundá-la. Outras iniciativas em que o Brasil está envolvido – em algumas das quais ele esteve na origem – são também muito importantes e podem ter um reflexo nos trabalhos da CPLP.

É o caso da Zopacas, a Zona de Paz e Cooperação do Atlântico Sul, algo que consideramos muito importante. A esse respeito eu quero muito especialmente agradecer a Portugal o fato de ter sempre votado a favor da Resolução da Assembleia Geral da ONU sobre o estabelecimento de um hemisfério sul livre de armas nucleares. Isso revela a capacidade de Portugal de atuar de forma independente e corajosa nos foros internacionais. Quero prestar essa homenagem.

Menciono também que temos participado com grande preocupação, por interesse, mas também com o objetivo de ajudar, de exercícios próximos ao Golfo da Guiné – ou nele. É uma área de grande importância para todos os países, e também para o Brasil, porque grande parte do petróleo que importamos vem de lá.

Independentemente disso, temos grande interesse em contribuir para a segurança dessa área. Muito recentemente, participamos de uma operação de patrulhamento nessa região.

Volto a dizer: estamos prontos a cooperar, tanto no plano multilateral da CPLP, quanto no bilateral dos países envolvidos. E, mais uma vez, agradeço a proverbial hospitalidade portuguesa, hoje ainda brindada por um tempo muito bonito e uma localização muito agradável.

A grande estratégia do Brasil

Palavras na abertura da 1ª Jornada Estratégica da Chefia de Assuntos Estratégicos do EMCFA. Brasília, 14 de novembro de 2014

A política de defesa nos quatro primeiros anos do Governo da Presidenta Dilma Rousseff orientou-se pelo conceito de *grande estratégia*. Essa diretriz inspira-se na *Estratégia Nacional de Defesa*, segundo a qual os objetivos de defesa brasileiros inserem-se no marco de uma "grande estratégia".

Em seu contexto original, a expressão *grande estratégia* foi mais utilizada para assinalar o fato de que, durante uma guerra, a atividade bélica deve ser reforçada por uma série de políticas suplementares, como o comércio e a mobilização industrial. Para o Brasil de hoje, o conceito de *grande estratégia* deve referir-se a uma coordenação de políticas com vistas à defesa do interesse nacional e à contribuição para a paz mundial. Esses dois objetivos, interesse nacional e paz mundial, se complementam e se reforçam. Eles são, a meu ver, a essência da *grande estratégia* que devemos seguir.

Por um conjunto de razões, a ideia de que o Brasil deva assumir um papel de relevo no plano internacional não é consensual na sociedade brasileira, ou pelo menos entre os chamados formadores de opinião. Por vezes, essas razões ligam-se a preocupações legítimas, como, por exemplo, as desigualdades sociais e os problemas econômicos que ainda temos que enfrentar. Em outros casos, porém, devem-se a entendimentos estreitos ou pessimistas, mesquinhos mesmo, sobre a influência do Brasil no concerto das nações. As raízes dessas visões remontam aos longos períodos de subordinação colonial e de dependência econômica em relação aos centros de poder.

Mas, para um país em desenvolvimento, como o Brasil, o progresso social e econômico necessariamente passa pela eliminação dos obstáculos externos ao crescimento e pela projeção do país no mundo. Em organizações internacionais como a ONU e a Organização Mundial do Comércio criam-se regras que afetam diretamente nossa economia, nossa sociedade e até nossa defesa. Exemplos dessa inter-relação estão presentes em questões relativas ao comércio internacional, a negociações sobre o clima e a tantas outras. Em todos esses casos, a diplomacia brasileira deve cuidar para que a nossa soberania e os nossos interesses sejam preservados.

A paz mundial é fundamental para nossa prosperidade. Devemos contribuir ativamente para fortalecê-la. É o que temos feito por meio de nossa participação diferenciada e qualificada em operações de paz das Nações Unidas. Mas restabelecer a paz ou preservá-la em situações de crise não é suficiente. Para salvaguardar a paz, é imperativo que as instituições internacionais reflitam adequadamente a realidade do século XXI. Daí o pleito brasileiro por uma reforma do Conselho de Segurança das Nações Unidas, que o torne mais representativo, mais legítimo e mais efetivo. Em 2015, a ONU completa setenta anos. Esse aniversário de valor simbólico é mais uma oportunidade para uma reflexão profunda sobre a necessidade de que seus órgãos mais importantes atendam às realidades atuais.

Assim como no comércio ou nas negociações ambientais, a aspiração brasileira de contribuir para a gestão da paz mundial não decorre de mero voluntarismo. Ela corresponde a uma defesa judiciosa do interesse nacional. Essa contribuição é não só aceita, como bem-vinda. Eu pude constatar, nos meus anos de Chanceler, o desejo de que o Brasil tenha maior presença no mundo. Eu costumava dizer, por exemplo, que "a África tem sede de Brasil". E melhor que a minha formulação é a de um professor queniano da Universidade de Harvard, Calestous Juma, que diz que "para cada problema africano existe uma solução brasileira". Isso é verdade em agricultura, é verdade em outros campos da economia, e é verdade também – em larga medida – em defesa, como eu tenho descoberto na prática dos nossos contatos bilaterais.

Em novembro de 2014, estive na ONU, onde tive um diálogo com o Secretário-Geral Ban Ki-moon e com o Subsecretário-Geral de Operações de Manutenção da Paz, Hervé Ladsous. Constatei com satisfação que temos oficiais brasileiros não só nas missões de paz, mas também no próprio órgão central das Nações Unidas. Não é um fato gratuito que nós tenhamos pessoas hoje ocupando cargos importantes dentro do Departamento de Operações de Manutenção da Paz da ONU, o DPKO. Isso é uma decorrência direta da atuação firme – e ao mesmo tempo respeitosa das populações civis – que têm tido tanto os comandantes quanto as tropas brasileiras que estiveram envolvidos em operações de paz.

O complemento indispensável de uma política externa pacífica é uma política de defesa robusta. A coordenação dessas duas políticas é o cerne da grande estratégia brasileira.

A política de defesa tem basicamente duas vertentes: a dissuasão e a cooperação. A dissuasão diz respeito à capacidade das Forças Armadas de desencorajar agressões à soberania brasileira por forças hostis que eventualmente decidam aventurar-se nesse tipo de ação. Uma capacidade dissuasória crível atende, antes de tudo, aos interesses nacionais brasileiros. Serve também à promoção da paz mundial. Na medida em que um país não cuida de sua defesa, pode dar margem à ação de agressores e, por via dessas, à instabilidade.

O Barão do Rio Branco, no último discurso que fez em vida, no Clube Militar, deixou uma lição de sabedoria: "Os povos que (...) desdenham as virtudes militares e se não preparam para a eficaz defesa do seu território, dos seus direitos e da sua honra, expõem-se às investidas dos mais fortes e aos danos e humilhações consequentes da derrota". Como em vários outros pronunciamentos e escritos do Barão, essas palavras guiavam-se pelo entendimento de que o equilíbrio de poder – e, em última instância, a dissuasão – fornece um parâmetro crucial para a inserção internacional de um país. Essa lógica continua atual e tem especial validade para a reflexão sobre a defesa.

Contrariamente a expectativas infundadas que estiveram em voga após o fim da Guerra Fria, a geopolítica não foi superada na vida internacional. Lamentavelmente, a paz perpétua imaginada por Immanuel Kant não se tornou ainda uma realidade.

O principal mecanismo criado até hoje pela comunidade internacional para regular o uso da força entre os Estados foi o sistema de segurança coletiva da Carta da ONU, centrado no Conselho de Segurança das Nações Unidas. Esse sistema predica-se na ideia de que a melhor forma de salvaguardar a paz mundial é a distribuição equilibrada do poder e das responsabilidades entre os países, que por isso mesmo devem agir em concerto. Por meio desse sistema, a operação do balanço de poder é, de certo modo, constrangida pelas normas internacionais.

Infelizmente, o Conselho nem sempre tem pautado suas decisões pelos princípios que inspiraram sua criação. Sem o respeito estrito às normas multilaterais, o arbítrio dos mais fortes – mesmo quando sob o manto de ações humanitárias e objetivos éticos (em si mesmos louváveis) – toma o lugar do Direito, com sérias consequências para a paz. Foi esse o caso das ações armadas unilaterais – isto é, à revelia do Conselho de Segurança – no Kosovo, em 1999, no Iraque, em 2003, e na Líbia, em 2011.

Além de fragilizar o sistema de segurança coletiva, essas ações tiveram impactos adversos sobre os países-alvo. A instabilidade atual no Iraque tem sua raiz na anarquia criada pela intervenção militar há uma década. A desagregação do Iraque, que se somou à crise produzida pela guerra civil síria, constitui o pano de fundo para o surgimento do Estado Islâmico, hoje a mais imediata ameaça à paz no Oriente Médio e à segurança dos próprios Estados de maioria muçulmana nessa região. A falência das instituições líbias compõe quadro tristemente similar. E a intervenção da OTAN no Kosovo – então parte da antiga Iugoslávia – tem servido de justificativa para outras situações em que o princípio da autodeterminação tem-se sobreposto ao da integridade territorial dos Estados.

Em todas essas crises, a insuficiência do sistema de segurança coletiva ficou evidente. Para supri-la, é preciso levar adiante a reforma da composição e dos métodos de trabalho do Conselho de Segurança, como mencionei. Os avanços nessa matéria não serão instantâneos. Falando de forma mais ampla, a raiz das crises que mencionei é a grande desigualdade na distribuição do poder mundial, que prejudicou o funcionamento dos freios e contrapesos próprios da lógica do equilíbrio de poder. A turbulência geopolítica em curso na Europa Oriental não é estranha ao processo de expansão da aliança militar ocidental sobre a antiga área do Pacto de Varsóvia.

A correção das assimetrias de poder que levam a esse tipo de situação será um processo de longo prazo, indispensável à criação de um mundo mais estável. A multipolaridade deve ser o sustentáculo do multilateralismo. Em outras palavras, um mundo composto por vários polos de poder, assentado em regras pactuadas, representa a melhor chance para a vigência da paz.

Independentemente de nossa preferência pela paz, o Brasil já esteve em situações em que os interesses nacionais foram ameaçados e agredidos. A experiência da Segunda Guerra Mundial nos ensina que mesmo conflitos aparentemente distantes e entre terceiros podem nos afetar diretamente. Hoje, além das crises que mencionei, não podemos desconsiderar situações de instabilidade política como a da África Ocidental na outra margem do oceano Atlântico Sul.

É imperioso que o Brasil tenha Forças Armadas aprestadas, modernas e integradas para fazer frente às repercussões negativas desse quadro de instabilidade global.

O Brasil não tem inimigos. Por isso mesmo, tem orientado o planejamento de sua defesa mais por capacidades do que por hipóteses de emprego. As ameaças que venham a nos afetar podem ser oriundas de quaisquer quadrantes do globo. Isso é especialmente verdadeiro no caso de um país rico em recursos, como o nosso. Temos que estar prontos para defender nossas águas jurisdicionais, nosso território e nosso espaço aéreo.

Ao mesmo tempo em que nossa diplomacia contribui para a construção de um mundo mais seguro, nossos militares têm que ter as condições de vida e de trabalho que os habilitem a atuar de forma a dissuadir ameaças ao patrimônio nacional.

Uma política de defesa inteligente não pode deixar de lado a vertente da cooperação. A referência fundamental da ação nessa vertente é o entorno estratégico do Brasil. Nosso entorno é composto pela América do Sul, de um lado, e pelo Atlântico Sul (visto no seu sentido geopolítico e não exclusivamente geográfico) e pela orla ocidental da África, de outro. Durante muito tempo, nossas relações com essas regiões foram caracterizadas por falsas percepções e, em alguns casos até, por suspeitas injustificadas. Ao longo das últimas três ou quatro décadas, porém, essas distorções foram corrigidas e a distância entre nossos países foi gradualmente encurtada.

Na América do Sul, eliminamos por completo as sombras de uma rivalidade estéril com os nossos vizinhos e construímos o Mercosul e a Unasul. E nunca é demais lembrar, até porque isto é um exemplo para outros países e outras regiões, o grande passo no sentido da construção de confiança com a Argentina: o acordo em matéria de contabilidade e controle de materiais nucleares.

No Atlântico Sul, patrocinamos há mais de vinte anos a criação, na Assembleia Geral da ONU, da Zona de Paz e Cooperação do Atlântico Sul, a Zopacas, que reúne países das duas margens do oceano. Com a África, assistimos a um grande salto nos intercâmbios na última década, com a criação de foros multilaterais e birregionais, como a Comunidade dos Países de Língua Portuguesa (CPLP) e, mais recentemente, o mecanismo de cúpula América do Sul-África (ASA).

Ao cooperar com seus parceiros sul-americanos e africanos, o Brasil recebe um dividendo de segurança. O Brasil é um dos raros países de território continental sem pendências de limites com seus vizinhos. Esse é o grande legado do Barão do Rio Branco, que – como evidencia a passagem que citei – sempre buscou apoio na robustez das Forças Armadas. Por isso mesmo, sua imagem é por elas cultivada, ao lado de seus respectivos patronos, como é o caso no pórtico de entrada da Escola Superior de Guerra. O Barão do Rio Branco não desconhecia a importância de que o Brasil trabalhasse pela prosperidade de seus vizinhos, pois compreendia que ela reverte diretamente para o nosso próprio bem-estar.

É este o sentido profundo da cooperação – e especialmente da cooperação em Defesa – no entorno estratégico brasileiro: o Brasil deve cercar-se de um cinturão de boa vontade. Somos o maior país da América do Sul e o país com a maior costa atlântica do mundo. Se não assumirmos as responsabilidades que nos competem, deixaremos flanco aberto para a eventual entrada de forças hostis ao nosso projeto de paz e prosperidade.

O Brasil relaciona-se bem com os países desenvolvidos do hemisfério norte e com os BRICS. Mas seria totalmente contrário aos nossos interesses que potências extrarregionais – por quaisquer motivos – fabricassem e explorassem rivalidades artificiais entre o Brasil e seus vizinhos.

A cooperação em defesa no entorno estratégico é crucial para o Brasil. A cooperação é, nesse âmbito, a melhor dissuasão. Investir nessa cooperação não é um ato de generosidade. É a maneira mais eficaz (e, provavelmente, a menos onerosa) de proteger nossos interesses e a nossa integridade.

Na América do Sul, a cooperação envolve um conjunto de iniciativas bilaterais e multilaterais. As ações bilaterais incluem projetos de alta tecnologia, como a associação da Argentina à produção do avião cargueiro-reabastecedor KC-390. Além de seu mérito intrínseco, essa associação também contribui para a recuperação da indústria aeronáutica argentina, com reflexos na economia e nas atitudes psicológicas do mais estratégico dos nossos aliados. As iniciativas bilaterais incluem também a prestação de serviços, em condições favoráveis, para parceiros mais necessitados, como a revitalização de blindados do Suriname.

Estimulamos, igualmente, o intercâmbio comercial na área de produtos de defesa. O comércio é elemento integrante da cooperação. Para citar um exemplo: as vendas do Super Tucano da Embraer são expressivas, tanto na América do Sul como em outras regiões. Mas o comércio é uma via de mão dupla. Por isso, tivemos a preocupação de, na medida do possível, redirecionar algumas importações, como foi o caso das lanchas fluviais blindadas que adquirimos da Colômbia. Constatei com grande satisfação, durante a Operação Amazônia, em outubro de 2014, que as lanchas colombianas mereceram o reconhecimento pleno das nossas Forças Armadas. Há muito a explorar, ainda, nesse campo.

No plano multilateral, o Conselho de Defesa Sul-Americano da Unasul (CDS) é o principal órgão para a cooperação em defesa. Por meio do CDS, as nações sul-americanas constroem confiança entre suas forças armadas, compartilham percepções, cooperam em iniciativas comuns e coordenam suas políticas de defesa, com envolvimento de civis e militares.

A criação de uma base industrial de defesa sul-americana é um dos objetivos da ação regional. Destaco o projeto do avião treinador básico Unasur 1, resultado de uma promissora cooperação industrial. O mesmo pode ser dito sobre a construção de um VANT regional. Notamos ainda o interesse de nossos vizinhos por projetos como o Sisfron e o Proteger. Com a Colômbia, estamos desenvolvendo o projeto de um navio-patrulha fluvial (não confundir com a lancha), que pode interessar também a outros países, sobretudo os que integram o Tratado de Cooperação Amazônica.

Outro objetivo central do CDS é o desenvolvimento de uma identidade comum em defesa na América do Sul. Para esse fim, foi criada, em 2013, a ESUDE, Escola Sul-Americana de Defesa. A secretaria administrativa da ESUDE instalará em Quito, na sede da Unasul. A ESUDE tem uma estrutura descentralizada, de que é exemplo o bem-sucedido Curso Avançado de Defesa Sul-Americano, que desde 2012 vem sendo realizado na Escola Superior de Guerra no Rio de Janeiro. Outra instância de reflexão é o Centro de Estudos Estratégicos de Defesa da Unasul, em Buenos Aires, do qual temos participado com afinco e interesse crescentes.

A formação da identidade sul-americana em defesa será uma decorrência gradual e natural do processo de aproximação, respeitada a pluralidade de visões e percepções na América do Sul. Mas, ao lado dessa pluralidade de visões – cada país é soberano para decidir como deve autogovernar-se (nós temos a nossa preferência claramente expressa, que é a democracia plena) –, há também interesses comuns, como a proteção dos recursos naturais da América do Sul. A guerra entre países sul-americanos é uma hipótese cada vez mais impensável. Vai conformando-se na América do Sul uma comunidade democrática de paz e segurança.

A Zona de Paz de Cooperação do Atlântico Sul, criada em 1986, foi revitalizada por uma reunião em nível de ministros das Relações Exteriores e Defesa em janeiro de 2013, em Montevidéu, à qual o então Ministro Antonio Patriota e eu comparecemos. O objetivo primordial da Zopacas é um oceano livre de armas nucleares e de rivalidades que lhe sejam estranhas. A cooperação em geral esteve limitada a alguns aspectos relativos ao meio ambiente marinho. Em Defesa, a atividade da Zopacas é mais recente. Em outubro de 2013, realizamos um simpósio sobre segurança marítima da Zopacas em Salvador.

A cooperação em defesa com muitos de nossos parceiros africanos tem uma importante componente marítima. Temos colaborado com as guardas costeiras de países-arquipélagos como Cabo Verde e São Tomé e Príncipe, todos eles chaves para o combate à pirataria no Atlântico Sul e para a segurança das rotas marítimas. O importante papel desempenhado desde os anos 1990 pela Marinha do Brasil na construção da Marinha da Namíbia é amplamente reconhecido. Desde o início dessa parceria, a Marinha do Brasil formou mais de 1200 alunos namibianos. Em setembro passado, assinei, junto ao meu colega Ministro da Defesa angolano, um memorando que abre importantes perspectivas na área, inclusive de aquisição e produção em Angola de navios-

-patrulha brasileiros. Com a África do Sul, realizamos a manobra naval Ibsamar, no âmbito do IBAS, o mecanismo de diálogo trilateral Índia, Brasil e África do Sul.

A cooperação com nossos parceiros da orla ocidental da África não se esgota na dimensão naval. Ela engloba também – crescentemente – a terrestre e aeronáutica. Cito, a título de exemplo, a coprodução Brasil-África do Sul de um míssil ar-ar de quinta geração, o A-Darter, que, no caso do Brasil, equipará as novas aeronaves de combate da FAB, o Gripen-NG. A cooperação aeronáutica também está na agenda com Moçambique, um país situado no Oceano Índico e membro da Comunidade dos Países de Língua Portuguesa, sobre o qual talvez possamos dizer que faz parte do "Atlântico Sul geopolítico". Em tempos recentes, temos multiplicado iniciativas de cooperação entre o Exército Brasileiro e seus contrapartes africanos, por exemplo nas áreas de saúde militar com Angola, e também com a venda de viaturas Marruá para a Namíbia. A partir de 2015, escolas do Exército receberão o primeiro contingente de militares namibianos, e formarão tanto praças quanto oficiais.

A cooperação em defesa excede o entorno estritamente regional e alcança nações amigas próximas de nós, como o Haiti e o Líbano. A maior parte da tropa da Minustah é sul-americana. Ao longo de dez anos, mais de trinta mil militares brasileiros passaram pelo Haiti. À medida que a missão da ONU diminui sua presença no Haiti, vamos incrementando nossa cooperação bilateral: o Exército Brasileiro vai ajudar a formar o corpo de engenharia militar do Haiti. Há poucos meses assinei o acordo relativo a essa cooperação bilateral em uma visita que fiz a Porto Príncipe.

No Líbano, nossos marinheiros estão ajudando, no âmbito da Unifil, a manter a paz em um país com o qual mantemos intensos laços afetivos, e mesmo familiares. O Brasil tem a nau capitânia da componente naval da Unifil, e um almirante da Marinha do Brasil é o comandante dessa força tarefa. Por meio disso, marcamos presença em um dos mais tradicionais tabuleiros da geopolítica global, o Mar Mediterrâneo. Também com o Líbano a cooperação bilateral em defesa vai tomando corpo: já temos, por exemplo, um bom número de alunos libaneses cursando a Escola Naval, de onde sairão como guardas-marinha.

Todas essas medidas mostram o empenho do Governo brasileiro com a paz no Líbano. Esse compromisso tem uma dimensão muito direta: durante a guerra de Israel com o Líbano em 2006, mais de três mil brasileiros foram evacuados do Líbano com o apoio do Governo brasileiro. Isso confirma algo que sempre tenho repetido: é uma ilusão supor que o que acontece em outras regiões do mundo não nos afeta.

Assim como na política externa, também na política de defesa a ideia de uma maior projeção no mundo pode suscitar dúvidas. Recordo que, nos primeiros anos do Governo Lula, quando era Chanceler, os jornalistas costumavam questionar-me sobre por que o Brasil tinha decidido enviar a tropa para o Haiti. Eu respondia que não podíamos fugir às nossas responsabilidades para com um país da região que corria o risco de tornar-se um Estado falido. E acrescentava: não é preciso ser rico para ser solidário.

Ser solidário é, ao mesmo tempo, respeitar o princípio da não intervenção e adotar uma postura de não indiferença, isto é, transmitir o sinal político de que o nosso país está interessado no bem-estar de seus parceiros e disposto a ajudá-los. A solidariedade, especialmente para com países com grandes assimetrias de recursos, sempre nos trará benefícios a médio e longo prazo, seja em termos do aumento de nossa segurança e da confiança mútua, seja no apoio a nossas teses em organizações internacionais.

Para o Brasil, que tem muito a perder com a instabilidade em seu entorno, a boa vontade dos vizinhos – inclusive dos mais fracos e vulneráveis – é um interesse estratégico. Contribuir para o fortalecimento institucional de parceiros, inclusive no campo da defesa, em um quadro plenamente democrático, é parte do interesse nacional brasileiro. Assim, elimina-se a falsa dicotomia entre o autointeresse e a solidariedade.

À medida que o orçamento da defesa caminhar para o patamar de 2% do PIB, o que nos aproximará da média dos BRICS, como julgamos adequado, a percepção de uma escolha excludente entre investimento nas nossas Forças e cooperação externa naturalmente se diluirá. Até lá, contudo, devemos contribuir, dentro de nossas possibilidades, com a defesa de nossos vizinhos de aquém e além--mar, em um clima de respeito e confiança mútua.

Assim, tornaremos realidade a contribuição da *grande estratégia* do Brasil tanto para o interesse nacional quanto para a paz no mundo.

Sérgio Vieira de Mello

Discurso no encerramento do Curso de Altos Estudos de Política e Estratégia da ESG. Rio de Janeiro, 28 de novembro de 2014

Sinto-me muito contente em participar de uma cerimônia tão importante como essa e em poder fazer algumas poucas reflexões. Primeiro, porque me impressiona a vitalidade do CAEPE. Temos aqui, na Escola Superior de Guerra, homens e mulheres, civis e militares, dos mais diversos recantos do país, das mais diversas formações profissionais, todos eles interessados em algo que está no título da turma, que é 'Pensar o Brasil'.

Quando reflito sobre esse fato, me vem à mente as palavras de um ex-chefe meu a propósito da instituição à qual pertenci durante muitos anos, o Itamaraty. Ele dizia que a melhor tradição do Itamaraty é saber renovar-se. E acho que isso também pode ser dito da Escola Superior de Guerra. O Comandante da Escola, Almirante Leal Ferreira, diz que temos que estar sempre abertos a mudanças, olhando para um novo tempo, enfrentando novos desafios. Essa é a qualidade essencial de uma instituição de ensino onde todos aprendem. A relação de diálogo é o que mais importa. Dou os parabéns à ESG por mais essa turma.

Não posso deixar de congratular a Turma pela escolha de seu patrono, Sérgio Vieira de Mello, a quem eu tive a honra e o prazer de conhecer. Sérgio Vieira de Mello viveu como um diplomata e morreu como um soldado.

Ele simboliza muito do que a nossa política externa e a nossa política de defesa têm procurado fazer pelo Brasil e pelo mundo. Sérgio Vieira de Mello trabalhou pela paz em várias frentes: em relação aos refugiados; em assuntos humanitários; como Alto Comissário das Nações Unidas para os Direitos Humanos; e, depois de uma vida relativamente curta – ele era jovem ainda –, aceitou um desafio enorme: ser representante da ONU no Iraque.

Lá ele enfrentou uma situação muito difícil, em um país que acabara de sofrer uma guerra. Enfrentou também o desafio intelectual de identificar qual seria o papel das Nações Unidas em um país que tinha sido objeto – não quero julgar os méritos – de uma ação militar unilateral. Como as Nações Unidas, que não tinham participado daquela intervenção, poderiam ajudar na reconstrução do Iraque?

Menciono essa dificuldade porque ela foi o tema da última conversa que tive com Sérgio Vieira de Mello, em um hotel em Amã, na Jordânia. Eu tinha tido, logo antes, uma entrevista com o Secretário-Geral da ONU, da qual Sérgio também participou. Depois, ele pediu para ter uma conversa particular comigo. Tenho certeza de que, onde quer que ele esteja, ele não teria nenhum problema em eu revelar que, nessa conversa, ele pediu ao Brasil que ajudasse a ONU a ter um papel importante na reconstrução do Iraque.

Ele temia muito pelo futuro do Iraque. Hoje, quando vemos o que está acontecendo no Iraque, vemos que Sérgio Vieira de Mello tinha razão: os problemas que existem são provavelmente tão grandes ou maiores do que aqueles que existiam antes da ação militar.

Ele era um homem da paz, um batalhador da paz, que nunca temeu enfrentar situações difíceis. Na primeira vez em que estive com ele, na missão do Brasil em Genebra, ele servia no Camboja. Depois disso – não estou seguindo a ordem cronológica –, ele esteve presente de forma muito importante no Timor Leste. E, após a segunda guerra do Golfo, aceitou esse desafio tremendo do Iraque.

Uma pergunta que deve ser feita quando se pensa na memória de Sérgio Vieira de Mello é: por que morreu de maneira tão brutal um homem que estava trabalhando pela paz e pela reconstrução daquele país? E quais foram as circunstâncias que fizeram com que a situação do Iraque não permitisse que ele exercesse esse desejo de contribuir para a paz?

Isso me faz pensar no sistema internacional em que nós temos nos inserido. Há uma discussão célebre de Max Weber, o famoso sociólogo, sobre a ética da convicção e a ética da responsabilidade. A ética da convicção é a ética dos santos: eles fazem algo porque acham que aquilo é correto. (Por acaso um filho meu fez um filme agora sobre a Irmã Dulce, que é um bom exemplo do que significa a ética da convicção.) Já a ética da responsabilidade é a ética política, a ética dos resultados, e de resultados sustentáveis a médio e longo prazo. Para a busca desses resultados, não é suficiente – embora seja indispensável – ter boas intenções e grandes ideais. É preciso que o conjunto dos meios políticos, legais e militares esteja de tal modo configurado, que a vontade de trazer progresso, paz e bem--estar a um determinado país possa concretizar-se.

Os brasileiros que estão envolvidos na missão da ONU no Haiti sabem dessas dificuldades. Não é só a vontade de fazer, é também a necessidade de ter condições para que aquilo que se quer fazer que aconteça. Quando pensamos nisso, temos que considerar as limitações que existem no atual sistema das Nações Unidas. Ao mesmo tempo em que cria expectativas em torno de pessoas como

Sérgio Vieira de Mello, esse sistema frustra a realização dessas expectativas. Sérgio Vieira de Mello é um símbolo, mas muitos outros também desapareceram por motivos diferentes.

Nós perdemos muita gente no Haiti: perdemos a Dra. Zilda Arns, perdemos soldados, perdemos o Vice-Representante Especial do Secretário-Geral da ONU, Luiz Carlos Costa. No Haiti, ocorreu uma catástrofe natural. Agora, no Iraque, foi uma situação política. Nós temos que pensar nisso profundamente. Às vezes, as ações – mesmo que bem-intencionadas, mesmo que por motivações éticas justificadas – podem levar a resultados não desejáveis. Frequentemente, as intervenções militares levam mesmo a situações mais graves do que aquelas que existiam antes.

Basta olhar para o mundo de hoje, para o próprio Iraque, infelizmente. Digo isso com pesar, porque eu próprio me interessei muito pelo tema do Iraque quando fui embaixador da ONU. O país enfrenta hoje uma situação dificílima, que gera perplexidade em todos nós. Ao olhar para essa situação, não posso deixar de pensar naquela última conversa que tive com esse ilustre brasileiro. Sérgio Vieira de Mello foi um homem de coragem, mas também de muito amor, um amor focado de uma maneira responsável, que queria buscar respostas práticas para os problemas.

Por isso, eu queria parabenizar a turma pelo excelente trabalho que seguramente fizeram, pela magnífica interação – que pude verificar nas palavras dos dois oradores que falaram – e por terem escolhido Sérgio Vieira de Mello, esse misto de diplomata e guerreiro, esse homem da paz, como seu patrono.

Muito obrigado por terem participado da cerimônia. Parabéns a todos!

San Tiago Dantas

Palavras por ocasião do lançamento do livro Poder Nacional, Cultura Política e Paz Mundial. *Rio de Janeiro, 12 de dezembro de 2014*

Queria hoje dizer um pouco de como a minha geração viu San Tiago Dantas. Antes disso, vou permitir-me uma pequena palavra pessoal, porque os meus caminhos e os caminhos do Ministro Marcílio Marques Moreira têm se cruzado muitas vezes, sempre com a grande vantagem minha. Espero que hoje também seja assim.

O Ministro Marcílio referiu-se, em sua fala, a um evento em homenagem a San Tiago Dantas em 1984. Esse era um período em que eu vivia uma espécie de exílio dourado na Holanda, depois dos meus conturbados tempos de presidente da Embrafilme. Eu estava de férias no Rio e telefonei para a casa do Marcílio. Atendeu a Maria Luísa, sua mulher, que me disse: "O Marcílio está viajando muito, é difícil, mas amanhã ele vai fazer uma palestra sobre Santiago Dantas".

Eu achava que era uma palestra para o ambiente acadêmico, que as pessoas iriam em trajes esportivos. Lembro-me de que fui com meu sogro e meu filho, e o máximo que nós pusemos foi um *blazer*. E lá fomos nós ao instituto dirigido pelo Hélio Jaguaribe, se não me engano no Jardim Botânico. Acontece que era uma sessão solene, dos vinte anos da morte de San Tiago Dantas.

E eu reparei que não havia nenhum representante do Itamaraty, a não ser um embaixador aposentado, Antônio Castello Branco. Naquela circunstância, eu disse: "Estou aqui como representante um pouco informal do Itamaraty, que devia estar participando desta homenagem a uma pessoa que marcou de maneira tão profunda a nossa diplomacia". Recordo-me de que, entre os oradores presentes, estava o Renato Archer, que foi oficial de Marinha. Eu o conheci naquela noite, e depois passei anos importantes da minha vida trabalhando com ele no Ministério da Ciência e Tecnologia.

Em muitos outros momentos meus caminhos e os do Ministro Marcílio cruzaram-se e a nossa amizade fortaleceu-se, independentemente até dos caminhos políticos que cada um possa ter tomado. Acho que isso em si já é uma homenagem ao San Tiago, porque, além do que já foi dito sobre sua ética e sua visão do mundo, eu destacaria a sua grande capacidade de ver as vantagens do pluralismo e do vivo entrechoque de ideias diferentes.

E aqui eu passo, então, a falar como uma pessoa da minha geração. Há cerca de cinco anos, a Organização dos Estados Americanos discutiu a supressão da resolução do Tratado Interamericano de Assistência Recíproca que suspendia Cuba – ou o Governo de Cuba –, como parte da OEA, em 1962. Eu era Chanceler do Governo Lula, e, ao preparar-me para a reunião, reli os discursos feitos pelo San Tiago Dantas quase cinquenta anos antes.

A primeira vez em que San Tiago Dantas chegou a mim com muita força – eu era um jovem de talvez menos de vinte anos – foi com suas palavras naquela reunião de consulta do Tratado Interamericano de Assistência Recíproca, em que Cuba foi suspensa. San Tiago Dantas agiu como grande independência.

De certa maneira, San Tiago Dantas transformou em prática o que já vinha sendo feito no governo Jânio Quadros. Mas, naquele início do Parlamentarismo no Brasil, ele foi um símbolo real da Política Externa Independente. De um lado, deu densidade conceitual ao que vinha sendo feito antes. De outro, transformou a atitude de independência do Brasil em face das questões internacionais em uma realidade prática muito verdadeira, em uma época que isso não era simples.

Não porque simpatizasse com o governo de Cuba, e as palavras proferidas pelo Ministro Marcílio deixam claro sua firme posição pela democracia liberal. Mas creio que essa democracia liberal foi se transformando ao longo do tempo, para ele, em uma democracia de forte componente social, com a eliminação das desigualdades e a eliminação da violência. Então, o primeiro grande impacto que San Tiago trouxe para mim, como um jovem de 19 anos, que, na época, não pensava em ser diplomata – fazia cinema e trabalhava em outras áreas –, foi com seu discurso na reunião de Punta Del Este.

Logo em seguida, quando Tancredo Neves deixou o cargo de Primeiro Ministro, colocou-se a questão da sua sucessão. E acompanhei, como jovem interessado em política (embora sem nenhum envolvimento direto com ela), a discussão em torno de quem seria o novo Primeiro-Ministro. Lembro-me das esperanças colocadas em San Tiago Dantas. E tenho para mim – sem fazer nenhuma opção, nem estar manifestando agora nenhuma opção sobre qual é o melhor sistema de governo, porque essa é uma questão muito complexa – que o futuro do Parlamentarismo no Brasil, e talvez o futuro do Brasil, tivesse sido diferente se San Tiago Dantas fosse então escolhido como Primeiro-Ministro.

Isso era o que muitos desejavam, inclusive os jovens. Mas não foi o que ocorreu. O choque de interesses foi de tal ordem (e direita e esquerda uniram-se, curiosamente), que não permitiu que San Tiago viesse a ser o Primeiro-Ministro. Já nos dias mais conturbados no final do governo de João Goulart, San Tiago tentou abrir o diálogo com a iniciativa da Frente Única, um grande movimento que envolvesse todos aqueles interessados na reforma política de uma maneira democrática. Para uma pessoa que naquela época ainda estava se formando, esses fatos tiveram grande influência.

Como diplomata, San Tiago ficou como um ícone verdadeiro. Raras vezes é possível, na história, verificar uma pessoa que tenha ficado tão pouco tempo em um cargo e tenha marcado de maneira tão forte uma carreira, uma profissão, um setor da vida nacional. San Tiago Dantas dá hoje – guardo a honra de ter tomado essa iniciativa – nome a uma das principais salas do Itamaraty. E por que um homem que durante tão pouco tempo esteve à frente do Ministério marcou tanto? A visão dele realmente chega até os dias de hoje. É uma visão muito contemporânea, e com uma capacidade de tradução original.

O Embaixador Marcílio lembrava aqui a proposta de San Tiago de uma "convivência competitiva" entre as potências capitalista e comunista, que era uma forma dinâmica de reler o tema da "coexistência pacífica", muito em voga na época. E por que uma convivência competitiva? Porque ele via méritos nesse entrechoque, embora sempre firme defensor da democracia. A preocupação social que existiu (ou pelo menos parecia existir) nos regimes socialistas poderia ser incorporada sem o sacrifício da democracia. Isso está muito patente em vários dos seus discursos sobre política internacional na época.

Essa vocação pacifista até hoje nos inspira. Certamente ela não era neutralista, mas tampouco era estática. Tenho dito, como Ministro da Defesa, que o Brasil não é apenas um país pacífico, o Brasil é um país provedor de paz. É um país que tem a vocação de ser provedor de paz, devido a uma série de fatores culturais, à sua história, e também ao seu interesse. San Tiago Dantas tinha a capacidade de juntar o interesse nacional, que ele defendia de maneira muito forte (quando defendia, por exemplo, que o Brasil tinha que ter relações com a União Soviética, ele dizia que os nossos exportadores e nossos industriais tinham que vender produtos à União Soviética), à defesa da paz no mundo.

É mais ou menos esse tipo de visão que inspirou alguns aspectos da política externa brasileira em meu período de Chanceler, pelo menos, e creio que até hoje. Uma visão em que não apenas o interesse nacional – é claro que o interesse nacional é absolutamente fundamental, seria ingênuo pensar que o país não tem que considerar o seu interesse –, mas também um certo sentido de solidariedade pauta nossas atitudes. Solidariedade era um termo usado por San Tiago Dantas – esse dom de si que ele descobriu ou leu na figura do Dom Quixote e que, de certa maneira, deve ser uma motivação em nossas vidas.

Por isso, falando um pouco da política externa e da política de defesa, a nossa política aqui na América do Sul é de cooperação. Algumas vezes usei o termo generosidade, e esse termo pode até ter sido objeto de muita crítica, porque, como se diz, os países têm interesses, não tem amigos. Mas não há contradição aí. A prosperidade e o bem-estar dos nossos vizinhos são fatores que contribuem para a nossa segurança. Nisso, interesse nacional e generosidade, ou solidariedade, se vocês preferirem, coincidem.

Raras vezes tive a oportunidade de, no mesmo dia, participar de duas cerimônias tão significativas como hoje. Pela manhã, estive em Itaguaí, na inauguração do *hall* principal do estaleiro onde serão construídos não só nossos submarinos convencionais, mas também nosso submarino nuclear. E agora reunimo-nos aqui para o lançamento deste livro com conferências de San Tiago Dantas na Escola Superior de Guerra.

A ideia do poder nacional foi desenvolvida e discutida por San Tiago Dantas em suas palestras. E hoje tivemos essa clara demonstração de que o Brasil está decidido a ter força suficiente para dissuadir qualquer ação prejudicial a sua integridade, a seus interesses e à paz.

Eu queria terminar essas palavras dizendo que é uma grande alegria podermos comemorar hoje a memória do San Tiago. E comemorarmos também a transformação pela qual o Brasil está passando, o que permite que essa cerimônia – afinal de contas, em torno de um homem que foi duas vezes ministro de João Goulart, ainda que no Governo parlamentarista – se faça na Escola Superior de Guerra.

A inspiração disso é uma visão ampla do Brasil, a visão de um Brasil que está olhando para o futuro e que está ciente do que ele pode fazer. Temos que unir nossas forças, nosso sentido ético e nosso desejo de superar as nossas desigualdades sociais. Isso é fundamental para que o Brasil possa olhar a si mesmo com autoestima e ser visto pelos outros com respeito.

Discurso de despedida

Discurso por ocasião da transmissão de cargo para o Ministro Jaques Wagner. Brasília, 2 de janeiro de 2015

Eu queria, em primeiro lugar, agradecer à Presidenta Dilma Rousseff pela confiança que depositou em mim no momento em que – parodiando, talvez com alguma deformação, Camões –, eu estava colhendo do sossego o doce fruto e convocou-me para uma tarefa importante, complexa e delicada, mas que fazia parte de uma longa transição democrática pela qual o Brasil estava vivendo – e de certa maneira ainda continua, porque a democratização é um processo permanente. Foi para mim uma honra muito especial, no momento em que, como eu já disse outras vezes, esperava que a minha biografia, oficial pelo menos, senão a minha vida, mas a minha biografia já estivesse encerrada.

Eu quero agradecer também aos comandantes das Forças Armadas que participaram comigo dessa jornada difícil. Uma jornada em que se pode dizer que a travessia é até mais importante do que o ponto de chegada. E nessa travessia eu tive sempre a compreensão, o diálogo, a franqueza, a lealdade dos comandantes militares: o Comandante da Marinha, meu velho amigo Julio Soares de Moura Neto, companheiro de bancos escolares, antes que ele entrasse para o Colégio Naval; o Comandante do Exército, Enzo Martins Peri, com quem tive inclusive o prazer de trocar livros sobre história e política que, pelo menos do meu ponto de vista, foram de grande benefício e que demonstra a abertura e a largueza intelectual do Comandante Enzo; e também o Comandante da Aeronáutica, Juniti Saito, cuja afabilidade é proverbial, e cuja paciência e pertinência é responsável, talvez, por uma das maiores conquistas que tivemos nesse período, que foi a decisão sobre os caças Gripen.

Nessa jornada, nessa travessia, lembrei-me frequentemente de um outro poeta português, Fernando Pessoa, que dizia – mais conhecido pela citação do Chico Buarque, obviamente – "navegar é preciso, viver não é preciso". Eu acho que nós navegamos – e para usar aqui a metáfora sempre empregada nas transmissões de cargo na Marinha, fizemos uma boa singradura, e chegamos a um bom porto. Não quer dizer que tenhamos encerrado todos os problemas, mas creio que eles estão devidamente localizados e devidamente equacionados.

Quero muito especialmente, entre outros ministros, agradecer ao Ministro Elito, que combina a condição de ministro e de militar, quem eu tive o prazer de conhecer, como tantos outros, em missão no Haiti. Eu aproveito também essa referência para fazer uma homenagem a todos os militares – homens e mulheres – que participaram da missão no Haiti, e todos aqueles que hoje também estão em outras missões, como aquela muito importante que temos no Líbano.

Algo que talvez poucos saibam, poucos fora daqui da nossa Casa – porque ainda me considero parte dela, pelo menos até terminada essa cerimônia – é que o Brasil comanda a Força Naval da Unifil, da Força das Nações Unidas no Líbano. Isso não é coisa pequena. O Mediterrâneo oriental é, talvez, o teatro mais antigo das batalhas navais. E ter um almirante brasileiro e uma fragata brasileira comandando a força naval do Líbano é uma grande honra e uma honra que tem sido maior ainda pela repetição dos comandos e, portanto, da satisfação das Nações Unidas e dos libaneses com o nosso comando.

No Haiti, naturalmente, eu pude constatar, ao longo desses dez anos, o progresso feito, muitas vezes com decisões difíceis. O General Elito foi um dos que participou dessa missão – estou mencionando ele porque está ao meu lado. Outro que participou no Haiti foi o General Santos Cruz, que hoje comanda a maior e mais robusta operação de paz das Nações Unidas, na República Democrática do Congo. Quando eu digo a mais robusta, é aquela que tem o direito de empregar a força para combater os insurgentes.

Esse meu contato, que naturalmente começou na minha função anterior, encheu-me de admiração pelos militares brasileiros, encheu-me de orgulho pelo profissionalismo com que eles desempenham as suas funções. E esse orgulho e essa admiração só fez aumentar depois que vim tratar com eles de maneira mais próxima.

Quero cumprimentar, naturalmente, o nosso Chefe do EMCFA, General De Nardi, meu assessor militar mais próximo. O General De Nardi é hoje praticamente sinônimo de interoperabilidade. É a pessoa responsável pela boa coordenação de operações complexas, como foram as operações dos grandes eventos, a vinda do Papa, a Copa das Confederações, a Copa do Mundo, mas também de outras operações que talvez não cheguem tão claramente ao público, como as Operações Ágata, realizadas na nossa fronteira.

É frequente ouvir a responsabilização do poder central pela criminalidade nas cidades. E o que está sendo feito na fronteira? Estão sendo feitas na fronteira operações que às vezes envolvem simultaneamente trinta mil homens e mulheres. Essas operações são coordenadas pelo Estado-Maior Conjunto das Forças Armadas e executadas pelas várias forças. O General De Nardi era também uma espécie de grilo falante que não hesitava em me dar notas, nem sempre as melhores, pelo meu desempenho. Eu agradeço essa franqueza.

Queria agradecer muito ao Secretário-Geral, hoje a mais alta autoridade civil do Ministério da Defesa – fora o Ministro – de nível hierárquico semelhante ao dos comandantes e do chefe do Estado-Maior Conjunto das Forças Armadas. O Dr. Ari Mattos é responsável não só pela parte civil do Ministério, que é muito grande, mas também pelo entrosamento entre essa parte civil e o lado militar que tem a ver com essa parte civil. Por exemplo, orçamento. Não é o único caso, mas é o caso talvez mais importante e mais óbvio que todos percebem.

Eu vou me permitir fazer uma homenagem a um dos secretários e, na pessoa dele, vou falar para os demais: o Secretário Murilo Barbosa, porque ele é o mais antigo de todos os secretários, creio eu. Não digo talvez de idade, mas mais antigo de Ministério. Já passou por muitas funções, enfrentou adversidades, e é hoje uma segurança do nosso trabalho na relação com a indústria. Não sei se tem aqui alguns industriais, certamente haverá alguns representantes. Um dos grandes passos que o Ministério deu nesses quatro anos da Presidenta Dilma – dos quais me couberam cerca de três anos e meio, um pouquinho menos – foi a consolidação da nossa indústria. Passos pela legislação, através de uma nítida preferência para a indústria nacional nas aquisições, mas também através da parte tributária. E o Murilo, talvez mais do que nenhum outro, encarna esse fato. Mas, por meio dele, cumprimento todos os demais secretários do Ministério, todos pessoas de grande valor.

Quero fazer uma menção aos meus colaboradores mais diretos, que foram meus chefes de gabinete – inicialmente Antônio Lessa e depois Lívia Cardoso. Ambos compartilharam comigo talvez a mais difícil de todas as tarefas que eu tive nessa travessia, que foi a intermediação entre a corporação militar, entre os militares, o agrupamento militar – do qual, repito, muito nos orgulhamos – e a Comissão da Verdade. E creio que executamos, no melhor dos nossos esforços, o que era preciso fazer: dar acesso à verdade, dar acesso às informações e permitir, dessa maneira, que o objetivo fundamental da Comissão da Verdade, o conhecimento dos fatos, na medida das possibilidades, fosse atingido. Muitos considerarão insatisfatório, por um lado, outros considerarão injusto, por outro, mas o trabalho feito com a colaboração sempre leal e correta dos comandos militares, e intermediado pelos meus dois chefes de gabinete, principalmente, foi um trabalho que mereceu, inclusive, um elogio talvez exagerado e injusto do próprio presidente da Comissão no dia da entrega do relatório.

Eu queria mencionar também rapidamente outros que colaboraram comigo, como o Almirante Leal Ferreira, da Escola Superior de Guerra, que lá está tratando de modernizar, arejar, torná-la uma escola realmente moderna e tem disso bons dois exemplos e dois símbolos. Um é o curso CAD-Sul, para a América do Sul, porque nós sempre dizemos que a América do Sul é nossa prioridade, mas a maior parte dos nossos oficiais ainda vai estudar nos Estados Unidos. Então, nós temos que reforçar a América do Sul. E reforçar a América do Sul começa pela própria Escola Superior de Guerra, com esse curso para oficiais de todas as nacionalidades da América do Sul. Outro símbolo foi a edição especial do livro com as conferências de San Tiago Dantas, proferidas na ESG ao longo dos anos 1950 e 1960. Isso pode parecer algo pequeno, mas não é. San Tiago Dantas era um homem muito equilibrado, longíssimo de ser um radical, mas foi ministro de João Goulart duas vezes. E eu quero dizer que isso também é um símbolo de que estamos avançando, que os preconceitos estão desabando e que com isso nós estamos realmente consolidando a nossa visão democrática.

Eu deveria citar outros. O General Silva e Luna, não só como secretário, porque ele é secretário há pouco tempo, mas pela intermediação constante que ele me ajudou a fazer com todas as Forças Armadas, muito especialmente o Exército. Não que o General Enzo precisasse disso, mas às vezes uma palavrinha de alguém menos diretamente envolvido em uma decisão que tenha a ver com a hierarquia facilita um pouco, e o General Silva e Luna foi impecável nessa função.

Eu acho que tivemos alguns feitos e algumas vitórias. Não vou relatá-los todos porque a Presidenta Dilma, no discurso que pronunciou no almoço oferecido pelas Forças Armadas, desfiou com clareza quais eram. Projetos como o submarino, que tem não só um valor intrínseco, mas viabiliza de maneira muito real o nosso programa nuclear independente. O Brasil é um dos seis ou sete países do mundo que detém a tecnologia de enriquecimento nuclear. Isso se deve essencialmente à nossa Marinha e a esse projeto do submarino de propulsão nuclear.

Não vou mencionar novos projetos, mas é algo que eu não posso deixar de dizer. O blindado Guarani, que é uma nova geração de blindados do Exército Brasileiro, é um exemplo de que nós não ficamos só nos lamuriando, como tantos ficam dizendo: "Ah, houve um sucateamento. Onde estão os velhos Urutus?". Temos aqui um projeto novo, que contou com o apoio da Presidenta Dilma, ajuda da Ministra Mirian Belchior, para que eles pudessem chegar realmente ao nosso Exército. E já há mais de 140. Eu fui lá receber o centésimo, mas me disseram que o centésimo na realidade era apenas simbólico, porque já há 140. Fui também a Cascavel, onde chegaram os primeiros Guaranis. A Aeronáutica também foi contemplada com duas coisas muito importantes. Os caças Gripen, nos quais haverá grande transferência de tecnologia, e o KC-390, que é um projeto essencialmente brasileiro.

São projetos de grande importância, e eles têm muita importância por mais de um sentido. Primeiro eles asseguram a nossa defesa. O Brasil não pode ser a sexta, a sétima ou, quem sabe, a quinta economia do mundo, e não dispor de uma defesa adequada. Nós não podemos contar com a sorte. Defesa é, mais ou menos, como seguro de carro. O fato de você nunca ter batido não significa que você não tenha que fazer o seguro. Você não sabe que conflitos virão. Conflitos entre terceiros que pouco têm a ver conosco, mas que podem repercutir sobre nós.

Na nossa região, a nossa maior força de dissuasão é a cooperação. Com os nossos vizinhos, tanto de aquém quanto de além-mar – e vejo aqui alguns representados – o nosso objetivo é cooperar. Mas temos que estar preparados para eventualidade, que nós não desejamos, de ter que nos defender e ter que dissuadir alguma ação impensada.

Além desse aspecto, esses projetos têm ajudado muito a desenvolver a indústria nacional. Em todos eles, a participação da indústria tem sido intensa. Um dos fatores mais importantes que nos levou a escolher o caça Gripen, da Suécia, foi a transferência ampla de tecnologia, inclusive com cessão do código-fonte, que permite fazer modificações e incorporar armamento brasileiro.

Temos muito a fazer pela frente, mas não vou discorrer sobre isso. Sabemos, por exemplo, que o Plano de Articulação e Equipamento de Defesa (PAED), logo que cheguei aqui, era uma espécie de lista de desejos. Hoje ele tem um realismo maior, mas alguma adaptação ainda terá que ser feita.

Do ponto de vista organizacional, já mencionei aqui o papel do EMCFA, já mencionei o aspecto importante da Secretaria-Geral, mas queria referir também que ainda temos avanços a fazer. Em termos de gênero e raça, o Ministério da Defesa, como todos os outros órgãos brasileiros, ainda tem muito o que avançar – muito, muito, muito o que avançar. Ficamos contentes de ter a primeira oficial-general médica, mas queremos ver oficiais generais combatentes, e queremos ver também pessoas de outras funções também poderem assumir funções de oficial-general. Eu admito perfeitamente que quem não é combatente, quem não passou pelas academias, não pode, talvez, ser chefe de Estado-Maior, não pode integrar o Alto Comando. Mas de alguma maneira pode também participar dentro da especialidade em que é formada – são sugestões para o futuro, desculpe-me meu amigo Jaques Wagner.

Eu queria mencionar também, no capítulo das inovações na área internacional, o esforço que fizemos para a criação de uma Escola Sul-americana de Defesa. Isso é algo muito importante. Hoje em dia a única escola do gênero é interamericana e fica em Washington. Tudo bem, as pessoas devem continuar a ir a Washington porque elas aprendem muito lá. Mas é fundamental que nós tenhamos na nossa América do Sul, que é a nossa área, uma escola sul-americana de Defesa.

Aproximando-me do fim, a noção de grande estratégia. É uma noção que aparece na *Estratégia Nacional de Defesa*, feita durante o Governo Lula pelo meu antecessor Nelson Jobim, com a ajuda inestimável do Ministro Mangabeira Unger. Mas aparece *en passant*, e eu acho que é muito importante desenvolvermos essa noção de grande estratégia, não da maneira como ela no passado foi usada por outros estrategistas, mas como a ideia de que é preciso que os objetivos da Defesa e política externa andem unidos. Porque uma política externa sem uma defesa robusta – por mais que ela seja pacífica – não vai levar a lugar nenhum. E com uma política de defesa robusta, nós podemos assegurar que o Brasil seja não só pacífico, mas provedor de paz, que ele leve a paz a outras regiões, e é o que temos que fazer.

Uma palavrinha rápida sobre defesa e segurança pública. É um tema complexo, difícil, envolve aspectos jurídicos complicados. E, para o povo, o que aparece é segurança pública.

Discursos
Discurso de despedida

"O Exército fez isso, o Exército fez aquilo, a Marinha, ou as Forças Armadas..." Na verdade, a missão principal das Forças Armadas é defender o país. Na segurança pública, ela pode atuar, mas sempre dentro dos princípios da transitoriedade e da excepcionalidade. Do contrário, não é bom nem para as Forças Armadas, nem para a população. Isso é algo muito importante, que eu deixaria como experiência pessoal. Algo difícil, porque a cobrança sempre vem por esse lado: "O Brasil felizmente vive em paz com seus vizinhos, então por que nós vamos nos preocupar com a defesa da pátria? Vamos nos preocupar com contrabandista". Mas, evidentemente, é fundamental que as Forças Armadas estejam capacitadas a impedir aventuras contra o nosso país.

Finalmente, amigos, essa é uma despedida. E essa minha despedida da Defesa – provavelmente, eu nunca posso dizer com certeza, mas provavelmente – é a minha despedida também, não digo da vida pública, porque pretendo continuar dando palpite aqui e ali, escrevendo, falando, mas é uma despedida de cargos públicos. E não poderia, talvez, ter uma despedida mais adequada, por tudo o que eu aprendi aqui. Aprendi a conhecer melhor o Brasil. E ao conhecê-lo mais, a amá-lo mais. Aprendi dos militares não só a disciplina e a hierarquia, de que tantos falam, mas a lealdade, o companheirismo, a gentileza, a correção, o sentido de missão com que essas coisas todas são levadas adiante.

A disposição ao sacrifício da vida, se necessário for. E eu acho que, para os jovens – fora, talvez, digamos, os píncaros do amor ou as alegrias da maternidade ou da paternidade –, não há nenhuma alegria tão grande quanto servir a pátria. Me permitirão aqui os pernambucanos, e os baianos sobretudo, citar, de modo meio trôpego, porque não consegui consultar o original, o verso de João Cabral de Melo Neto que sempre procurou inspirar minhas ações na vida pública. Diz ele que, "a respeito de todas as coisas, o homem é sempre a melhor medida. E a medida do homem não é a morte, mas a vida".

Muito obrigado a todos.

Artigos e entrevistas

"A Comissão da Verdade é o epílogo da transição democrática"

Entrevista a Claudia Dantas Sequeira e Octávio Costa, da revista ISTOÉ, em 30 de março de 2012

ISTOÉ: Ter um civil à frente das Forças Armadas já é algo pacífico ou ainda há resistência em alguns setores da caserna?

CELSO AMORIM: Francamente, eu convivo todos os dias com militares, comandantes, o chefe do Estado-Maior e tantos outros. Nunca tive problemas desse tipo. O entrosamento, aliás, é ótimo. Há uma clara percepção, por parte deles, de que o fato de se ter um ministro da Defesa civil ajuda para certos pleitos, como reajustes e reequipamento. Além disso, eles percebem que há uma consciência sobre o trabalho profissional das Forças, que também deve ser respeitado e valorizado. O civil não está aqui para politizar as Forças Armadas. Ao contrário, para assegurar a missão constitucional e o caráter profissional dos militares, como a defesa da pátria e a garantia da lei e da ordem.

ISTOÉ: Mas houve reação entre militares da reserva e até um manifesto polêmico contra o governo.

CELSO AMORIM: É preciso ter claro que esse tipo de iniciativa parte de oficiais da reserva. Se eu fosse contar os manifestos ou manifestações dos embaixadores da reserva quando eu era ministro das Relações Exteriores, simplesmente não dormia mais.

ISTOÉ: A grande preocupação deles é com a Comissão da Verdade, pois muitos desses oficiais participaram da repressão. Há motivos para temer um revanchismo?

Celso Amorim: O que vou dizer agora é uma avaliação minha, pessoal. Acho que a Comissão da Verdade é o último capítulo da transição democrática, um epílogo. Há muito tempo estão sendo escritas outras coisas novas da fase democrática, mas ficou essa questão. É uma necessidade da sociedade em reconciliar-se consigo própria conhecendo a verdade. Como dizia o arcebispo sul-africano Desmond Tutu, Prêmio Nobel da Paz: "A verdade cura. Às vezes ela arde, mas cura".

ISTOÉ: Então, não há razão para os militares temerem o trabalho da comissão?

Celso Amorim: Olha, quem não quiser conhecer a verdade ou permitir que a verdade seja divulgada e documentada pode até temer. Posso dizer que o governo não vai tomar nenhuma iniciativa revanchista. Certamente, não teria nenhum cabimento e a lei não permite que se faça isso. É algo que foi pactuado. Sei que o (deputado) Jair Bolsonaro não votou, mas os demais deputados aprovaram a comissão. Aliás, foi uma das poucas leis aprovadas pelo Congresso com tanto consenso. Não vejo nenhuma razão para temer uma judicialização. A própria lei que estabelece a comissão reitera a Lei da Anistia.

ISTOÉ: Há preocupação também em relação a documentos que ainda existiriam em poder das Forças Armadas, como os da Guerrilha do Araguaia. Esses documentos existem?

Celso Amorim: Não me consta que existam. Depois que eu cheguei, pedi informações e me disseram que os documentos foram destruídos. Por outro lado, temos uma comissão importante que cuida do Araguaia, que tem ido lá e já identificou dois corpos. E há grandes chances de identificarmos um terceiro. Esse trabalho é contínuo e vem alcançando sucesso.

ISTOÉ: Quando o manifesto contra a Comissão da Verdade foi divulgado, o governo reagiu ameaçando retaliar. Haverá ou não punição?

CELSO AMORIM: Não vou me prender a palavras. Deixei esse assunto a cargo dos comandantes e eles têm levado a mensagem de maneira adequada a quem interessa, fazendo esses militares da reserva enxergar certas coisas. O mais importante é fazer com que eles vejam o inconveniente de certas posições, a que isso leva e relembrar certos deveres. Podem chamar de advertência regimental, mas não vou entrar nessa discussão.

ISTOÉ: Só para esclarecer melhor, haverá algum processo administrativo?

CELSO AMORIM: Não. Seria complicado, então encontramos um método mais prático e eficaz.

ISTOÉ: O senhor acha que essa insatisfação dentro da caserna é também alimentada pelas frequentes demandas salariais?

CELSO AMORIM: São duas coisas diferentes. A questão dos vencimentos dos militares é importantíssima. O profissionalismo dos militares deve ser respeitado. Eles são, em sua esmagadora maioria, bons profissionais, conscientes de qual é o seu papel. Não vou dizer quando ou de quanto será o reajuste, mas estamos trabalhando nisso. Não só no salário, mas na melhoria das condições de trabalho, equipamentos adequados e uma vida digna.

ISTOÉ: Um reajuste a curto ou médio prazo é compatível com o orçamento contingenciado?

Celso Amorim: Quando se fala em orçamento, sabemos, obviamente, que não é satisfatório. Se compararmos, por exemplo, o orçamento da Defesa com nossas necessidades, com as necessidades de um país dos BRICS, que é a sexta economia do mundo, não é compatível. Temos que levar em conta muitos aspectos, como a dimensão do País, a vastidão do litoral e das fronteiras terrestres, os recursos naturais. Mas, se compararmos o orçamento deste ano com o do ano passado, está razoável.

ISTOÉ: Então os projetos de investimento e modernização das Forças serão mantidos?

Celso Amorim: Sim. A compra dos helicópteros não foi afetada, nem o projeto do submarino nuclear ou o programa dos blindados.

ISTOÉ: Mas e o F-X2? A compra dos caças virou uma novela que já dura mais de uma década...

Celso Amorim: Posso dizer que já estamos nos últimos capítulos. Tenho uma expectativa de que a compra dos aviões possa ser resolvida ainda neste semestre.

ISTOÉ: E a troca de informações com a Índia sobre a compra que eles fizeram de 126 caças Rafale? Muita gente interpretou como mais um aval brasileiro ao avião francês.

Celso Amorim: Não tem sentido. Minha visita à Índia para firmarmos essa cooperação já estava marcada muito antes de eles definirem a compra. Coincidiu de optarem pelo Rafale na semana em que fui lá.

ISTOÉ: Os outros dois concorrentes não podem reclamar de um tratamento privilegiado?

Celso Amorim: Não há essa possibilidade. Eu já recebi aqui delegações da Suécia em que estava presente o Presidente da Saab. Está prevista uma visita do Secretário de Defesa dos EUA, mas não sei se ele vai tocar no assunto. Nada disso influencia no meu julgamento.

ISTOÉ: Nem a decisão dos EUA de cancelarem a compra dos Super Tucanos?

CELSO AMORIM: Foi algo decepcionante, sem dúvida, e me parece improvável que possam reverter o resultado. Mas não há relação, até porque estamos falando de uma compra de R$ 300 milhões e de outra de R$ 5 bilhões.

ISTOÉ: A cooperação entre o Itamaraty e o Ministério da Defesa nem sempre funcionou satisfatoriamente. Sua vinda para cá tende a melhorar esse diálogo?

CELSO AMORIM: Sinceramente, nunca houve uma divergência muito grande. Pode ter havido algum detalhe em algum momento, mas participamos de muitas coisas juntos. Claro que minha vivência no Itamaraty talvez ajude.

ISTOÉ: De que maneira?

CELSO AMORIM: A grande estratégia de Defesa do Brasil tem que incluir as Relações Exteriores. Creio que pode haver uma mudança de intensidade nesse sentido, especialmente na cooperação com a América do Sul. Este é um dos grandes eixos de trabalho para os próximos anos. Se para o mundo nossa política é mais de dissuasão, para a região é de cooperação.

ISTOÉ: Falando nisso, ressurgiu agora o debate sobre a soberania das Malvinas. Como o Brasil está lidando com isso?

CELSO AMORIM: A demanda da Argentina é histórica, e o Brasil apoia, assim como todos os demais países da região. Mas nós procuramos levar isso com transparência e bom-senso. Afinal, nós também temos uma cooperação importante com o Reino Unido.

ISTOÉ: Sobre a segurança de grandes eventos, o Brasil está preparado para receber a Copa e a Olimpíada?

CELSO AMORIM: Acho que sim. Nossas Forças Armadas têm demonstrado em várias ocasiões sua aptidão para isso. Haverá uma grande cooperação com o Ministério da Justiça. Eu já tive vários *briefings*, inclusive sobre a Rio + 20, que me deixaram muito tranquilo. Com relação à Copa e à Olimpíada, as coisas estão caminhando normalmente.

ISTOÉ: Houve casos recentes de ações terroristas na Noruega e na França. O senhor vê algum risco de um ataque no Brasil?

CELSO AMORIM: Não posso garantir que não haja riscos, mas estou muito confiante em que estaremos preparados. Vamos monitorar tudo, com o apoio dos sistemas de inteligência de vários órgãos.

ISTOÉ: Neste sábado 31, completam-se 48 anos do golpe de 1964. O senhor teme que ocorram comemorações?

CELSO AMORIM: Estou muito confiante em que coisas desse tipo, sobretudo entre os militares da ativa, não ocorrerão. Mas entre os da reserva não sei. O que posso dizer é que, como Ministro da Defesa, tenho humildade para afirmar que estou aprendendo a cada dia. Mas tem que ficar claro que os militares devem seguir a orientação do poder civil eleito.

"Cuanto más Chile se sienta sudamericano, más nos ayuda en la integración"

Entrevista a Juan Pablo Toro V., do jornal El Mercurio, *em 31 de março de 2012*

El Mercurio: ¿Cuál es la diferencia entre ser canciller y ministro de Defensa?

Celso Amorim: Como ministro de Defensa tengo que ser diplomático, como canciller podía ser guerrero (ríe).

El Mercurio: Hace poco Brasil desplazó al Reino Unido al convertirse en la sexta potencia económica del mundo. Sin embargo, no parece que su país esté desarrollando un poderío militar acorde a ese estatus, similar a las inmensas inversiones en Defensa que están haciendo China e India. ¿Cree que Brasil puede basar su condición de potencia en el soft power y las finanzas?

Celso Amorim: Afortunadamente, nuestro entorno es más amigable, eso hace que las cuestiones que atañen a la Defensa sean un poco menos urgentes. Pero sí va a ser necesario que Brasil tenga una capacidad de defensa compatible con su estatus en el mundo. Uno no puede actuar en un mundo complejo y no tener algo que sostenga esa capacidad de acción.

Las comparaciones siempre son difíciles, pero entre los BRICS, el que gasta menos (en Defensa) es India y gasta 2,5% del PIB. Brasil gasta 1,5 o 1,6%, entonces progresivamente vamos a tener que subir eso, de manera compatible con otros objetivos, como dar la guerra contra el hambre y las enfermedades. De una manera muy sencilla, digo que cuando pienso en la situación de Defensa de Brasil, en Sudamérica es cooperación y para afuera es disuasión.

Tener una política de disuadir cualquier intento de avance sobre nuestros recursos es muy importante, pero queremos que eso sea hecho en un marco de máxima cooperación sudamericana, porque queremos dejar muy claro que no nos estamos armando por uno u otro país de Sudamérica. Hoy no se puede querer ser un BRICS en la parte económica-comercial, y ser un pequeño país en el terreno de la Defensa. Eso no es posible.

El Mercurio: ¿Para qué quiere Brasil un puesto en el Consejo de Seguridad de la ONU, si por ejemplo se opone a intervenciones militares como la de Libia, que finalmente desembocó en el fin del régimen dictatorial de Gaddafi?

Celso Amorim: Un país que es la sexta economía del mundo y que, además, tiene intereses diversificados, como Brasil, tiene que estar presente para influir en las decisiones que afectan la paz y la seguridad mundial. Lo que pasa en África, que está muy cerca para nosotros, o en Medio Oriente, con el precio del petróleo, va influir en una economía que tiene una posición muy importante en el mundo.

En Brasil creemos que podemos contribuir a la paz mundial, es una tradición nuestra. Tenemos 10 vecinos inmediatos y no tenemos un conflicto hace más de 140 años.

Pero más allá de ser un deseo o una pretensión de Brasil, creo que es bueno para el mundo que haya una mayor diversidad de opiniones en el Consejo de Seguridad. Países como Brasil, India, Sud-África u otro europeo pueden contribuir para que haya un mayor equilibrio de visiones. Nosotros no podemos renunciar a tener influencia, no podemos ser un gigante económico y un enano político.

El Mercurio: Usted ha dicho que Sudamérica avanza hacia la conformación de una comunidad de seguridad. ¿Cree posible la existencia de una fuerza de paz regional de la Unasur, tal como la tiene la Unión Africana?

Celso Amorim: No veo por qué no. Tenemos que seguir enfatizando la cooperación y ya estamos de alguna manera juntos en Haití. No es una única fuerza de paz, pero un 80 o 70% de las fuerzas ahí son de países sudamericanos. Además, está la presencia política de Chile con el representante del secretario general (Mariano Fernández) y nosotros con el comando militar. Creo que es muy viable y es bueno que pase, pero vamos evolucionando.

El Mercurio: ¿Qué importancia le atribuye al desarrollo de la industria de Defensa regional en materia de integración? Me refiero en particular a la construcción del avión de transporte KC-390 donde participarían varios países.

Celso Amorim: Es un campo muy importante para trabajar juntos y el KC-390 es un excelente ejemplo, pero no es el único. También están las lanchas colombianas (patrulleras blindadas fluviales que comprará Brasil) Todo va e ser proporcional a la capacidad productiva de cada uno.

El Mercurio: Sobre Haití, ¿cuándo estima que este país podrá asumir su propia seguridad?

Celso Amorim: La fecha no la sé, pero hay evolución. Es un país con una política compleja. Ya tuvimos dos elecciones democráticas seguidas, que tal vez no fueron perfectas, pero tampoco en los países desarrollados las elecciones son perfectas.

Tenemos una presencia ahí que tiene que disminuir, porque esa es una señal no sólo para los haitianos, sino también para, la comunidad internacional. Porque es muy cómodo para la comunidad internacional no hacer todo lo que tiene que hacer en términos de cooperación para el desarrollo y reconstrucción porque los sudamericanos están ahí y van a mantener el país. Entonces, hay que dar la señal de que vamos a disminuir progresivamente, pero de manera responsable, nuestra presencia en Haití.

No sería honesto ni para nosotros mismos, después del esfuerzo que hicimos, en el caso de Brasil que perdimos 18 militares más tres civiles, abandonar todo y dejarlo todo. Pero progresivamente los haitianos tienen que asumir su fuerza policial y las fuerzas que puedan tener. Nuestra visión no es muy distinta a la de otros países sudamericanos, incluso a la de Chile.

El Mercurio: ¿Qué le parece la idea del Presidente Michel Martelly de crear un nuevo Ejército? Puesto que la Minustah se enfocaba: en un plan de reforma policial.

Celso Amorim: Martelly tiene que saber cuáles son sus prioridades, es el Presidente escogido por el pueblo haitiano. Si esa es la mejor cosa no lo sé, pero es una decisión soberana. Lo importante es que lo haga de una manera que no se recreen los problemas que había con el antiguo Ejército haitiano.

El Mercurio: ¿Para este año, tiene su país planeado retirar más tropas?

Celso Amorim: Antes del terremoto había 1.200 (soldados), después del terremoto subimos a 2.200. Ahora bajamos 250 y creo que cuando haya una renovación del mandato de la misión vamos a ver cómo quedaremos exactamente.

El Mercurio: Brasil firmó un acuerdo con Gran Bretaña en materia de Defensa. Por otra parte, Argentina ha acusado a Londres de "militarizar" el Atlántico Sur en medio de su ofensiva diplomática por las Malvinas. ¿Qué opina al respecto y como lo compatibilizan?

Celso Amorim: Es un acuerdo marco como el que tenemos con muchos países. En relación a Malvinas es público que apoyamos la reivindicación de Argentina, queremos que esto sea resuelto por la negociación y en el marco de Naciones Unidas. Eso no nos impide tener una cooperación con el Reino Unido, siempre y cuando no sea algo que pueda causar un problema también para Argentina.

Argentina es un país con el cual tenemos una alianza estratégica y que es de gran importancia para Brasil, como para Chile también, me imagino. Y fue el inicio de esta alianza estratégica entre Brasil y Argentina, justamente, lo que está en los inicios de los esfuerzos modernos de integración sudamericana, como el Mercosur y luego la Unasur.

El Mercurio: ¿Tras el incendio de su base antártica, cuáles son sus planes para mantener presencia en ese continente?

Celso Amorim: Quiero aprovechar que toca el tema para agradecer al Gobierno y el pueblo chileno por el apoyo que nos dieron, que fue formidable. Eso nos permitió sacar a la gente de ahí y después recuperar los cuerpos. También está la oferta de alojamiento para que haya alguna gente de la Marina de Brasil que pueda pasar el invierno y marcar nuestra presencia. Vamos a continuar trabajando ahí, el programa antártico brasileño es una decisión de Estado que cuenta con todo el apoyo de la sociedad y del Congreso.

El Mercurio: ¿Dentro de la visión de seguridad que tiene Brasil, cuál es el rol que ve para Chile en ese contexto?

Celso Amorim: Para nosotros todo lo que pueda pasar con la posición de Brasil en el mundo, con el Consejo de Seguridad y otras instancias, parte de la base de la profundización de la integración sudamericana. Y en eso creo que el rol de Chile puede ser muy importante. Claro, Chile tiene toda su apertura al Pacífico que es muy importante, tiene relaciones privilegiadas con Carea y otros países, pero cuanto más Chile se sienta sudamericano más nos ayudará en esa integración.

Legado e atualidade de Renato Archer

Mensagem à 64ª reunião anual da Sociedade Brasileira para o Progresso da Ciência, publicada na revista Princípios, número 120, agosto-setembro de 2012

Saúdo a Sociedade Brasileira para o Progresso da Ciência pela iniciativa deste evento e agradeço à Fundação Maurício Grabois o convite para participar dessa mesa, que evoca o legado de um importante personagem da política brasileira do século XX. Estas minhas breves palavras não são de historiador ou de biógrafo, mas de quem trabalhou com o ministro Renato Archer e teve a oportunidade de testemunhar sua grande vocação de homem público.

A característica que ressaltava de imediato em sua personalidade era o carisma. O comandante Renato Archer, como costumava ser chamado (devido ao tempo em que serviu na Marinha), tinha uma grande capacidade de cativar seus interlocutores e de angariar apoios. Sua trajetória política, sobre a qual outros falarão com mais propriedade, ilustra isso.

Quando fui seu assessor no Ministério da Ciência e Tecnologia, entre 1985 e 1987, assisti às muitas articulações políticas que realizava, frequentemente acompanhado de Pedro Simon, Waldir

Pires e do Dr. Ulysses Guimarães, bom amigo com quem mantinha relação de lealdade política inquebrantável.

Consciente de seu papel como quadro partidário, sabia sacrificar seu gosto pessoal à necessidade política. Foi o caso de sua saída do Ministério da Ciência e Tecnologia rumo ao Ministério da Previdência, maior em recursos e em influência, mas, para ele, menos atraente sob o ponto de vista do desafio intelectual.

O convívio com Renato era extremamente enriquecedor. Aprendia-se com suas qualidades não apenas na prática de negociações e decisões, como também pela riqueza de sua experiência. Recordo-me de ouvi-lo sobre as discussões com Juscelino, João Goulart e Lacerda para a Frente Ampla. Sobre as ocasiões nas quais, em decorrência dessas atividades políticas, foi preso pelo regime militar, e depois cassado (embora estivesse muito longe de ser, na linguagem da época, um militante "subversivo").

Renato Archer tinha, claramente, uma visão estratégica para o Brasil, na qual as políticas externas, de defesa, e de ciência e tecnologia, entre outras, se integravam em prol do desenvolvimento nacional. Sua experiência nessas áreas não foi pequena. Como deputado federal e colaborador na obra pioneira do Almirante Álvaro Alberto, bateu-se pelo desenvolvimento autônomo da capacidade brasileira de utilizar pacificamente a energia atômica.

Feito representante do Brasil junto à Agência Internacional de Energia Atômica no fim dos anos 1950, opôs-se resolutamente aos projetos que importariam na internacionalização dos minérios brasileiros.

Como subsecretário parlamentar de San Tiago Dantas, ministro das Relações Exteriores no gabinete de Tancredo Neves, contribuiu para a execução da Política Externa Independente, um marco histórico da inserção soberana e universalista do Brasil no mundo.

Como primeiro titular da pasta da Ciência e Tecnologia, organizou a estrutura do Ministério, conduziu a política de informática, criou um setor especializado em biotecnologia, promoveu a pesquisa em novas tecnologias e patrocinou o primeiro grande aumento de bolsas do CNPq, medida precursora do programa "Ciência sem Fronteiras", que hoje constitui uma das prioridades do Governo da Presidenta Dilma Rousseff. A cooperação internacional na área de ciência e tecnologia, em que o assessorei diretamente, foi uma das prioridades de sua gestão.

Ao mesmo tempo em que manteve laços históricos, como por exemplo, com a França, diversificou nossas parcerias externas – decisão naturalmente tributária da lógica pluralista da Política Externa Independente.

Com a Argentina, a cooperação nas áreas de informática e de biotecnologia ajudou a adensar a agenda que, mais tarde, daria vida ao Mercosul. Buscou parcerias inovadoras com países como Alemanha, Rússia e Japão. Foi com a China que veio a surgir o fruto mais vistoso dessa política. Fizemos uma viagem a Pequim, Archer, eu, Mauro Vieira, seu secretário particular (hoje Embaixador em Washington), Marco Antônio Raupp, Diretor do Instituto Nacional de Pesquisas Espaciais (hoje Ministro da Ciência, Tecnologia e Inovação) e Crodowaldo Pavan, Presidente do CNPq.

Foram exploradas várias áreas, e nasceu a ideia da construção conjunta de um satélite, que se tornou realidade e veio a ser conhecido como o Satélite Sino-Brasileiro de Recursos Terrestres, o CBERS. Hoje em dia, isso pode parecer corriqueiro, mas não havia nada de trivial em meados dos anos 1980, em ir à China para fazer um satélite! Durante muitos anos, esse foi o maior projeto de cooperação Sul-Sul do mundo (naqueles tempos, ao menos, a China era indiscutivelmente parte do Sul global).

Já que falamos do legado, mas também da atualidade de Renato Archer, é justo observar a grande importância que ele teve tanto para o Programa Aeroespacial quanto para o Programa Nuclear Brasileiro, incidentalmente duas dentre as três áreas que a Estratégia de Defesa Nacional define como estratégicas para a Defesa nacional do Brasil no século XXI.

Gostaria de concluir com um comentário. Anos depois do meu tempo com Archer no Ministério da Ciência e Tecnologia, quando eu já ocupava o cargo de chanceler do governo Itamar Franco, voltamos a ter contato próximo já que ele presidia a Embratel. Falava-me com animação sobre a necessária independência do Brasil na área de telecomunicações. Pude constatar o mesmo entusiasmo pelo trabalho, a mesma dedicação integral à missão que lhe fora entregue. Ainda mais tarde, quando eu morava em Nova York, servindo na Missão do Brasil junto às Nações Unidas, conversei com Renato em sua condição de diretor do comitê que trabalhava pela realização das Olimpíadas no Rio de Janeiro em 2004. Novamente percebi dedicação e entusiasmo.

Um de seus discursos na Câmara dos Deputados traduz de modo muito singelo e verdadeiro esse seu infatigável empenho patriótico. Ao defender-se de ataques desferidos por opositores de suas posições nacionalistas na área nuclear, afirma:

> *Está claro, Sr. Presidente, que a força da verdade e a marcha do destino brasileiro não podem ser facilmente fulminados. E aqueles que se colocam na defesa dos legítimos interesses deste país têm que ver as suas ideias transformadas em ações, na medida em que expendem os seus pontos de vista com a devida compreensão dos rumos deste país.*

Para Renato Archer, era natural que a combinação de razão e patriotismo resultasse em transformação, para melhor, da realidade brasileira. Creio que, ao lado das qualidades humanas de que todos os amigos nos beneficiamos, seja esta a herança mais inspiradora que nos deixou.

Pirataria e terrorismo na África podem afetar Brasil, diz Amorim

Entrevista à página eletrônica da BBC Brasil, *veiculada em 8 de maio de 2013*

BBC Brasil: Com sua vizinhança na América do Sul em paz e potenciais ameaças surgindo do outro lado do Atlântico, o Brasil vem ampliando seus esforços de defesa no oceano e estreitando os laços militares com países africanos. A estratégia, que também abarca interesses comerciais como a venda de armamentos brasileiros para a África, segue um movimento amplo da diplomacia nacional rumo ao continente que ganhou fôlego no governo Lula, quando o Itamaraty era chefiado por Celso Amorim. Hoje Ministro da Defesa, Amorim diz à BBC Brasil que a aproximação entre militares brasileiros e africanos busca ainda combater o narcotráfico e evitar que a pirataria no Golfo da Guiné, na costa atlântica da África, prejudique o Brasil. O movimento, segundo o ministro, também visa preparar as forças brasileiras e africanas caso a crise no Mali respingue no Atlântico. Naquele país, próximo da costa ocidental africana, grupos extremistas – entre os quais a Al-Qaeda no Magreb Islâmico – se uniram a movimentos separatistas tuaregues em batalha contra o governo central, hoje apoiado por tropas francesas. "Se [o conflito] chegar na costa ocidental africana, começa a chegar perto dos interesses brasileiros e temos que estar alertados para isso". Leia os principais trechos da entrevista com Amorim, concedida no Ministério da Defesa, na última quinta-feira.

Qual o objetivo da aproximação militar entre o Brasil e países africanos?

CELSO AMORIM: A nossa estratégia de defesa tem uma dimensão de cooperação e outra de dissuasão. Dissuasão é contra quem tiver de ser, mas, na América do Sul, tem sido tradicionalmente de cooperação. É natural que o mesmo conceito se aplique à África, que compartilha conosco o oceano, uma área até hoje pacífica, com raríssimas exceções, e que desejamos manter assim. Por outro lado, os países africanos têm conosco um comércio crescente, há interesses crescentes do Brasil na África, e eles têm interesse também em cooperação para garantir que o Atlântico Sul continue a ser um oceano pacífico, mas também para enfrentar novas ameaças, como pirataria, contrabando e tráfico de drogas, que podem até vir mescladas com outras mais graves, o que não ocorreu até agora.

BBC BRASIL: O senhor se refere ao terrorismo?

CELSO AMORIM: Não podemos ignorar que existe essa questão. Quando houve o problema na Líbia, antevíamos que isso teria consequência um pouco mais para o sul da África. Um ano e meio depois, tivemos o problema no Mali. O Mali já está muito próximo da costa ocidental africana. Espero que isso não ocorra. Se chegar na costa ocidental africana, começa a chegar perto dos interesses brasileiros e temos que estar alertados para isso. Sempre em colaboração com os principais responsáveis, que são os próprios africanos.

BBC BRASIL: Em que estágio está a colaboração com essas nações?

CELSO AMORIM: Essas coisas evoluem aos poucos, mas, do ponto de vista político, já há aproximação com a África há algum tempo. Ela obviamente se acentuou muito no governo Lula e agora com Dilma, mas ela é mais antiga. Com a Namíbia, porque nos pediram já há muito tempo, o Brasil começou a cooperar ativamente na formação da Marinha. Com os países de língua portuguesa, havia alguma cooperação, e continua a haver, mas temos que acentuar, acelerar isso e desenvolver relações bilaterais com esses países, não só os de língua portuguesa.

Os países africanos veem no Brasil um país que coopera e que não traz nenhuma carga emocional negativa de outros tempos. É um país em desenvolvimento, que tem preocupações semelhantes.

Não vou esconder que também há um interesse comercial. O Brasil produz equipamentos que podem ser úteis para esses países. Aliás, já temos vendido alguns, outros estão em fase de estudo e análise, mas esse não é o objetivo principal.

Outros países estão interessados que indústrias brasileiras possam estabelecer-se no seu território. Outros não têm nem condição disso, estão só interessados em adquirir, receber um equipamento, mas sempre têm interesse também em participar de exercícios.

BBC BRASIL: Esse lado comercial não pode suscitar críticas da comunidade internacional se armas brasileiras forem vendidas para países com regimes contestados, como a Guiné Equatorial?

CELSO AMORIM: Os países que contestam gostam muito de contestar os outros e vender eles próprios. Os grandes conflitos na África não foram alimentados com armas brasileiras, conflitos ligados a questões como diamantes, petróleo. Nossa relação é com Estados, que têm que defender sua integridade física.

Não é uma cooperação voltada à segurança interna desses países, é voltada à defesa de Estados soberanos, reconhecidos como tais pelas Nações Unidas.

BBC Brasil: O governo não se preocupa com o risco de que armas brasileiras vendidas a países africanos sejam usadas contra civis?

Celso Amorim: Temos muita preocupação, mas o tipo de equipamento que vendemos é equipamento de defesa do Estado. Vendemos Super Tucanos (aviões militares da Embraer) e, se eventualmente chegarmos a vender navios-patrulha, isso não é para usar contra população civil. O Brasil acompanha, segue resoluções da ONU, tem muita preocupação com esses fatos. Mas a nossa ótica não é necessariamente a de países desenvolvidos.

Vejo muitas situações em países específicos em que, às vezes, a visão de países desenvolvidos, ricos, sobretudo ex-potências coloniais, não é a mesma da nossa. Às vezes [eles] têm uma visão muito particular da situação e querem expurgar as próprias culpas descobrindo outros males.

BBC Brasil: Mas se, por exemplo, o Estado brasileiro financia a construção de uma fábrica de armas na Argélia por empresas brasileiras (conforme concorrência em curso naquele país disputada pelas brasileiras Odebrecht e a Atech), o Brasil não fica em situação próxima das ex-potências coloniais?

Celso Amorim: É uma relação de Estado, com um país soberano, que não está sob sanções da ONU. Tenho uma certa experiência, não sou muito ingênuo nessa situação. Pegue o drama da Síria: um lado fornecendo armas para o governo, o outro, direta ou indiretamente, fornecendo armas para os rebeldes. De violações os dois lados são acusados, mas, quando convém, você salienta um aspecto.

Não vou ficar aqui citando países. Mas verifique as guerras civis na África e veja quem forneceu armamentos para grupos que não respeitavam nem resoluções da ONU, nem o direito internacional. Por cima do pano e por baixo do pano. Nós não queremos vender por baixo do pano, não venderemos.

BBC Brasil: Quais os objetivos das manobras que a Marinha brasileira tem realizado em países africanos?

Celso Amorim: Manobras, mesmo, eu diria [que se aplica] mais ao que temos feito com a África do Sul. Mas aí não é só com África, é um programa do Ibas (fórum que agrega Índia, Brasil e África do Sul), um grupo de três países em desenvolvimento, democráticos, plurirraciais.

Os outros, chamar de manobra talvez seja um pouco de exagero. Quando temos uma embarcação militar, em vez de esses navios-patrulha fazerem sua viagem inaugural para portos de países desenvolvidos, onde nós talvez não tenhamos muito a oferecer, eles têm visitado portos africanos e realizado pequenos exercícios para interceptar barcos piratas, exercícios ligados à ocupação de barcos inimigos, que são muito apreciados.

O Brasil tem a maior costa atlântica do mundo. É mais do que natural que tenhamos essa cooperação, que a gente amplie esses treinamentos que já vêm recebendo alguns países.

Tudo depende do tamanho do país. Cabo Verde, por exemplo, é um país arquipélago no meio do Atlântico. É do nosso interesse, além do lado de solidariedade com um país africano em desenvolvimento membro da CPLP (Comunidade dos Países de Língua Portuguesa), evitar que haja problemas em uma região próxima do Brasil e parte das nossas rotas marítimas.

BBC Brasil: O Brasil já foi instado por algum desses países a agir de forma mais combativa, inclusive interceptando navios piratas, como França ou EUA fazem frequentemente na costa africana?

Celso Amorim: Cada país tem suas doutrinas e nós teremos a nossa. Em primeiro lugar, sempre respeitosa ao desejo do próprio país e sempre analisando cada situação. Eu não excluo que uma coisa dessas possa acontecer a pedido deles, mas também não creio que seja muito imediata. Mas acho que estamos fortalecendo laços que podem servir idealmente para habilitar o próprio país a fazer sua defesa.

BBC Brasil: Ainda não houve pedidos?

Celso Amorim: Houve pedido para nós ajudarmos, mas não muito claro se era com meios nossos ou ajudando os meios dos países.

BBC Brasil: Alguns estudos recentes apontam a pirataria no Golfo da Guiné, na costa ocidental da África, como um problema crescente, enquanto a pirataria na costa da Somália, no Chifre da África, tem diminuído. A pirataria no Golfo da Guiné pode prejudicar o Brasil?

Celso Amorim: É claro. Boa parte do petróleo que importamos vem do Golfo da Guiné ou imediações. Já temos conversado muito com países como Angola e outros, África do Sul, Namíbia, sobre possibilidades de exercícios conjuntos mais amplos.

Fomos convidados a participar como observadores de uma reunião africana relativa à segurança do Golfo da Guiné. Mas a responsabilidade primordial é dos países ribeirinhos.

Nós poderemos ajudar por dois motivos: solidariedade, que é real na nossa política externa sobretudo em relação à África, mas também por interesse nosso: rotas marítimas, petróleo, empresas brasileiras.

BBC Brasil: O uso do Atlântico Sul para o transporte de drogas tem se tornado mais visível e gerado crescente preocupação no exterior. O que o Brasil faz para evitar que embarcações com drogas partam daqui rumo à África?

Celso Amorim: Temos ações no nosso território, mas obviamente existe essa preocupação, ela é uma das razões que nos movem. Não é segredo para ninguém que há preocupação muito grande da comunidade internacional com a situação na Guiné-Bissau.

Trabalhamos no passado com ideia de ajudar a reformar as Forças Armadas da Guiné-Bissau, mas isso depende do próprio país. A situação hoje não facilita essa cooperação, mas (estamos) na expectativa de que o país se redemocratize rapidamente e resolva ou encaminhe o problema que existe com relação ao narcotráfico.

BBC Brasil: O governo então condiciona seus acordos militares na África à situação de cada país?

Celso Amorim: Não é que façamos distinção entre países, mas é preciso que haja um processo. Não precisamos esperar que tudo esteja perfeito. Se formos esperar que tudo esteja perfeito, você não consegue talvez até melhorar a situação do próprio país, que é o objetivo.

Esse foi um erro que se cometeu em relação à Guiné-Bissau no passado. Há quatro, cinco anos, havia uma consciência clara do que era preciso fazer, mas alguns países, sobretudo grandes doadores, de quem se dependia para levar adiante os planos, ficaram a dizer não. Acabou não se fazendo nada, e a situação se agravou tremendamente. Mas também não posso de repente ceder, ainda que seja uma lancha-patrulha, sem ter certeza de que ela não vai parar na mão de narcotraficantes. A linha divisória é essa.

BBC Brasil: Alguns analistas veem uma militarização no Atlântico Sul. Eles citam o reforço militar da Grã-Bretanha nas ilhas Malvinas (Falklands, para os britânicos), ações da Marinha da China para assegurar seu comércio com a África e a reativação da Quarta Frota americana. Esses movimentos preocupam o Brasil?

Celso Amorim: Não quero citar movimentos específicos, porque não tenho preocupação com esse ou aquele país. Somos contra uma militarização e, sobretudo, somos contra o desdobramento de forças no Atlântico Sul que possam ser de ataque, que usem armas de destruição em massa, nucleares ou outras.

O Brasil sempre tem combatido isso na diplomacia, e nós também na Defesa temos essa política. O Brasil não é um país que tenha inimigos, mas ele não pode descuidar de seus interesses e ninguém pode descuidar da sua própria defesa.

O Atlântico Sul é uma área natural do nosso interesse, independentemente de outros países estarem fazendo isso ou aquilo. Queremos evoluir no Atlântico Sul, enfrentando problemas como o da pirataria, mas sem transformá-lo em um apêndice do Atlântico Norte.

BBC Brasil: Tem havido uma mudança no foco da Defesa brasileira do Cone Sul para o Atlântico Sul?

Celso Amorim: Não gosto muito da expressão Cone Sul – a maior parte do Brasil não é Cone Sul. Agora, por uma série de fatores – maior política de integração, maior entendimento entre lideranças políticas, maturidade das sociedades –, a América do Sul é hoje uma área de paz.

Claro que tem que manter forças, porque existem grupos irregulares, bandos armados, o Brasil tem uma fronteira extensíssima. Mas, sendo a América do Sul uma zona de paz e havendo ameaças novas e algumas das antigas também (no Atlântico Sul), até por rivalidades entre terceiros, temos interesse em evitar eventuais conflitos que não estamos prevendo hoje. Quando você prepara defesa, não é para os próximos dois nem três anos, mas vinte, trinta, quarenta anos. Temos que estar preparados para nos defender e defender nossos interesses.

BBC Brasil: Existe algum cuidado especial com a defesa das reservas do pré-sal?

Celso Amorim: Claro que existe. Essa é uma das explicações para o programa forte da Marinha brasileira, no caso dos navios-patrulha, e outros de porte menor para defesa mais local, sendo fabricados no Brasil.

O próprio submarino de propulsão nuclear, o objetivo principal de termos esse submarino é termos capacidade ampla de movimentação. Algumas dessas decisões antecedem as descobertas do pré-sal, que acentuaram essa preocupação.

BBC Brasil: O senhor imagina um cenário em que o Brasil possa ser chamado a intervir militarmente em um país africano? Para, por exemplo, atuar na Guiné-Bissau de modo semelhante ao que a França agiu recentemente na Costa do Marfim?

Celso Amorim: Intervir é uma palavra de que não gostamos, e intervir militarmente menos ainda. Mas acho que podemos ajudar se houver concordância de líderes democraticamente eleitos na Guiné-Bissau, se houver concordância dos países da CDAO (Comunidade Econômica dos Estados da África Ocidental), se houver um pedido da ONU.

BBC Brasil: Os desafios internos não são da área de Defesa, quem cuida disso são a Polícia Federal e o Ministério da Justiça. Nós ajudamos em fronteira e em situações excepcionais, mas essa não é a missão primordial das Forças Armadas.

CELSO AMORIM: Há uma porção de condicionantes prévias, como [as que regem a presença de forças brasileiras] no Haiti. Mas não consideramos nossa força no Haiti de intervenção: é uma força de paz que está lá para garantir ordem enquanto se processa estabilização não só política, mas social no país.

BBC BRASIL: Quando ocorrerá a retirada total das tropas brasileiras no Haiti?

CELSO AMORIM: Queremos que ela seja progressiva. A última redução implicou do nosso lado em redução de quatrocentos [militares]. Estamos levando o nível de nosso contingente para aqueles quantitativos que prevaleciam antes do terremoto. Não posso fazer um cronograma como se estivesse construindo uma estrada. Não é assim.

BBC BRASIL: O Brasil poderá enviar militares à República Democrática do Congo agora que o comandante da força da ONU no país será brasileiro, o General Carlos Alberto dos Santos Cruz?

CELSO AMORIM: Acho que o *force commander* (comandante da força), por enquanto, está de bom tamanho. Ele não nos pediu nada.

BBC BRASIL: Mas é possível?

CELSO AMORIM: Temos que estar presentes onde podemos fazer diferença. No momento, temos engajamento muito forte no Haiti, que ainda vai durar um tempo, embora não seja nossa intenção de maneira alguma nos perpetuarmos.

Temos uma presença naval no Líbano muito importante. É a primeira vez que o Brasil tem uma presença no Mediterrâneo, que é um teatro tradicional militar, naval. Temos que analisar cada solicitação com muito cuidado.

Agora, se o general precisar de algum apoio do Estado-Maior, vamos fazer o possível para ajudar. Não estou falando de tropas, estou falando de apoio, observadores etc.

BBC Brasil: O Brasil tem condições de manter suas Forças Armadas em todas essas frentes externas – Haiti, Líbano, crescente cooperação com países africanos e outros – tendo tantos desafios internos na área de defesa?

Celso Amorim: Os desafios internos não são da área de Defesa, são da área de segurança e quem cuida disso são a Polícia Federal e o Ministério da Justiça. Nós ajudamos em fronteira e em situações excepcionais, mas essa não é a missão primordial das Forças Armadas. A missão primordial é a defesa do país.

Então não vejo que tenhamos de maneira alguma nos enfraquecido por ter mandado tropas para o Haiti ou a fragata ao Líbano, até porque essas missões também servem para colocar nossos militares em situações reais. Isso tem papel muito positivo na formação, no treinamento das nossas Forças Armadas.

BBC Brasil: O impasse quanto à compra de caças para a Aeronáutica terá um desfecho em breve?

Celso Amorim: Espero que sim. É a única coisa que posso dizer.

A ATUALIDADE DE JOSÉ BONIFÁCIO

Artigo publicado no jornal Folha de S. Paulo, *em 8 de julho de 2013*

A cidade de Santos prestou, no último dia 13 de junho, uma bela homenagem aos 250 anos de nascimento do maior de seus filhos, o patriarca da Independência José Bonifácio de Andrada e Silva. A figura desse extraordinário brasileiro não admite simplificações.

Havia nele um compromisso humanista com o fortalecimento da justiça e das virtudes cívicas no Brasil. Considerava a escravidão a raiz dos maus costumes e da ausência de uma ética do trabalho no país. Ansiava pela conversão dos escravos em "cidadãos ativos".

Em um Brasil que só hoje, quase dois séculos mais tarde, erradica a miséria extrema, a inconformidade frente à desigualdade social e às suas funestas consequências empresta ao legado de José Bonifácio a força premente da atualidade. Suas inquietações se estendiam à reforma agrária, à assimilação das populações indígenas e ao uso racional dos recursos naturais. Integrava em um coerente projeto nacional a abordagem dos desafios que se apresentavam na hora histórica da construção do Estado.

Sem a sólida base de uma sociedade justa e desenvolvida, não se poderia constituir um país verdadeiramente independente. Para o patriarca, as políticas externa e de defesa tinham papéis fundamentais, e inter-relacionados, a desempenhar no processo de emancipação.

Em instruções que remeteu antes mesmo do Sete de Setembro para o cônsul brasileiro em Buenos Aires (na verdade enviado diplomático), já demonstrava o interesse em buscar alianças na América do Sul. Afirmava: "O Brasil não pode deixar de fraternizar-se sinceramente com seus vizinhos". Concebia o país como "potência transatlântica", o que evoca sua projeção global e prenuncia o estreitamento de seus contatos com os parceiros africanos da outra margem do Atlântico Sul.

A assinatura de tratados desiguais entre o Brasil e as grandes potências após a Independência, com prejuízo da soberania e do bem-estar nacionais, dele mereceu sérias críticas. Dizia José Bonifácio: "Que venham, pois, todos aqui comerciar; (...) porém em pé de perfeita igualdade, sem outra proteção além do direito das gentes e com a condição expressa de não se envolverem, seja como for, em negócios do Império". A advertência ainda é válida para os dias que correm. Recordo essas palavras exemplares que proferiu ainda em junho de 1822: "O Brasil é uma nação e tomará o seu lugar como tal, sem esperar ou solicitar o reconhecimento das outras potências".

Contudo, uma sociedade díspar e fraturada não poderia se proteger contra múltiplas ameaças externas. "Sem a emancipação sucessiva dos atuais cativos", dizia em 1823, o país "nunca formará, como imperiosamente o deve, um Exército brioso e uma Marinha florescente". Esse nexo entre justiça social e defesa nacional segue relevante. Um país democrático com as dimensões do Brasil, que cresce, inclui socialmente e se projeta pacificamente na cena mundial, não pode prescindir dos meios para a própria defesa.

Temos que estar prontos para defender nossos interesses contra ameaças provenientes de qualquer quadrante, ou contra os efeitos de conflitos entre terceiros. Tais confrontações não estão sempre distantes, como por vezes pensamos. É significativa a inclusão, em fala recente do Ministro da Defesa francês, Jean-Yves Le Drian, da Guiné-Bissau, país de que somos muito próximos, como um dos vértices de um arco de instabilidade na África, que se estenderia até a Somália.

A aguda preocupação com a independência do Brasil se traduzia, em José Bonifácio, no estímulo a uma política externa altiva e a uma política de defesa robusta. Ambas se integram no que se poderia denominar, com palavras de hoje, em uma grande estratégia de inserção internacional pacífica e soberana.

Esse homem de razão era também um apaixonado por sua terra. Suas belas palavras sobre o futuro do Brasil em uma ode de 1825 continuam nos inspirando: "Liberdade, paz, justiça / Serão nervos do Estado".

Hay que prepararse para evitar una guerra cibernética

Entrevista a Martín Granovsky, do jornal Página 12, *em 16 de setembro de 2013*

Martin Granovsky: A los 71 años, el ministro de Defensa Celso Amorim registra un record en su historia. En 2009, cuando era canciller de Lula, la revista norteamericana Foreign Policy lo llamó "el mejor ministro de Relaciones Exteriores del mundo". De gira por la Argentina, donde firmó un acuerdo con su colega Agustín Rossi para ampliar el trabajo conjunto, dialogó con Página/12 en la residencia del nuevo embajador brasileño, Everton Vieira Vargas.

Usted es ministro de Defensa, fue canciller del presidente Itamar Franco y en los dos mandatos de Lula. Brasil tiene una doctrina de defensa. ¿Qué relación hay entre esa doctrina y la de Unasur, expresada en los documentos del Consejo Sudamericano de Defensa?

Celso Amorim: ¿Qué diferencias?

Martin Granovsky: Qué semejanzas. Qué puntos comunes.

Celso Amorim: Unasur es una dimensión importante de nuestra política de defensa, lo que no quiere decir que otros países no puedan tener visiones diferentes. En nuestra región – y cuando hablo de región me refiero a Sudamérica – nosotros creemos que debe regir la cooperación. La cooperación es la mejor forma de disuasión. Por lo tanto todos los trabajos de Unasur sobre creación de confianza, de cooperación industrial, de ejercicios comunes, tienen para nosotros un gran valor. No quiero interpretar a los demás países, pero creo que, si la cooperación vale para Brasil, también es valiosa para otros países. Cuando uno discute temas globales en el mundo, el hecho de que nuestra región sea pacífica es un valor a favor extraordinario. Cuando se habla de la competitividad y se habla de la capacidad de atracción de inversiones, se trata de una ventaja formidable para la paz. Y eso también nos da gran autoridad para hablar de otros problemas en el mundo. El Consejo Sudamericano de Defensa de Unasur es una dimensión importante. Pero más allá de eso creo que tenemos en común una serie de intereses. Quizás el más evidente de todos es la defensa de los recursos naturales. Somos una región muy rica en energía, en capacidad de producción de alimentos, en agua dulce, en biodiversidad... Además somos una región muy diversificada, desde el trópico más ecuatorial hasta Tierra del Fuego. Contamos con océanos de los dos lados. Todo eso nos constituye como una región que debe tener una visión común de defensa.

Martin Granovsky: ¿Una defensa común?

Celso Amorim: No es necesaria. Lo necesario es la visión común. Es el trabajo que también queremos desarrollar en el Consejo Sudamericano de Defensa. Por eso estimulamos la creación de una escuela sudamericana de defensa. Tenemos puntos comunes evidentes como los que mencioné antes. También queremos encarar el monitoreo de nuestras áreas especiales. Para Brasil la Amazonía es una zona obvia a cuidar, pero al mismo tiempo hablo del mar territorial o de regiones especiales, que son factores que pueden propiciar una cooperación.

Martin Granovsky: ¿Habla del Atlántico Sur y el litigio de las Malvinas dentro del Atlántico Sur?

Celso Amorim: Bueno, tiene que ver con el Atlántico Sur. Nuestra posición sobre Malvinas es muy conocida y no tengo necesidad de repetirla. Defendimos siempre los derechos argentinos y una solución negociada. Pero el Atlántico Sur, más allá del problema muy importante de las Malvinas, presenta otros problemas muy importantes. Hay rutas claves. Claves para la Argentina, por supuesto, pero como ministro de Defensa de Brasil hablo de que una proporción enorme de nuestro comercio exterior va por el Atlántico. Y nuestros proveedores de petróleo, porque aún no logramos el autoabastecimiento y además hay distintos tipos de crudo, son Nigeria, Angola, Argelia... El transporte en todos casos pasa por el Atlántico Sur. Además, como usted sabe, Brasil tiene una relación muy cercana con Africa. Es una relación histórica que cobra más y más importancia, lo que nos lleva a tener una mayor presencia cultural y económica. Otra razón más, entonces, para preocuparnos por el Atlántico Sur. Ahora, queremos garantizar la seguridad del Atlántico Sur justamente con los países del Atlántico Sur. Desde el punto de vista geopolítico es natural la cooperación de los países de la costa occidental de Africa y los países de América del Sur. Todos conforman la zona de paz del Atlántico Sur. En estos días realizaremos en Brasil un seminario muy importante en Salvador, Bahía. La Argentina participará con un conferencista. Por eso queremos mantener el Atlántico Sur como zona de paz, de cooperación, libre de armas de destrucción masiva.

Martin Granovsky: Ministro, yo mencioné la palabra "defensa" y en su respuesta usted incluyó la palabra "recursos". ¿De quién debe defender Sudamérica sus recursos? ¿De riesgos potenciales o hay una identificación precisa?

Celso Amorim: No, no hay una identificación específica. Al menos en el caso de Brasil no tenemos enemigos. Quizá sea así por fortuna histórica, o por la diplomacia del pasado. No sé… Tenemos relaciones muy buenas con las distintas potencias. Por es suficiente con que alguien mire la historia, por un lado, o por otro lado que mire los estudios sobre la prospectiva de los recursos naturales en el futuro, para pensar que hay eventualidades que pueden ocurrir. Debemos estar preparados para rechazar cualquier intento de alcanzar un blanco, de cualquier parte que venga. Y en eso entra la necesidad de tener capacidad de disuasión. Por eso dije que dentro de la región, dentro de Sudamérica, y quizás esto valga para otros países como los de Africa, hay que considerar que en un mundo global, y aunque no tengamos ningún enemigo declarado o no declarado, debemos tener una política de disuasión.

Martin Granovsky: ¿La disuasión es para que ni siquiera llegue a existir un enemigo?

Celso Amorim: Exacto. Es una forma muy inteligente de ver la cuestión. Cuando uno se prepara para defenderse, desestimula ataques de otros países que puedan, en alguna situación, creer que necesitan algo. Del etanol, que Brasil produce, para dar un ejemplo. De agua dulce, que hay en los acuíferos. La disuasión hará que antes de intentarlo alguien lo piense dos veces.

Martin Granovsky: ¿Cuáles son las principales líneas de desarrollo de armamentos que se propone desplegar el gobierno de Dilma Rousseff?

Celso Amorim: Tenemos tres áreas consideradas estratégicas. Una es la nuclear, con el plan de desarrollar el submarino de propulsión nuclear. Brasil tiene la costa atlántica más larga del mundo. Creo que más larga aún que la costa argentina. La exploración y explotación del pre-sal, de los yacimientos petroleros a mucha profundidad, valorizan aún más la costa. Una vigilancia eficaz sólo puede hacerla un submarino que puede quedarse mucho tiempo bajo el agua. Otro plan estratégico es el espacial. Incluye la capacidad de lanzamiento y también satélites. Está a cargo de la Fuerza Aérea. El tercer aspecto estratégico, muy actual, es la defensa cibernética. No lo digo yo sólo. Si usted lee análisis y comentarios de gente de las grandes potencias –y no quiero particularizar– verá su tesis. Nosotros no queremos guerra, claro, pero ellos dicen que, si hubiera una guerra, esa guerra del futuro será cibernética. Incluso para evitar una guerra de ese tipo hay que prepararse. Estamos pensando en realizar un gran esfuerzo en el área de la defensa cibernética. Ya antes del 2010 había equipos trabajando en esto, pero después de esa fecha creamos un Centro de Defensa Cibernética con base en el ejército pero que sirve también a las otras fuerzas. Ya actuó en situaciones puntuales, no comparables al ataque de una potencia extranjera.

MARTIN GRANOVSKY: ¿Actuó en tareas de prevención?

CELSO AMORIM: Sí, por ejemplo durante la cumbre de Río + 20, en la Copa de confederaciones, en la visita del papa Francisco... Detuvo varios ataques cibernéticos. Obviamente son ataques de hackers, algo incomparable con lo que puede ocurrir en una situación de conflicto a gran escala.

MARTIN GRANOVSKY: ¿Esos ataques son comparables con la intercepción de comunicaciones y mensajes de la presidenta y sus consejeros?

CELSO AMORIM: Usted puede hacer la comparación que desee.

MARTIN GRANOVSKY: ¿La intercepción fue un ataque?

CELSO AMORIM: No lo caracterizaría de ese modo, lo que no quiere decir que no haya sido una intrusión para recolectar datos. Es como si usted me preguntara si el espionaje es lo mismo que la guerra. En esos casos estamos en cierto modo en el límite. Un límite que no hay que pasar. Pero cuando se habla de defensa cibernética uno piensa más bien en un ataque del tipo del que puede realmente afectar todo un sistema. El sistema eléctrico, el sistema de control de los aeropuertos… Qué sé yo… Un ataque así puede generar el efecto de un arma de destrucción masiva.

Martin Granovsky: Como un sabotaje de amplio alcance.

Celso Amorim: Puede ser. Pero eso no disminuye la importancia del intento de recolectar información, un tema que tiene varios aspectos. Involucra la invasión de privacidad cuando se trata de ciudadanos. O lo que tiene que ver con recursos naturales y con la tecnología para obtenerlos. Todo eso es preocupante. No tengo el detalle de las explicaciones que recibió mi colega el ministro de Relaciones Exteriores, así que no puedo comentarlo en detalle.

Martin Granovsky: Al comparar su gestión con Lula y la gestión de los dos cancilleres de Dilma, ¿hay una intensidad diferente en la relación de Brasil con el resto de Sudamérica y con la Argentina en particular?

Celso Amorim: Dejo ese tipo de cuestiones para los analistas. Yo tengo mi trabajo de ministro. Pero le digo que las prioridades siguen siendo las mismas. No tengo ninguna razón para creer que la intensidad sea distinta. Es la misma. Hay estilos que dependen de las personas, pero los estilos no marcan diferencias de fondo.

Martin Granovsky: Si uno deja de lado, como forma de analizar las cosas, el sentimiento de hermandad, la solidaridad o los actos generosos, ¿en qué le conviene al interés nacional brasileño una alianza sólida con la Argentina y con el resto de los países de América del Sur?

Celso Amorim: Es muy difícil separar la conveniencia de los sentimientos fraternos y de la solidaridad. Incluso es difícil separarla de la generosidad. Cuando era canciller dije muchas veces que debíamos ser generosos porque así defenderíamos también nuestros intereses a largo plazo. Tenemos interés en mantener buenas relaciones con nuestros vecinos. Y con la Argentina, país con el cual las relaciones son más intensas, con más razón. Hubo una pequeña caída en el 2012, pero entre 2000 y 2011 las exportaciones brasileñas hacia la Argentina pasaron de dos mil a más de veinte mil millones de dólares. Las importaciones de la Argentina no crecieron tanto pero también aumentaron mucho. Pensemos que en el intercambio es importante la presencia de bienes manufacturados. También registramos un crecimiento del comercio con otros países de la región. ¿Eso no tiene que ver con el interés nacional? Claro. Pero cuando se aproximaron Raúl Alfonsín y José Sarney el interés económico existía. Sin embargo, al mismo tiempo era un instrumento para la consolidación de la paz, la eliminación de las rivalidades, que quizá no eran tan reales sino imaginarias, aunque el imaginario en la política tiene su importancia...

Martin Granovsky: Y estaban las carreras atómicas paralelas.

Celso Amorim: A mí me da mucho orgullo que antes de ocupar la Cancillería pude ser el negociador principal para la contabilidad y el control nuclear entre la Argentina y Brasil.

Martin Granovsky: ¿La Agencia Brasileño-Argentina de Contabilidad y Control de Materiales Nucleares?

Celso Amorim: La negociación y el acuerdo bilateral es lo que posibilitó la Abacc.

Martin Granovsky: Ministro, uno de los desafíos que enfrentan Brasil y la Argentina, cada uno a su modo, es el peligro de reprimarización en la relación con terceros países. China, por ejemplo. Si la relación comercial se basa en exportar mineral de hierro o soja, y si esa exportación genera divisas imprescindibles para Brasil y la Argentina, ¿cómo se logra la combinación justa de equilibrio y contradicción?

Celso Amorim: También exportamos aviones a China, ¿eh? Y los aviones son de alta tecnología. Sin hablar de China en particular, en general con el mundo qué exportamos y qué importamos es algo que debe preocuparnos. Queremos una inserción con mucho valor agregado. Yo no disminuiría tanto el valor de las exportaciones agrícolas. Hoy dentro de la agricultura hay mucha tecnología. Eso da valor agregado aunque sea menos obvio. Brasil acaba de superar por primera vez a los Estados Unidos en soja. Sólo fue posible no por subvenciones al productor, como hacen los Estados Unidos, sin por grandes inversiones en tecnología. La soja dejó de ser posible sólo en climas templados. Dicho eso, creo que nuestra cooperación sería muy importante. ¿Por qué, en lugar de discutir cómo compite una heladera hecha en Brasil con otra hecha en la Argentina, no hacemos una heladera juntos? Pero vuelvo a lo mío, como ministro. Podemos hacer muchas cosas juntos en Defensa. Nosotros tenemos un concepto original de avión de transporte. Pero muchas partes importantes serán fabricadas en la Argentina. El KC390, que puede reemplazar a los Hércules, es un ejemplo. Lo podemos vender. No quiero entrar en terrenos sociales donde me siento menos firme, pero pienso que no sólo es cuestión de vender bienes alimenticios o mineros. También se trata de saber utilizar los recursos que se obtienen de esas exportaciones para invertir en planes de alta tecnología. Hay toda una complejidad por indagar. De todos modos, no creo que nuestra economía vaya a reprimarizarse, pero admito que es una preocupación a considerar. Mientras tanto, tenemos mucho que hacer juntos. El ejemplo es el reactor nuclear multipropósito. A lo mejor algún día podemos venderlo, también. Ustedes ya vendieron algo a Australia, ¿no? Los aviones de Brasil, quizá con algún aporte importante de la Argentina pueden también ser vendidos. Seguimos aprendiendo de los avances que ustedes alcanzaron en radares. Ahí veo otro campo de cooperación. Trabajemos en todo eso. La defensa tiene un alto poder de inducción en inversiones de valor tecnológico. Y ni hablar de otras áreas que la Argentina levantó con razón en Unasur, como los medicamentos.

Martin Granovsky: ¿Qué relación tiene la producción de medicamentos con la defensa?

Celso Amorim: Los medicamentos son necesarios para los soldados. Se trata de corporaciones donde vive mucha gente junta y las enfermedades pueden difundirse.

Martin Granovsky: ¿Cuál es el mayor factor de inestabilidad concreta que ve hoy en el mundo? ¿Siria, Medio Oriente...?

Celso Amorim: Sería difícil mirar a Siria, y a Siria dentro de Medio Oriente, y no preocuparse. Tampoco diría que la cuestión de los recursos está ausente del conflicto, aunque hay otras razones también: lenguas, culturas... Pero también los recursos tienen gran importancia. Sería ingenuo suponer lo contrario. La intervención en Irak se debió a las armas químicas que –como quedó demostrado después– no existían. Saddam Hussein era un dictador, pero no era el único dictador en el mundo. ¿Por qué fue elegido Saddam Hussein? Porque además de ser un dictador tenía petróleo. En Brasil también nos causa preocupación la inestabilidad en algunos países africanos. Creo que Africa está avanzando incluso en términos de cambios de gobierno y evolución democrática, aun con todas las imperfecciones que tienen los procesos políticos cuando recién empiezan. Pero para nosotros cuestiones que inicialmente parecían más lejanas pero que también tenían que ver con recursos, como la cuestión de Libia, terminaron con una desestabilización que afectó a Malí y luego al litoral occidental de Africa, con lo cual volvemos a la problemática del Atlántico Sur. Un Estado fallido, para usar la jerga internacional, siempre es un factor de inestabilidad. Pero hoy, naturalmente, el foco de inestabilidad parece muy concentrado en Medio Oriente. De todos modos quiero referirme a un factor de inestabilidad que a veces no se menciona.

Martin Granovsky: ¿Cuál es ese factor?

Celso Amorim: El hecho de que algunos países tengan la capacidad de destruir varias veces al mundo con sus arsenales nucleares es un gran factor de inestabilidad. Porque eso genera otras inestabilidades. No veo justificación para que ningún país tenga armas químicas. La Argentina y Brasil firmaron el acuerdo correspondiente. Pero es un estímulo negativo que haya armamentos nucleares y que no se trabaje de manera firme para eliminar los arsenales nucleares. De eso no se habla. Como si se dijera: "Los arsenales están en manos de países serios y pueden utilizarlos. El problema son los países no serios". A mí me parece que ese razonamiento es en sí mismo una fuente de inestabilidad de potencialidades gravísimas.

Martin Granovsky: Hay menos armas nucleares pero tienen mayor poder de daño.

Celso Amorim: Sí, porque hubo un esfuerzo de destrucción. No tantas menos, de cualquier manera, porque muchas existen aunque no estén más en estado de alerta. Y además efectivamente existen menos armas nucleares pero sus propietarios continúan trabajando en la "eficacia", y lo digo entre comillas. Esa "eficacia" supone una manera de proliferar. Es la proliferación del poder destructivo. Y de eso no se habla.

Democracia, desenvolvimento e defesa

Artigo publicado no jornal O Globo, em 27 de dezembro de 2013

Há exato meio século, na abertura da Assembleia Geral das Nações Unidas de 1963, o Chanceler João Augusto de Araújo Castro fazia, em nome do Brasil, um pronunciamento que se celebrizou de imediato. No "Discurso dos 3D", como ficou conhecido, Araújo Castro delineou três diretrizes da atuação internacional do Brasil: desarmamento, descolonização e desenvolvimento. Era preciso, dizia ele, acabar com os imensos arsenais nucleares que ameaçavam a vida no planeta; pôr fim à dominação colonial das sociedades africanas e asiáticas; e criar condições para a aceleração do desenvolvimento econômico global.

Três décadas mais tarde, em 1993, as profundas transformações por que passava o mundo impunham uma nova abordagem daquelas diretrizes. O processo de descolonização se havia praticamente concluído. A Guerra Fria se esgotara, embora as potências nucleares seguissem apegadas a essas armas de destruição em massa. No Brasil e em toda a América do Sul, o autoritarismo fora superado e vivíamos uma nova era de liberdade. Na Assembleia Geral da ONU daquele ano, tocou-me, como Ministro do Exterior do governo Itamar Franco, falar pelo Brasil. Parafraseando Araújo Castro, afirmei que os 3D referiam-se, agora, a democracia, desenvolvimento e desarmamento. A democracia tornara-se o dado mais elementar de nossa presença no mundo. E o desenvolvimento constituía nosso grande desafio.

Os 3D me voltam à lembrança neste fim de 2013 pelo significado especial do último dia 18 de dezembro, quando o Congresso Nacional restituiu simbolicamente o mandato do Presidente João Goulart e a Presidenta Dilma Rousseff anunciou a decisão sobre a compra das novas aeronaves de caça da Força Aérea Brasileira. Tomando a liberdade de revisitar ainda uma vez a tríade proposta por Araújo Castro, diria que, nessa data, o Brasil deu passos históricos rumo a uma agenda de democracia, desenvolvimento e defesa.

Como afirmou a Presidenta Dilma no discurso de fim de ano que fez no dia 18, durante almoço que lhe ofereceram os oficiais-generais de nossas Forças Armadas, defesa e democracia formam um círculo virtuoso. Temos verificado isso pelo crescente interesse da sociedade brasileira pelos assuntos relativos à proteção da soberania nacional, estimulado por medidas pioneiras de transparência como o *Livro Branco de Defesa Nacional*, lançado em 2012.

Uma ilustração viva desse círculo virtuoso foi oferecida no próprio dia 18, quando nos reencontramos na cerimônia no Congresso Nacional. Estavam presentes os comandantes da Marinha, do Exército e da Aeronáutica, atendendo a um convite meu. Os discursos feitos caracterizaram-se pelo tom de conciliação e de virada de página. Poucos dias após o funeral de Nelson Mandela, nos fortalecíamos novamente com sua lição de vida. Na normalidade com que transcorreu, a sessão no Congresso foi um grande momento para nossa democracia.

Celebramos também, no dia 18, a escolha do caça sueco Gripen NG como novo vetor de defesa aérea do Brasil. A decisão entre os três finalistas do Projeto F-X2 foi orientada pela análise do melhor equilíbrio entre desempenho, transferência efetiva de tecnologia e custos de aquisição e manutenção. Não estamos meramente comprando novos aviões. Estabelecemos uma parceria estratégica com a Suécia para dar um salto na já elevada capacitação de nossa indústria Aeronáutica e para participar da construção de uma aeronave que levará o selo de produto brasileiro. O Gripen representa a mais avançada tecnologia existente em sistemas de defesa, e, ao cabo de sua fabricação, teremos conhecimento para projetar caças de quinta geração. O Projeto F-X2 segue à risca o preceito da *Estratégia Nacional de Defesa*: defesa é inseparável de desenvolvimento.

Acima de tudo, a decisão dos caças aprofundou o compromisso do Estado brasileiro e do Governo Dilma Rousseff com Forças Armadas modernas, integradas e aprestadas. Nas palavras da Presidenta Dilma em seu discurso de fim de ano, o Brasil é um país pacífico, mas não será um país indefeso.

Ao contrário do que sugeriram alguns, o fim da Guerra Fria não significou a superação do conflito entre Estados. Ao lado das chamadas novas ameaças, como o crime organizado ou a pirataria, velhas ameaças, como os arsenais nucleares e as agressões armadas unilaterais, continuam a configurar um panorama global turbulento e imprevisível.

No mar, em terra e no ar, o Brasil tem que estar pronto para dissuadir ameaças ou agressões provenientes de qualquer quadrante do globo. Daí a importância dos investimentos que temos feito em novos submarinos, navios patrulha, veículos blindados, sistemas de monitoramento de fronteiras, aviões de transporte e, agora, nos caças, entre muitos outros.

Os 3D de Araújo Castro sintetizaram a Política Externa Independente de sua época. Hoje sabemos que um Brasil democrático, em desenvolvimento e independente no mundo deve ter o respaldo de uma defesa robusta, indispensável a uma grande estratégia de paz.

Entrevista concedida à jornalista Miriam Leitão

Entrevista no programa GloboNews Miriam Leitão, *veiculado em 26 de junho de 2014*

Miriam Leitão: As três Forças Armadas enviaram para a Comissão Nacional da Verdade relatórios sobre sindicâncias que fizeram a respeito de mortos, desaparecidos e torturas dentro de instalações militares. Elas disseram que não houve desvio de função. Essa resposta causou perplexidade.

É sobre isso que eu vim conversar com o Ministro Celso Amorim, da Defesa. Ministro, a Comissão Nacional da Verdade mandou um pedido bem detalhado, com casos específicos de mortes, de torturas, laudos cadavéricos feitos até em hospitais militares, testemunhos como o de Alex Polari, sobre a morte do estudante Stuart Angel na Base Aérea do Galeão. Tudo foi muito específico, e os militares responderam com respostas burocráticas sobre questões administrativas. Por que isso?

Celso Amorim: O nosso objetivo aqui, o meu objetivo, especialmente, tem sido o de cooperar ao máximo com a Comissão Nacional da Verdade. Promovi, inclusive, o diálogo entre as Forças Armadas e a Comissão da Verdade; promovi reuniões envolvendo os comandantes militares e os da Comissão da Verdade. Depois, tive uma outra reunião com senadores da Comissão de Direitos

Humanos, visitas têm sido feitas amplamente – isso não ganha tanta publicidade quando as coisas ocorrem positivamente.

Agora, eu acho que no caso específico dessa sindicância, o foco das perguntas, na minha leitura – pode até ser que a própria Comissão da Verdade, que seguramente vai comentar as respostas, diga outra coisa –, mas o foco das perguntas é muito administrativo. Até consigo entender as razões pelas quais a Comissão da Verdade tenha feito isso; ela mesma as explica em função da imprescritibilidade de delitos administrativos, mas é muito voltada para isso. Ela não pergunta na realidade se essas pessoas foram torturadas ou mortas, isso ela assume que ocorreu, baseada em depoimentos, baseada em outras circunstâncias. O próprio Estado brasileiro, de certa maneira, já reconheceu isso ao pagar indenizações a essas pessoas, fato aliás que é mencionado. Na realidade, ela focaliza muito na destinação dos imóveis. E com essa pergunta, digamos, a resposta terminou sendo também uma resposta formal. Aliás, inclusive, em uma das respostas há até o uso dessa palavra, "não houve o desvio formal da destinação, não há registros de que tenha havido". Por motivos diversos, eles alegam. Uns falando da Lei de Segurança Nacional, que permitiu o uso das instalações militares.

No caso da Marinha, há uma referência específica a um aviso ministerial, que fez com que a Ilha das Flores fosse usada como centro de detenção. Então, na verdade, as respostas enfocaram nesse aspecto.

Miriam Leitão: Então a Comissão fez as perguntas erradas, Ministro?

Celso Amorim: Não, não acho que a Comissão da Verdade tenha feito perguntas erradas. Primeiro, eu não vou julgar a Comissão da Verdade. Eu acho que ela não fez as perguntas que não precisava fazer, porque sobre os outros assuntos ela já tem os depoimentos. E as Forças Armadas não negam, nem comentam aquilo; elas não contestam. Elas simplesmente não entram no assunto. Veja bem, se um estabelecimento, qualquer que seja, militar ou outro, for usado para tortura, isso não é um ilícito administrativo, isso é um crime. Então, não é nesse ponto, ela está muito detida, e eu acho que porque, provavelmente, imagino, não sei, a Comissão precisa – quem determinou, quem disse que aquele órgão poderia ser usado, etc. Especificamente sobre as torturas, ela não faz nenhuma pergunta, ela afirma, e essas afirmações não são contestadas.

Miriam Leitão: Mas, assim, desvio de função é o seguinte: uma coisa é o DOI – Destacamento de Operações e Informações prender e usar aquele espaço para prender os adversários do Regime; outra outra coisa é matar pessoas...

Celso Amorim: Isso não é um desvio de finalidade, isso é um crime. Se você for na minha sala e eu praticar um roubo, eu não estou apenas desviando a finalidade do Ministério, eu estou praticando um crime. Então, é uma coisa diferente. Outro tipo de delito.

Miriam Leitão: Eu fiquei impressionada nos relatórios que li. Eles se pegam a todo tipo de detalhe administrativo que não tem nada a ver com coisa nenhuma que o país está querendo saber.

Celso Amorim: Mas você leu o ofício das perguntas?

Miriam Leitão: Eu li também. Eles descrevem e aí perguntam se não há desvio de finalidade. Ok, por que...

Celso Amorim: Várias vezes é repetida a expressão "as circunstâncias administrativas"...

Miriam Leitão: O senhor acha que a Comissão Nacional da Verdade queria saber das questões administrativas tipo, se o TCU...

Celso Amorim: Há perguntas muito específicas. Como foram feitos os pagamentos. Enfim, há perguntas específicas para esse fim, como foi designado pessoal... Miriam, eu não sei, eu acho que tudo isso é uma questão que vai no tempo. Eu acho que isso ajuda a compor um quadro.

E queria justamente frisar muito isso: muitos dos depoimentos e muitas das evidências foram colhidas mediante visitas às instalações militares. E os depoimentos também têm sido feitos sem nenhum instrumento de obstrução. Já li em outras colunas, em outros jornais, que no passado havia um constrangimento e uma dificuldade de pessoas que queriam fazer depoimentos e não podiam, porque eram constrangidos pelas chefias, etc. Isso não está ocorrendo. Todo mundo está fazendo depoimentos e os dados estão aparecendo. Algumas das visitas foram feitas junto com as próprias vítimas. Agora, a razão pela qual a Comissão da Verdade escolheu a via administrativa, eu não sei.

Eu acho que tem a ver – é a minha impressão – com esse desejo de formar um quadro geral. E, segundo, com o fato da imprescritibilidade dos delitos administrativos, que é um problema que eu não vou discutir. Então, talvez tenha sido a essa razão por que ela tenha caminhado por esta via; e as respostas, se você me disser que são formais, eu concordo, até acho que são formais, mas, digamos, elas não são mentirosas, não achei que fossem, nem elas descumprem formalmente o que foi perguntado. Agora, nos decepcionam...

Miriam Leitão: Elas omitem a questão principal. A questão principal é: as pessoas foram mortas dentro de instalações militares, foram torturadas e não foi para isso que foram instaladas as instalações militares. Elas existem para defender o Brasil. Elas existem pelo papel institucional das Forças Armadas. Não para torturar ou matar.

Celso Amorim: Não tenha a menor dúvida, torturar e matar é errado em qualquer lugar.

Miriam Leitão: Não tenho a menor dúvida que o senhor acha isso.

Celso Amorim: Eu penso isso e a sociedade brasileira acha isso.

Miriam Leitão: Mas seus comandados não acham, pois, como Ministro da Defesa, o senhor é comandante dos comandantes militares. O senhor não deveria levá-los a tomar uma decisão sobre isso? O que eles fizeram nesse relatório aí foi tergiversar a questão fundamental que se pergunta.

Celso Amorim: Eu posso dar minha opinião?

Miriam Leitão: Sim, o senhor está aqui para dar sua opinião.

Celso Amorim: Obrigado. Eu acho o seguinte: nós estamos completando uma transição. Parece brincadeira você dizer isso, porque que a transição começou muito atrás, mas estamos completando a transição, e acho que a última etapa dessa transição, espero eu, é justamente o relatório da Comissão da Verdade. A Comissão da Verdade vai produzir um relatório e todos terão que se posicionar diante dele. Agora, quanto às respostas em si, elas atendem ao que foi perguntado formalmente. Não houve nenhuma pergunta, "o senhor confirma que houve tortura e morte?". Até porque eu sei que a resposta seria, "todos os documentos da época foram destruídos". É o que eles sempre dizem, aliás.

Por outro lado, eu acho interessante não ter havido nenhum esforço ou pretensão de negar os fatos, não é? E houve até uma lembrança das diretrizes presidenciais que criavam os DOI-CODI na época, um aviso ministerial. Isso permite compor o conjunto da narrativa. No dia em que mandei o ofício, fiz questão de ligar para o presidente da Comissão da Verdade e disse: "Olha, estamos abertos à cooperação. Se houver outras perguntas, vamos continuar conversando".

Miriam Leitão: Ministro, o jornalista Zuenir Ventura disse o seguinte: "Se não é desvio de função, então era norma". O que o senhor diz dessa conclusão do jornalista?

Celso Amorim: Eu acho que tortura e assassinato de uma pessoa indefesa – aliás, um assassinato qualquer –, mas sobretudo o de uma pessoa indefesa, que está sob custódia, é algo indefensável. Se isso era norma explícita, ou não – e eu creio que não –, mas implícita talvez fosse, infelizmente. Era um governo ditatorial; ninguém vai discutir isso. Você sabe muito bem que eu deixei meu cargo na Embrafilme porque autorizei a elaboração de um filme, pago pela empresa, cujo tema central era a Operação Bandeirante. Então, o que aconteceu é uma coisa; agora, eu tenho que fazer um esforço. O Brasil precisa de Forças Armadas, e os militares de hoje não são os militares de ontem. Nós precisamos dialogar com esses miliares de hoje, e é preciso que haja uma confiança. Eles são importantes para o Brasil, para a questão do Alemão, para a questão da Copa, para a questão da Maré, para nos defender de ameaças que nós não sabemos que podem existir, mas que podem ocorrer ao Brasil, como já ocorreu no passado.

Então, nós temos que com eles ter um diálogo. E, talvez, temos que ser capazes de separar, e eles também têm que ser capazes de separar o passado do presente. Agora, isso é um processo. Eles têm que ser capazes de separar o que foi o passado e o que é hoje. O 31 de março já não é mais comemorado; isso foi um passo. E era, até bem muito pouco tempo atrás, pelo menos ostensivamente. É um passo. É preciso dar outro passo? Eu estou de pleno acordo de que é preciso.

Agora, eu acho que, em vez de a gente pensar que todos os passos têm que ser dados agora, para subsidiar o trabalho da Comissão da Verdade, nós temos que facilitar o trabalho da Comissão, que é o que temos feito, com respostas às perguntas que são formuladas e com visitas – não só deles, mas de parlamentares. Pense bem, eles foram visitar uma das sedes da Policia do Exército. Então, isso são passos muito importantes para que o quadro se forme. Uma vez que o quadro todo esteja formado, talvez tenhamos que dar outros passos.

MIRIAM LEITÃO: Mas, Ministro, exatamente sobre esse seu raciocínio de que as Forças Armadas de hoje não são as Forças Armadas de ontem, eles mesmos não fazem essa separação de gerações quando não admitem os erros do passado? Eles não deveriam, até para preservar a instituição, fazer essa separação? Por exemplo, no documento do Exército, fala-se exatamente isso: "A instituição Exército Brasileiro"; então, portanto, está falando em nome da instituição. E não faz a separação com esses crimes que aconteceram no passado.

CELSO AMORIM: Você quer a minha opinião pessoal? Acho que devem. Mas isso você não faz com uma ordem, isso é uma mudança cultural, porque a ordem ele pode até obedecer. Agora eu acho que isso é uma mudança cultural que vem aos poucos. Eu acho que essa ordem depende do diálogo, e do diálogo com a sociedade brasileira.

Não seria evidente, em um passado ainda recente, eu trazer aqui para conversar com a Presidenta da Comissão de Direitos Humanos do Senado, acompanhada de outro senador; não seria evidente que as visitas tenham transcorrido em total normalidade, inclusive com as pessoas que se disseram, e eu creio que é verdade, vítimas de fatos lá dentro. Não seria evidente que houvesse um almoço com as atuais lideranças militares. Então, são passos que nós estamos dando.

Agora, há outros fatos, há outras percepções culturais das corporações que existem; como isso se concilia é uma coisa complicada. Eu não vou entrar aqui em uma discussão filosófica, ou sociológica, do problema das culpas coletivas (...), mas você sabe que é uma coisa complicada. Eu acho que o tempo vai fazer com que isso ocorra. E que o primeiro passo é eliminar as coisas oficiais – comemoração do dia 31 de março, essas coisas. Nunca ouvi nenhum militar defender a tortura sob nenhum aspecto, nem direta nem indiretamente.

MIRIAM LEITÃO: Ministro, o senhor falou em uma das suas respostas sobre as outras questões a respeito do papel das Forças Armadas. O Ministério da Defesa tem quinze anos. Quinze anos desde que o poder civil passou a comandar o poder militar. Que balanço que o senhor faz e qual é o papel das Forças Armadas hoje no Brasil?

CELSO AMORIM: O balanço que eu faço é positivo. Muitas coisas foram feitas pelos meus antecessores. Por exemplo, a criação do Estado-Maior Conjunto das Forças Armadas, subordinado diretamente ao Ministério da Defesa, ao Ministro da Defesa – embora o Ministério tenha quinze anos, esse fato só tem quatro. O Ministro da Defesa hoje está na cadeia de comando, inclusive das operações militares; antes, era uma espécie de administrador etc. Isso é uma coisa importante.

Temos um Secretário-Geral civil no mesmo nível dos comandantes. Estamos desenvolvendo um instituto de estudos de defesa que é civil, o Instituto Pandiá Calógeras, que foi o único Ministro da Guerra civil, durante a Primeira República. Enfim, esses são avanços e as discussões, eu acho que são cada vez mais amplas com a sociedade, com a universidade.

Hoje há um grande número de cursos voltados para Defesa, alguns ligados às relações internacionais, outros não. Claro que alguns fatos concretos são muito evidentes, basta você olhar: se tem uma seca ou uma enchente, a primeira coisa que você vê são as fardas. Isso é uma coisa. No caso da Maré, entrou a polícia, mas, para segurar, entraram as Forças Armadas...

Miriam Leitão: Isso é o que eu queria perguntar...

Celso Amorim: Agora, eu sempre gosto de acrescentar uma outra coisa, porque a gente só pensa nisso, que é o mais visível. O Brasil não pode ser a sétima economia do mundo e não ter uma defesa capaz de dissuadir potenciais inimigos, que não são os nossos da região. Na região, eu digo, a melhor dissuasão é a cooperação.

Miriam Leitão: A propósito do que o senhor falou sobre o papel das Forças Armadas dentro de questões internas, houve um momento, logo depois do fim da ditadura, em que se tinha medo de chamar as Forças Armadas para qualquer coisa. Agora, elas ajudaram no Rio de Janeiro, no Alemão; na Maré; nos grandes eventos; na retirada dos não indígenas em terras indígenas; na Copa do Mundo... O senhor acha que estão sendo chamadas demais?

Celso Amorim: Olha, eu penso como aquele pensador chinês, que diz que "a melhor batalha é aquela que não precisa ser travada". Acho que está na medida certa, porque a presença dos militares tem um fator dissuasório muito grande: saber que as Forças Armadas estão ali assusta. Agora, eu acho que sempre se tem que fazer o possível para evitar, ou seja, os militares são uma força de última instância. Se perder-se totalmente o controle, ali estarão. Afinal, um evento esportivo é um evento mundial; todo mundo, os olhos do mundo estão todos postos no Brasil. Então, eu acho que é isso que tem que fazer. Agora, veja bem, até quando, há pouco tempo, saiu o manual de Garantia da Lei e da Ordem, houve muita crítica, muita dúvida – eu até tive que mandar refazer uma parte, porque eu achei que o vocabulário talvez fosse mal compreendido. Muita gente pensa, ou está implícito, que os militares estão loucos para fazer essas coisas. Ao contrário. É claro que eles não se recusam, eles obedecem; se tem missão, é para cumprir, e cumprem muito bem.

Agora, muitas vezes, não é agradável fazer essas missões, pois temos limitações, porque também os militares não foram preparados para isso, não são polícia, propriamente. É uma situação que só pode ser temporária. A própria Constituição estipula que é para ser temporária e extraordinária. Então, eu acho que nesses casos que você perguntou é a medida certa, não temos nos furtado a estar presente, e nem poderíamos, em situações como foram a do Alemão, a da Maré e várias outras. Agora, nós não queremos de jeito nenhum, e as Forças Armadas não querem, eles próprios não querem situações como essas, que só causam desgaste no final das contas. Sua função é diferente.

Miriam Leitão: E aí, como eles pensam no papel deles? No Brasil de hoje, é só a questão das fronteiras? O que é exatamente?

Celso Amorim: Há muito na fronteira. O Brasil tem dezessete mil quilômetros de fronteiras. Eu acho que é a terceira fronteira do mundo. Se meus dados da época do Ministério das Relações Exteriores não estão errados, eram só a Rússia, China e o Brasil. E note que, no caso do Brasil, com uma quantidade enorme de países. Então, isso tem que ser visto. Não que tenhamos inimizade com esses países, mas podem acontecer as coisas mais diversas: bandos armados, traficantes... Tudo isso tem que ser policiado. E isso é uma coisa que só a polícia não pode fazer; a polícia tem os postos específicos, a fronteira é uma coisa muito importante.

O mar. Nós temos uma riqueza imensa com o petróleo no mar. Precisamos estar bem-equipados. É o que justifica, inclusive, a existência do Submarino de propulsão nuclear. E o nosso espaço aéreo – nós também temos que defender um país com uma área como a do Brasil.

As pessoas dizem: "Isso nunca vai acontecer", "O Brasil não tem inimigos". Mas eu não sei. Na Segunda Guerra Mundial, nós também não tínhamos, a rigor, inimigos previamente, independentemente do que eu ou você pensemos das ideologias da época. Na época, não tínhamos, e acabamos tendo que entrar na guerra, por uma razão ou por outra.

Espero que isso nunca mais aconteça, mas, para não acontecer, temos que ter a capacidade de dissuadir. Porque, senão, alguém que esteja procurando recursos naturais pode nos ameaçar. Temos muitos: petróleo, fontes de energia, alimentos, biodiversidade, água, etc., nós temos que ter uma postura para dizer assim: "Olha, não vem que não tem". É isso.

Miriam Leitão: Ministro, uma questão que sempre me preocupa é o fato de que os colégios militares, nos seus currículos, dão uma versão dos acontecimentos recentes no Brasil de acordo com o que se pensava na época da ditadura; não com o de acordo com o que se pensa agora, no Estado Democrático de Direito. Isso preocupa o senhor?

Celso Amorim: Olha, eu acho que isso está mudando também. Eu acho que nós conseguimos, há pouco tempo, a inclusão de disciplinas de Direitos Humanos em todos os níveis das escolas militares, das mais altas – acho inclusive que a Escola Superior de Guerra está ampliando essa parte, com o que tem na Constituição, nas convenções internacionais a que o Brasil aderiu, o currículo é baseado nisso. Agora, eu acho que pode evoluir.

Eu acho que o que você está mencionando especificamente, que são talvez alguns livros dos colégios militares, é uma coisa que me preocupa também; isso tem que mudar. Eu acho que a discussão tem que ser feita, eu acho que, na realidade, há que se utilizar os livros apoiados pelo MEC. Os colégios militares são excelentes colégios, que aprovam um grande número de pessoas nas universidades. Volto a dizer, você poderia dizer: "O senhor não pode dar uma ordem?". Posso, mas eu prefiro convencer, porque eu acho que isso tem maior durabilidade. Aprendi isso na diplomacia.

Foi por isso que eu chamei para ser o Secretário de ensino, saúde, esporte, um general que era Chefe do Estado-Maior do Exército, um homem que tem muita capacidade e também poderá trabalhar no convencimento de incluir essas disciplinas de Direitos Humanos em todas as escolas. Veja bem, os livros indicados pelo MEC fazem parte também do currículo. Existe uma coleção paralela de uma fundação – o que eu acho que não tem mais cabimento, concordo com você plenamente sobre isso. Agora, acho que convencimento é melhor do que uma ordem estrita.

MIRIAM LEITÃO: Ministro, o senhor acha que em algum momento as Forças Armadas Brasileiras vão deixar-se convencer a pedir desculpas para o país pelos crimes cometidos na ditadura, para que eles não se repitam mais?

CELSO AMORIM: Essa é uma questão complicada. Não sei, eu acho que talvez. Eu volto a dizer que o grande *input* para isso, o grande subsídio para isso vai ser o próprio relatório da Comissão da Verdade – o tratamento que ele vai dar ao assunto e a maneira como ele vai ser recebido pela sociedade. Agora, aí você tem um conflito entre duas concepções. Uma, que foi um pouco essa que eu te dei: a de que as Forças Armadas de hoje não são as de ontem; então, talvez elas não tenham que pedir desculpas por algo que não tenha sido feito por elas. Eu não sei. Eu também já fui Ministro das Relações Exteriores. E se eu tivesse que pedir desculpas por tudo o que tiver sido feito pelo Itamaraty, inclusive no tempo da ditadura, talvez fosse complicado para mim. Acho melhor você ir mudando a prática e deixar aquilo para quem tem que ver, que é Judiciário, o Congresso, a sociedade analisar. Mas não sei, talvez fosse bom para eles.

MIRIAM LEITÃO: Ministro, obrigada por me receber aqui. Eu volto na semana que vem.

Formato	15,5cm x 22,5cm
Mancha gráfica	12 x 18,3 cm
Papel	pólen soft 80g (miolo), cartão supremo 250g (capa)
Fontes	Gentium Book Basic 20 (títulos)
	Gentium Book 14/15 (títulos)
	Chaparral Pro 11,5/15 (textos)